現代の実践的内部監査

一般社団法人 日本内部監査協会
［編］

川村眞一
［著］

七訂版

同文舘出版

発刊に当たって

　わが国には、これまで内部監査の実務に携わる方たちにとって真に役立つ内部監査の入門書が少なかったように思われます。わが国における内部監査の唯一の専門研究団体である日本内部監査協会（IIA-JAPAN）では、これまでＱ＆Ａ形式の書、『実践的内部監査の実務』等を発行してまいりましたが、このたび、新たに本書を発刊する運びとなりました。

　平成17年はわが国における内部監査の歴史に残る年であったと言えます。同年7月に新「会社法」が公布され、12月には金融庁・企業会計審議会内部統制部会が「財務報告に係る内部統制の評価及び監査の基準のあり方について」の中で、「内部監査人」を「内部統制の整備及び運用状況を検討、評価し、その改善を促す職務を担う者及び部署をいう」と明確に定義しております。

　平成16年8月の経済産業省の企業行動の開示・評価に関する研究会の中間報告の中でも既に、企業経営者の内部統制の整備・運用の支援のために高い専門性と倫理観をもった内部監査部門を設置し運用していくことが重要だとされておりました。

　内部監査は、企業環境の変化の中で充実強化への期待がますます高まってきていると言えるでしょう。企業価値を高める経営には、内部監査の果たす役割を無視することができないという認識が、一般の皆様にも広がってきたからにほかならないのではないでしょうか。

　このようにわが国において内部監査が注目されてきている現在、内部監査の実務に携わる方々のために役立つ書として本書が発刊されますことは、まことに喜ばしいことと思われます。

　筆者である三菱商事㈱監査部主席内部監査人の川村眞一氏には2002年から、弊会の各種講座等の講師もお願いしてきており、その中で、筆者独自に内部監査を体系的にまとめられた集大成が本書であると言えます。

本書の中で筆者は、「監査を実施する上で最も重要な事は、相手の説明をよく聴き、合理的懐疑心をもって証拠資料を点検、分析、評価し、事実を確認する事」であると述べておられます。これは筆者の内部監査人という職業的専門家としての原点でもあるように思われ、本書に貫かれているのは、こうした筆者の精神であり、長年の実務経験がそれを裏打ちされておられるのではないかと思われます。

　本書は、内部監査人、内部監査組織の責任者、企業等の経営責任者・役員等、内部監査にかかわるすべての方々への実践的内部監査実施に当たっての必携の書であると言えましょう。

　本書の発刊に当たっては、業務ご多用にもかかわりませず、ご執筆の労をおとりいただいた川村眞一氏に対し深く謝意を表します。

　また発行に当たり、同文舘出版㈱には、多大なご協力を賜り心より感謝いたします。

　　平成18年5月

日本内部監査協会
会長　中　村　　清

七訂版はしがき

　2006年6月の本書初版の上梓から14年を経て第七版を刊行する運びとなり、ご支援下さった読者諸賢に心からの感謝を申し上げる。

　さて、六訂版を読み返してみると、複数の箇所に同様の記述がある、もっとましな解説がある筈…等の、不満足な箇所が散見された。

　前回改訂から2年が経過した2月に新型コロナウイルス感染症拡大の影響で総ての出講が取消及び延期となり、外出することがなくなった。記述内容の整理と充実を図る好機と考え閲覧すると、中断されることがないため、精神集中が途切れず、整理と推敲が捗り、次の所期の目標を達成することができた。

(1)　重複している記述を整理する。
(2)　日本の法定監査の歴史について連続性をもって解説する。
(3)　加筆と書替によってできるだけわかりやすい解説にする。

　そのために、罫囲みの記載を止め、捨て難い記述であっても割愛して、紙面を確保した。

　本七訂版の章毎の改訂の概要は、以下の通りである。

[第1章]　会社の経営環境と健全経営のキー・ワード

　第2節Ⅲ「日本のコーポレート・ガバナンスの歴史」に改正会社法による社外取締役設置義務の解説を加筆した。

　同Ⅳ「コーポレート・ガバナンスの形態」に業務執行の決定、業務の執行、職務の執行の監督の解説を加筆した。

　第3節Ⅱ、Ⅲ、Ⅳで罫囲みの取外しと書替により4頁を圧縮した。

　第4節Ⅴ「ビジネス・リスク・マネジメント」を割愛した。

[第2章]　内部統制と報告制度の歴史

　第1節Ⅴ「COSO報告書」の一部を書き替えた。

　第3節Ⅱ「監査基準における概念」と同Ⅲ「大綱と手続要領における定義」を大幅に書き替えた。同Ⅹ「会社法と会社法施行規則の規定事項」の解説の充実を図った。

[第3章] 法定監査と内部監査の歴史

　第1節Vの「日本における法定監査の歴史」について、字数の制限で櫛の歯が欠けたような記述となっていた部分を埋めた。因みに、最初にロェスラー草案を掲載した。同Ⅵ「公認会計士の監査基準等の歴史」とⅦ「日本監査役協会の基準等の歴史」に加筆した。

[第4章] 三様監査

　第1節Ⅰ「監査の語源とその意味」を全面的に書き替えた。

　同Ⅱ「受託職務、説明義務、監査の自生理由」に旧Ⅳ「日本における受委託に関係する法律」を組み込み、旧Ⅳを削除した。

　第3節Ⅲ「日本の監査役」の後半部分を書き替えた

　第4節Ⅵ「監査委員会の監査の概観」と同Ⅷ「監査等委員会の監査の概観」の多くの箇所で補足事項を加筆した。

　第4節Ⅸ「委員会の監査等に関する概念整理」の大部分を書き替えた。

　同Ⅹ「内部監査人の活用方法」の殆どを書き替え、レポーティング・ラインと指揮命令の一元確保の重要性を加筆した。

　第8節Ⅳ「内部監査人の位置付けと活用方法」の大部分を書き替えた。

[第5章] 経営に貢献する現代の実践的内部監査

　第1節に、Ⅰ「会社統治と内部統制の関係」と、Ⅱ「内部統制と内部監査の関係」を加筆した。

　第2節Ⅶ「現代の実践的内部監査の実効」に組織責任者の押印と管理監督業務に関する補足説明を加筆した。

　第3節Ⅸ「監査項目」に官公庁等の内部監査の着眼点を加筆した。

　第4節Ⅱ「監査実施手順書」を追加した。

　第4節Ⅹ「フォロー・アップ」の半分を書き替えた、

　第5節Ⅰ「経営監査」の内部監査と経営監査の関係を書き替えた。

　同Ⅱ「監査リスク・ベースの外部監査」とⅢ「監査リスク・ベースの内部監査」の一部を書き替えた。

　旧Ⅳ「部門別監査、機能別監査、テーマ監査」を割愛し、旧Ⅶ「監査実施手順書」を移して、Ⅴ「チェック・リスト」との関係がよくわかるように改め、監査実施上の要点を参考事項として末尾に加筆した。

[第6章]　現代の実践的内部監査の手続
　第1節Ⅴ「分析的手続」の「(1)主力事業の継続性と成長性の確認」の誤記を訂正した。
　第2節旧Ⅳ「予備調査の具体的業務」を削って、第4節「内部監査の具体的手続」の解説を充実させた。

[第7章]　内部監査の適正と実効の確保
　第1節Ⅰ「円滑実施のための環境整備」とⅡ「適正実施のための基本事項の明確化」の一部を書き替えた。
　第2節Ⅰ「実効確保のための姿勢」の大部分を書き替えた。
　同Ⅱ「実効確保のための要点と要領」の一部を書き替えた。
　第3節Ⅲ「監査技術の適用における留意事項」と、Ⅳ「予備調査における留意事項」に加筆した。
　第3節のⅦ以降を新設の第4節「用語その他について」に移し、用語解説を充実させた。同Ⅶ「会社に纏わる用語の逸話」を追加した。

　本書の題名『現代の実践的内部監査』は、内部監査人諸賢が「自身の行動を通じて自社をよりよい状態に変えていくことができる立場にあること」を認識しかつ実現されることを期待して付したものである。
　内部監査人諸賢には、内部統制の態勢の不備によって発生する計画の未達、金銭的損失の発生、社会的信用喪失等の防止に役立つ内部監査を実施し、実効を上げて、自社及び企業集団の資産の保全、収益の拡大、株主価値の増大に寄与して戴きたい。本書がその一助となれば、筆者としてこれに勝る喜びはない。

　最後に、折に触れ何くれとなくご指導を下さった名古屋大学名誉教授友杉芳正先生に、衷心より謝辞を申し上げる。

2021年3月

　　　　　　　　　　　　　　　　　　　　　　　　　　川　村　眞　一

目次

第1章 会社の経営環境と健全経営のキー・ワード

第1節 今日の会社の経営環境と最高経営執行者の義務 ―― 2
- Ⅰ 今日の会社の経営環境 ……………………………………………… 2
- Ⅱ 今日の会社の最高経営執行者の義務 ……………………………… 3

第2節 コーポレート・ガバナンス ―― 4
- Ⅰ 米国のコーポレート・ガバナンスの概念と仕組の歴史 ………… 4
- Ⅱ EU諸国のコーポレート・ガバナンス法制と政策 ……………… 11
- Ⅲ 日本のコーポレート・ガバナンスの歴史 ………………………… 16
- Ⅳ コーポレート・ガバナンスの形態 ………………………………… 22
- Ⅴ コーポレート・ガバナンスの形態の変化 ………………………… 26
- Ⅵ コーポレート・ガバナンスの今日的課題 ………………………… 31

第3節 インターナル・コントロール ―― 32
- Ⅰ インターナル・コントロールの概念の歴史 ……………………… 32
- Ⅱ COSO報告書 ………………………………………………………… 32
- Ⅲ CoCo報告書 ………………………………………………………… 35
- Ⅳ ターンブル・ガイダンス …………………………………………… 36

第4節 リスク・マネジメント ―― 39
- Ⅰ リスク・マネジメントの歴史 ……………………………………… 39
- Ⅱ リスク・マネジメントの概念の変化 ……………………………… 39
- Ⅲ COSO報告書「エンタープライズ・リスク・マネジメント」…… 41
- Ⅳ リスク、ハザード、ペリル、エクスポージャー ………………… 43
- Ⅴ ビジネス・リスク・マネジメントのプロセス …………………… 47
- Ⅵ リスク・マネジメントとその類似語の違い ……………………… 49

第5節　コンプライアンス ── 50
 Ⅰ　コンプライアンスの歴史とその概念の変化 ── 50
 Ⅱ　コンプライアンスは法令違反の予防策 ── 51

付録：コーポレート・ガバナンスの形態 ── 53
 Ⅰ　米国型のコーポレート・ガバナンス ── 53
 Ⅱ　ドイツ型のコーポレート・ガバナンス ── 54
 Ⅲ　日本型（監査役（会）設置会社）のコーポレート・ガバナンス ── 55
 Ⅳ　日本型（監査等委員会設置会社）のコーポレート・ガバナンス ── 56
 Ⅴ　日本型（指名委員会等設置会社）のコーポレート・ガバナンス ── 57
 Ⅵ　日本の公開会社の3形態の比較 ── 58

第2章　内部統制と報告制度の歴史

第1節　米国における内部統制の概念とその変遷 ── 60
 Ⅰ　内部統制の概念 ── 60
 Ⅱ　内部統制の概念の変遷 ── 61
 Ⅲ　経営破綻の続発とその影響 ── 65
 Ⅳ　監査基準書第55号 ── 67
 Ⅴ　COSO報告書 ── 70

第2節　米国における内部統制報告制度の沿革 ── 75
 Ⅰ　内部統制報告制度の概念 ── 75
 Ⅱ　海外不正行為防止法 ── 75
 Ⅲ　連邦預金保険公社改善法 ── 76
 Ⅳ　サーベインズ・オクスリー法 ── 77

第3節　日本における内部統制概念の沿革 ── 80
 Ⅰ　日本人にとっての内部統制 ── 80
 Ⅱ　監査基準における概念 ── 80

Ⅲ	大綱と手続要領における定義	82
Ⅳ	日本会計研究学会報告書における定義	84
Ⅴ	監査基準委員会報告書第4号における定義	85
Ⅵ	大阪地裁の判決	86
Ⅶ	金融監督庁の方針における概念	87
Ⅷ	監査基準の改訂に関する意見書の解説	88
Ⅸ	商法特例法と商法施行規則の規定事項	89
Ⅹ	会社法と会社法施行規則の規定事項	90
Ⅺ	内部統制の要約	94

第4節　日本における内部統制報告制度の沿革ーーーーーー100

Ⅰ	金融庁の取組	100
Ⅱ	確認書制度の導入	100
Ⅲ	内部統制基準及び実施基準の公表	100
Ⅳ	金融商品取引法における規定事項	101

第5節　米国と日本の内部統制報告制度の比較ーーーーーー104

Ⅰ	SOAと金融商品取引法の違い	104
Ⅱ	米国の内部統制報告制度の蹉跌	108
Ⅲ	日本の内部統制基準の特徴	108

第3章　法定監査と内部監査の歴史

第1節　法定監査の歴史ーーーーーー110

Ⅰ	複式簿記の確立	110
Ⅱ	株式会社の設立	110
Ⅲ	証券詐欺事件	111
Ⅳ	欧米諸国における法定監査の歴史	111
Ⅴ	日本における法定監査の歴史	127

Ⅵ　公認会計士の監査基準等の歴史 ……………………………… 143
　　Ⅶ　日本監査役協会の基準等の歴史 ……………………………… 146
第2節　内部監査の歴史 ——————————————————147
　　Ⅰ　米国における内部監査の歴史 ………………………………… 147
　　Ⅱ　IIAと日本内部監査協会の公表文書 ………………………… 153
　　Ⅲ　日本における内部監査の歴史 ………………………………… 155
　　Ⅳ　主要文献に学ぶ内部監査の考察 ……………………………… 157

第4章　三様監査
第1節　監査の語源とその自生理由 ——————————————180
　　Ⅰ　監査の語源とその意味 ………………………………………… 180
　　Ⅱ　受託職務、説明義務、監査の自生理由 ……………………… 181
　　Ⅲ　エージェンシー理論（agency theory）の概要 ……………… 182
　　Ⅳ　日本における受委託関係に関係する法律 …………………… 183
　　Ⅴ　「義務」と「責任」の違い …………………………………… 184
　　Ⅵ　「説明義務」と「情報開示」の違い ………………………… 185
　　Ⅶ　「受託職務」と「受託者の義務」の違い …………………… 186
　　Ⅷ　受託職務と説明義務の汎用性 ………………………………… 187
第2節　監査に関係する重要概念 ————————————————188
　　Ⅰ　真実かつ公正な概観 …………………………………………… 188
　　Ⅱ　継続企業の前提の検討 ………………………………………… 191
　　Ⅲ　二重責任の原則 ………………………………………………… 198
第3節　日本の三様監査 ———————————————————199
　　Ⅰ　主要国の法定監査 ……………………………………………… 199
　　Ⅱ　日本の三様監査 ………………………………………………… 199
　　Ⅲ　日本の監査役 …………………………………………………… 200

第4節　監査役の監査、監査委員会の監査及び監督、監査等委員会の監査及び監督 ―― 201

- Ⅰ　監査役の監査の概観 …………………………………………… 201
- Ⅱ　監査役の監査の目的と監査役の職務 ………………………… 203
- Ⅲ　監査役の監査の機能 …………………………………………… 207
- Ⅳ　監査役の監査の実効を上げる方法 …………………………… 207
- Ⅴ　監査委員会創設の経緯 ………………………………………… 209
- Ⅵ　監査委員会の監査の概観 ……………………………………… 210
- Ⅶ　監査等委員会創設の経緯 ……………………………………… 212
- Ⅷ　監査等委員会の監査の概観 …………………………………… 214
- Ⅸ　委員会の監査等に関する概念整理 …………………………… 219
- Ⅹ　内部監査組織の活用方法 ……………………………………… 223

第5節　外部監査 ―― 226

- Ⅰ　外部監査の概観 ………………………………………………… 226
- Ⅱ　外部監査の目的と監査人の職務 ……………………………… 228
- Ⅲ　外部監査の機能 ………………………………………………… 229

第6節　内部監査 ―― 231

- Ⅰ　内部監査の概観 ………………………………………………… 231
- Ⅱ　内部監査の目的と監査人の職務 ……………………………… 233
- Ⅲ　内部監査の機能 ………………………………………………… 233

第7節　監査の独立性と客観性、監査業務と非監査業務 ―― 236

- Ⅰ　監査の独立性と客観性 ………………………………………… 236
- Ⅱ　監査業務と非監査業務 ………………………………………… 239

第8節　三様監査の連係の意義と重要性 ―― 243

- Ⅰ　監査役と外部監査人の連係の意義 …………………………… 244
- Ⅱ　監査役と内部監査人の連係の意義 …………………………… 245

Ⅲ　外部監査人と内部監査人の連係の意義 247
　　Ⅳ　内部監査人の位置付けと活用方法 249
付録1：三様監査の比較 ——250
付録2：公開会社の3種の監査機関の比較 ——251
付録3：会社法 ——252
付録4：金融商品取引法 ——253

第5章　経営に貢献する現代の実践的内部監査

第1節　経営者にとっての内部統制と内部監査の有用性／重要性 ——256
　　Ⅰ　会社統治と内部統制の関係 256
　　Ⅱ　内部統制と内部監査の関係 257
　　Ⅲ　内部統制の有用性と評価の重要性 258
　　Ⅳ　内部監査の有用性と活用の重要性 258

第2節　経営に貢献する現代の実践的内部監査 ——260
　　Ⅰ　経営に貢献するとは 260
　　Ⅱ　経営に貢献する内部監査とは 261
　　Ⅲ　現代の実践的内部監査の概観 261
　　Ⅳ　内部監査人の属性 263
　　Ⅴ　現代の実践的内部監査の目的 264
　　Ⅵ　現代の実践的内部監査の3つの機能 264
　　Ⅶ　現代の実践的内部監査の実効 265
　　Ⅷ　従来の一般的内部監査との違い 267
　　Ⅸ　財務報告に係る内部統制の評価との違い 269
　　Ⅹ　業務監査と会計監査の関係 270

第3節　内部監査の基本用語とその意味 ——271
　　Ⅰ　監査主体 271

Ⅱ	監査客体	271
Ⅲ	監査計画	272
Ⅳ	監査目的	273
Ⅴ	監査目標	273
Ⅵ	監査範囲	274
Ⅶ	監査対象	274
Ⅷ	監査要点	274
Ⅸ	監査項目	279
Ⅹ	監査証拠	280
Ⅺ	監査意見	280

第4節　内部監査手続の用語とその意味　　281

Ⅰ	予備調査	281
Ⅱ	監査実施手順書	281
Ⅲ	監査予備調書	282
Ⅳ	本格監査	283
Ⅴ	実地監査	283
Ⅵ	監査調書	283
Ⅶ	監査結果通知書	284
Ⅷ	監査報告書	284
Ⅸ	回答書	285
Ⅹ	フォロー・アップ	285

第5節　内部監査の関連用語とその意味　　286

Ⅰ	経営監査	286
Ⅱ	監査リスク・ベースの外部監査	286
Ⅲ	監査リスク・ベースの内部監査	291
Ⅳ	監査実施手順書	298

Ⅴ　チェック・リスト	300
Ⅵ　監査マニュアル	300
Ⅶ　CSAと自己点検	301

第6節　内部監査の本質 ―― 304

第6章　現代の実践的内部監査の手続

第1節　監査技術と監査手続 ―― 306
　Ⅰ　監査技術と監査手続の概念 306
　Ⅱ　一般監査技術（general audit techniques） 306
　Ⅲ　個別監査技術（individual audit techniques） 309
　Ⅳ　補助的監査技術（auxiliary auditing techniques） 313
　Ⅴ　分析的手続（analytical procedures） 315

第2節　内部監査の基本的手続 ―― 320
　Ⅰ　内部監査の3つの段階 320
　Ⅱ　内部監査の3つの段階の要点 321
　Ⅲ　予備調査の目的とその重要性 322
　Ⅳ　内部監査の基本的手続の概要 323
　Ⅴ　個別内部監査の実施日数 325

第3節　監査部長等の業務 ―― 328
　Ⅰ　監査部の主要業務 328
　Ⅱ　監査担当者と監査部長等の主要業務の一覧 330
　Ⅲ　監査部長等の主要業務 331
　Ⅳ　監査部長等の具体的業務 332

第4節　内部監査の具体的手続 ―― 341

第7章　内部監査の適正と実効の確保

第1節　内部監査の適正確保のための手続 ――――― 354
- Ⅰ　円滑実施のための環境の整備 ……………………………… 354
- Ⅱ　適正実施のための基本事項の明確化 …………………… 355
- Ⅲ　適正実施のための監査規程の制定 ……………………… 357
- Ⅳ　監査要員の確保 …………………………………………… 357
- Ⅴ　予算の確保 ………………………………………………… 358
- Ⅵ　内部監査の品質管理 ……………………………………… 358
- Ⅶ　品質のアシュアランスと改善のプログラム …………… 360
- Ⅷ　内部監査の業績評価 ……………………………………… 366

第2節　内部監査の実効確保のための手続 ――――― 368
- Ⅰ　実効確保のための姿勢 …………………………………… 368
- Ⅱ　実効確保のための要点と要領 …………………………… 368

第3節　内部監査の実効確保のための留意事項 ――――― 373
- Ⅰ　監査全般における留意事項 ……………………………… 373
- Ⅱ　監査実施計画の作成における留意事項 ………………… 375
- Ⅲ　監査技術の適用における留意事項 ……………………… 376
- Ⅳ　予備調査における留意事項 ……………………………… 377
- Ⅴ　本格監査における留意事項 ……………………………… 379
- Ⅵ　意見表明における留意事項 ……………………………… 382

第4節　用語その他について ――――― 384
- Ⅰ　監査に関係する類似用語 ………………………………… 384
- Ⅱ　その他の類似用語 ………………………………………… 389
- Ⅲ　誤字、誤用、誤読の例示 ………………………………… 391
- Ⅳ　重言の例示 ………………………………………………… 393
- Ⅴ　監査部の内規 ……………………………………………… 394

Ⅵ　法令用語の約束事 ……………………………………………………… 396
　　Ⅶ　会社に纏わる用語の逸話 ……………………………………………… 400

参照・参考文献―――――――――――――――――――――――401
索引―――――――――――――――――――――――――――403

第1章
会社の経営環境と健全経営のキー・ワード

　日本でも、1990年代後半からコーポレート・ガバナンス、インターナル・コントロール、リスク・マネジメント、コンプライアンス等の用語を見聞きする機会が増えたが、様々な解説書が出版されているために、同一の用語を使用していても人によって理解している概念が大きく異なり、誤解も見受けられる。

　少なくとも会社の経営、財務報告、監査等の業務の当事者及び関係者は、これらの用語の概念を正しくかつそれぞれが密接に関係していることも理解して置かなければならないので、第1章において、この種の用語の意味及び相関関係について説明する。

　第1節で、会社の経営環境と最高経営執行者の義務を解説する。

　第2節から第5節で、コーポレート・ガバナンス、インターナル・コントロール、リスク・マネジメント、コンプライアンス、という用語の概念及び関係等について解説する。

　これらの用語については、一般に使用されている漢字で表記すると原意と乖離したり類似語との意味の違いが不明確になったりして誤解を与える原因ともなるので、第1章においては敢えてカタカナで表記する。

　但し、原語の発音に似せたカタカナ表記ではコーポレイト・ガヴァナンス或いはレヴューとなるが、一般に使用されているコーポレート・ガバナンス及びレビューの表記で統一する。

第1節 今日の会社の経営環境と最高経営執行者の義務

I 今日の会社の経営環境

　資金は、会社にとっても国家にとってもその生命の維持に不可欠な、いわば人体の血液に相当するものである。会社の資金調達は、かつては金融機関を通じた間接金融に依存していたが、現在は証券市場における株式及び債券等の発行という直接金融に依存しているので、証券取引の信頼性の維持は会社にとっても国家にとっても重要課題である。

　投資者は株式会社の公表財務報告を基に投資判断をするので、各国の立法当局、監督機関、証券取引所は、投資者が不正な財務報告及び情報開示を基に誤った投資判断をして損害を被ることのないように保護し、証券市場の信頼性を維持し、経済の継続的発展を維持するため、適正な財務報告の作成と企業情報の適時開示を実現させる施策の立案と実施に腐心してきた。

　米国の連邦政府は、大恐慌からの復興に必要な一般の投資を誘発するために1933年証券法及び1934年証券取引所法を制定し、違法な政治献金等不正行為を防止するために1977年海外不正行為防止法を制定し、貯蓄金融機関等の倒産から預金者を保護するために連邦資金を投入した教訓から1991年連邦預金保険公社改善法を制定し、Enron、WorldCom他の経営破綻等で失墜した信用を回復して証券市場を活性化させるために2002年サーベインズ・オクスリー法を制定してきた。

　日本政府も、米国に倣って、1948年に証券取引法、2004年に不正競争防止法の一部改正、2006年に証券取引法等の一部改正（金融商品取引法への移行）等の法律の制定及び改正を行なってきている。

　公認会計士又は監査法人若しくは会計事務所等による財務諸表監査の主な機能は、以前は**財務報告の適正性**（present fairly）の**監査**（audit）のみにあったが、現在は**継続企業としての存続能力**（ability to continue as a going concern）の評価（assessment）、**最高経営執行者が作成する内部統制報告書の適正性の監査**も付加されている。

株式会社の経営目標は利益の追求にあり、株式会社は獲得した収益の一定割合を納税という形で社会に還元するが、法律と規制（政省令）を遵守していても、利益の追求という企業行動が行き過ぎると、消費者、顧客、環境等に害を及ぼすことになる。

Ⅱ　今日の会社の最高経営執行者の義務

　1990年代であれば、不正な利益供与及び財務報告が発覚しても、会社代表者等の陳謝によって事態が収拾したが、現在は、法的制裁だけではなく、社会的制裁を受ける。社会的制裁は大企業であっても倒産に陥りかねないほどに厳しいものである。

　今日の会社の最高経営執行者は、自社を含む企業集団が社会的義務を果たし、効率経営によって企業価値（≒投資価値≒株主利益）を高め、健全かつ継続的に発展するよう経営する義務を負わされている。これが、今日のコーポレート・ガバナンスの要請に他ならない。

　因って、最高経営執行者は、利害関係者からの斯かるコーポレート・ガバナンスの要請に応えるため、全般的内部統制の体制（システム）の構築と適切な運用（プロセスとして実践させること）により、リスク・マネジメントを有効に実施させてビジネス・リスクの現実化の予防及びその現実化による損失の低減を図り、コンプライアンス体制を整備してコーポレート・ブランドの保全を図るとともに、企業集団の全般的内部統制の体制（システム）及び態勢（プロセス）の有効性のモニタリング及び評価により重要な不備の解消を図り、企業情報の適時開示により、会社の社会的義務（CSR）を果たして行かなければならない。

　CSR（Corporate Social Responsibility）についての記述は様々あるが、統一された定義は未だない。CSRは「企業の社会的責任」と和訳されているが、会社が負う「noblesse oblige」であり、正しい和訳は「会社の社会的義務」である（義務と責任については第4章第13節Ⅴを参照）。

　会社が社会的義務を果たしていると社会に評価されれば社会的責任を問われることはないが、果たしていないと評価されると、社会的責任が追及され、社会的信用を喪失することもあり得る。

第2節 コーポレート・ガバナンス（Corporate Governance）

Ⅰ 米国のコーポレート・ガバナンスの概念と仕組の歴史

　英語のgovernanceの語源はラテン語のgubernare（舵取）であり、コーポレート・ガバナンスとは会社の舵取を意味する。コーポレート・ガバナンスは、1923年の米国法律協会（American Law Institute：ALI）設立総会で「株主利益の最大化を図るためには俸給経営者を如何に監視及び監督すればよいか」という議題となった命題である。

　経営規模の拡大、生産技術の進歩、会社管理組織の複雑化、株式大量保有規制等により、1920年代には、株主が専門知識、技術、経験を持つ人物に経営を委託する、株式会社の所有と経営の分離が進行した。

　1950年代に利益処分及び後継者指名等の強大な権限を持った経営者による株式会社の私物化、不正経理、会社倒産が続発したため、ニュー・ヨーク証券取引所（New York Stock Exchange：NYSE）が1956年に２名以上の社外取締役（outside directors）の設置及び取締役会の監視機能強化を義務付けたが、取締役会議長兼CEOが強大な権限を保有し続け、1960年代は経営者の時代又はCEOの時代と言われた。

　1960年代後半から10年以上も配当及び株価が低迷したため、業績及び株価に不満足な持株を売却するWall Street Ruleが実行された。更に、TIAA-CREF（Teachers Insurance and Annuity Association-College Retirement Equities Fund、教職員保険年金連合会及び大学退職基金）及びCalPERS（California Public Employees' Retirement System、加州職員退職年金基金）等がこれを支持し、業績及び株価の低迷する会社の経営者が更迭される事態が相次いだ。

　1960年代までの機関投資家の関心事は高株価及び高配当にあったが、運用資金量の増大で売逃げが困難になると、持続的に企業価値を高める会社への投資に変わり、投資者の意向を会社の経営に反映させるため、株主の利益を代表する社外取締役の設置による、経営者の意思決定及び業務執行をオーバーサイト（oversight）する仕組の構築を要求した。

1970年代にGeneral Motorsに対し社会的義務を認識させて事業目的を公衆利益と一致させるため公益代表者の取締役会参加を認めるよう要求するCampaign GMが展開された。一方では、Penn Central鉄道会社の不正配当及び倒産、Franklin National Bank及びChrysler等の経営破綻、Republic生命の貸倒引当金過少表示、Stirling Homexの架空売上、不正政治献金等が続発したため、多額の損害を被った企業年金基金等の機関投資家が経営者に対する監視機能の強化を要求した。

　機関投資家はインデックスに追随するパッシブ運用の比率が高く運用成績の悪い株式だけを売却することができなくなり、投資先会社の資産価値の持続的増大を図るため、当該会社の経営者との積極的対話により経営改善を促す、**株主行動主義**（shareholder activism）に転換した。

　斯かる状況下の1976年に、**米国法曹協会**（American Bar Association：ABA）が、経営者への監督機能を社外取締役に担わせるモニタリング・モデルを踏まえた行動規範を纏めた『取締役ガイドブック（The Corporate Director's Guidebook）』を公表し、以下を提唱した。

- 取締役の行動基準を制定すること
- 取締役の過半数を独立取締役（independent directors）とすること
- 指名、報酬、監査の3委員会を設置すること

　事業者円卓会議（Business Roundtable：BRT）も、同年に『大規模公開株式会社の取締役の役割と構成（The Role and Composition of the Board of Directors of the Large Publicly Owned Corporation）』で同様趣旨の提唱をした。NYSEは、1977年に上場規則を改訂し、非業務執行取締役だけで構成する監査委員会の設置を義務付けた。

　全米取締役協会（National Association of Corporate Directors：NACD）が、取締役会の客観的判断を担保するため、1977年にベスト・プラクティスを制定したのをきっかけに、多くの会社がコーポレート・ガバナンス原則（Principles of Corporate Governance）を策定した。

　1980年代後半の景気後退で、会社の長期的利益と株主以外の利害関係者の利益も考慮する必要があるとの認識が株主間に広まり、各州の会社法に利害関係者条項（stakeholder clause）が追加された。

労働省は、年金受給権の保護のために、1974年に「The Employment Retirement Income Security Act：ERISA（従業員退職所得保障法）」を制定し、投資収益に最善の結果が出るように年金基金を運用する義務を機関投資家に課していたが、1988年にAvon Letterを出状して受託資産運用先の会社で委託者の株主議決権を代理行使する義務を機関投資家に課したので、多数の機関投資家が積極的に実行するようになった。

1980年代半ば以降、700以上の**貯蓄貸付組合（S&L）**を含む2,590の金融機関が経営破綻したため、連邦政府は、1989年に「**金融機関の改革、復興及び強制執行に関する法律**（The Financial Institutions Reform, Recovery and Enforcement Act of 1989：FIRREA）」を制定し、経営破綻したS&Lを売却及び清算するための**整理信託公社（Resolution Trust Corporation：RTC）**を設立し、かつ4,810億ドル（当時のレート換算で約70兆円）もの巨額の公的資金を投入して預金者を保護した。

1990年代半ばに、株主重視の経営に経営者を誘導する最も効果的方策として、ストック・オプション（stock option）制度が導入された。

証券取引委員会（Securities and Exchange Commission：SEC）も、株主の信頼の強化を目的に規則を改訂し、独立取締役（independent directors）が過半数を占める監査委員会による内部統制システムの整備状況を含む報告書及び委員会の規則を2000年3月15日以降に終了する事業年度から株主総会召集通知に含めることを規定した。

1990年代半ば以降、機関投資家、格付会社、証券アナリスト、マス・メディアによる会社の評価が経営者の評価として影響力を発揮したため、経営者は、コーポレート・ガバナンスの重要性を認識し、**株主向け広報**（investors relations：IR）活動に積極的に取り組むようになった。

こうして、取締役会内に設置した監査委員会による経営者の監視及びストック・オプションにより経営者を誘導する株主優位の米国式コーポレート・ガバナンスが確立したと関係者は信じていたが、経営者の報酬インセンティブが短期的利益志向経営をもたらし、2001年にEnron及びWorldCom等による粉飾決算及び経営破綻という米国証券市場の信用を著しく毀損する不正事件が多発し、その欠陥が露呈した。

連邦政府は、SEC登録会社に対するコーポレート・ガバナンスを強化して米国証券市場の信用を回復するため、2002年7月30日に2002年サーベインズ・オクスリー法（SOA）を制定した。SOAは監査人、公開会社、最高経営執行者等、アナリスト等の義務及び責任、監督機関の権限及び予算、不正に対する罰則等を強化した1934年証券取引所法の補完をする連邦法であり、内部統制報告制度はその一部に過ぎない。

　内部監査人協会（The Institute of Internal Auditors：IIA）は、2002年4月4日、「この失敗事例は公開会社の説明義務に関する迅速かつ決定的な行動の必要性を浮き彫りにした。内部監査人、取締役会、経営者、外部監査人は、有効なコーポレート・ガバナンスの構築のための基盤の礎石である。」として、NYSEに以下を提言した。

① 　NYSE、NASDAQ、AMEXが協働して、次のガイドラインを含む統一的コーポレート・ガバナンス原則を作成する。
- 取締役会、経営者、外部監査人、内部監査人の連携
- CEOのオーバーサイト、企業戦略の監督、リスク・マネジメント、内部統制のモニタリングを含む取締役会の目的と義務
- 取締役の独立性及び専門性
- 会議日程、情報へのアクセス、リーダーシップと役割、情報開示規程、監査委員会の活動と内部監査の役割

② 　取締役会が組織体の内部統制の有効性評価を公開する。

③ 　会社が経営者及び監査委員会に対しリスク・マネジメント、プロセス及び内部統制システムの継続的な評価を提供するため、独立の充分かつ適切な人材を配置した内部監査機能を確立し、維持する。

IIAは、ガバナンスの明確化として次のように述べている。

　ガバナンスは、組織を指揮し、コントロールするシステムであり、利害関係者の利益との適切なバランスを維持しつつ、成功を確実にするための会社の業務上の意思決定をする上での規則及び手続を含む。効果的なガバナンスの基礎は、取締役、経営執行者、内部監査人、外部監査人である。

　NASDAQは、2002年7月24日に、SEC及びIIAの要請に応えて、株式市場規則の資産規則5605で以下を規定した。

- 取締役会の過半数を、独立取締役とすること
- 監査委員会を、3人以上かつ独立取締役だけで構成すること
- 報酬委員会を、2人以上の独立取締役だけで構成すること
- 取締役の指名者を、独立取締役とすること

NYSEも、2002年8月1日、上場会社マニュアル規則Section303Aで以下を規定した。

- 取締役会の過半数を独立取締役とすること
- 指名委員会又はコーポレート・ガバナンス委員会及び報酬委員会を独立取締役によって構成すること
- 監査委員会を、3人以上かつ独立取締役だけで構成すること

こうして、取締役会を監督機関と位置付け、独立取締役に監督機能を担わせる、米国型コーポレート・ガバナンスのモニタリング・モデルが形成された。これは、業務執行者（officers）について指名委員会による指名、報酬委員会による報酬の決定、又はガバナンス委員会による指名及び報酬の決定、監査委員会による監査という、監視及び監督の機能を独立取締役が過半数乃至全部を占める取締役会が担う（業務執行（経営意思）の決定及び業務の執行は業務執行者が担う）形態である。

独立取締役（independent directors）の資格は、社外取締役（outside directors）よりも遥かに厳格なものである。

ここで、「経営者は誰の利益のために株式会社を経営するのか、誰が経営者をガバナンスするのか」に焦点を絞って、歴史を振り返る。

T型モデルの販売好調で高収益を得ていたFord Motor Co.のHenry Ford社長が1914年に、増配をせず、新工場建設、販売価格引下、日給引上、雇用拡大を実施する等の利害関係者（stakeholders）を意識した経営方針を発表したところ、dodge兄弟が増配を求めて提訴した。

これに対し、Michigan州最高裁が「事業会社は、第1に株主の利益のために設立され、経営される。取締役の権限はその目標の達成のために用いられるべきであり、目標の変更、収益の削減、株主への無配にまで及ぶものではない」と判事し、1,900万ドルの特別配当の支払を命じたため、株主第1位の規範が確立した。

1931年から1932年にかけて、法律学者のAdolf Augustus BerleとEdwin Merric Doddによる取締役の義務に関する論争があり、Berleが「取締役会は株主の利益のためだけに株式会社を経営する義務を負っている」と主張したのに対しDoddは「株主の利害関係は株主以外の会社構成員や社会全体であり、経営者の義務は、当該会社の株主、使用人、顧客、一般社会のために経営することである」と主張した。

　この言葉は、1963年にスタンフォード研究所（Stanford Research Institute: SRI）で、再び使われるようになった。SRIの研究メモでは、stakeholdersを「その指示がなければ、当該組織が存在し得なくなってしまうであろう諸グループ」と定義していた。

　1984年に経営学者R. Edward Freemanが、その著書『戦略的経営：利害関係者アプローチ』で、戦略的経営の分野に利害関係者理論を応用して、コーポレート・ガバナンスの分野に革新をもたらした。

　1980年代に株式会社の社会的義務（Corporate Social Responsibility: CSR）についての議論が高まり、ある者は株主が第1位の利害関係者であると主張し、ある者は会社の活動は株主だけでなく会社の構成員にも影響を与えているので彼らは会社の活動に対し正当な利害関係を有していると主張する等の、利害関係者理論が展開された。

　M&Aの申出が従業員、供給者、顧客、地域社会等利害関係者の利益に適っていない場合に反対の決定をする取締役会を保護する法律が必要となり、1983年から1990年初にかけて、経営者が会社の意思決定をする際に、株主の利害に加えて利害関係者の考慮を認める「会社構成員法（corporate constituency statute）」が30の州で制定された。

　これまでに述べた米国におけるコーポレート・ガバナンスの概念及び仕組の歴史を要約すると、以下の通りである。

　コーポレート・ガバナンスに関する1920年代の命題は、会社の本来の所有者である株主（stockholders）が「どのようにすれば経営者を統治、支配、コントロールできるのか」であった。

　1914年に、Henry Ford社長が、利害関係者を意識した経営を図ろうとして敗訴したことにより、長年に亙る株主第1位の規範が確立した。

株主がstockholdersであった非公開会社においては、少数の大株主と少数の経営者の関係であったので、株主による経営者のコントロールは容易であったが、株式の上場で株主がshareholdersに変わると、株主による経営者の直接コントロールは困難になった。
　1950年代に強大な権限を持つ経営者による会社の私物化、放漫経営、業績悪化、粉飾決算、経営破綻が続発したことから、社外取締役による経営者の監視という仕組が考案されたが、機能しなかった。
　1980年代にM&Aがブームとなり、経営者は敵対的買収の脅威にさらされ、効率経営による収益と株価の向上を図らなければならないという新たな外部監視（市場の圧力）を受けるようになった。
　1980年代に株式会社の社会的義務に関する議論が高まり、利害関係者理論が展開された。1983年から1990年代初頭にかけて、経営者が会社の意思決定をする際に株主の利害に加えて利害関係者の考慮を認める会社構成員法が30州で制定された。
　1990年代に経営者の報酬インセンティブが導入されたが、2001年にEnron及びWorldCom等による不正事件が多発し、その欠陥が露呈したため、2002年から2004年にかけて、独立取締役に監督機能を担わせる米国型モニタリング・モデルが形成された。

［用語解説］
　会社と企業は、次の通り、法的には大きく異なるものである。
(1)　会社（corporation）は、法律学の概念であり、営利を目的とする法人化された企業である。
　　　A corporation is an organization that is recognized by law as a single unit.
(2)　企業（company）は、経済学の概念であり、生産又は販売等の事業を営む経済単位である。この中には、会社、組合、商店、農家が含まれる。
　　　A company is a business organization that makes money by producing or selling goods or services.
　従って、「コーポレート・ガバナンス」の正しい和訳は、「企業統治」及び「企業支配」ではなく、「会社統治」又は「会社支配」である。

「stock、stockholder」と「share、shareholder」は、次の通り異なる。
(1) 「stock、stockholder」は、株主が会社又はその資産を持つことに着目した表現である。
(2) 「share、shareholder」は、株主が会社又はその資産の分割された部分（持分）を持ち合うことに着目した表現である。

Ⅱ　EU諸国のコーポレート・ガバナンス法制と政策

　この項においては、日本でコーポレートガバナンス・コードとスチュワードシップ・コードが制定されるまでの動向を記述する。

　英国では、1991年に発覚した新聞会社Mirror Group会長Robert Maxwell氏の経済犯罪及びBCCI銀行（Bank of Credit and Commerce International）によるマネー・ロンダリング等の不正事件を契機にコーポレート・ガバナンスの見直しが求められ、Cadbury委員会、Greenbury委員会、Hampel委員会等で検討を重ね、1998年にロンドン証券取引所（London Stock Exchange：LSE）の「The Combined Code（コンバインド・コード、統合規範）」として結実した。

　統合規範は、原則的行動だけを示し詳細規則及び数字基準を設けない原則主義で作成されており強制力を持たないが、違反すると経済的又は道義的不利益をもたらすsoft lawと呼ばれる規範であり、会社内の機関構成、権限、義務等の原則を規定し、「comply or explain（原則を遵守せよ、さもなければ説明せよ）」という規律を示したため、LSEは「年次報告書」で原則をどの程度遵守しているかを説明する、遵守していない場合はその理由を説明する、という開示義務を上場規則に定めた。

　リーマン・ショックによる世界的金融危機を契機に、コーポレート・ガバナンスにおける機関投資家の役割及び義務の重要性が再認識されたため、2009年11月公表のWalker報告書勧告に基づき、財務報告評議会（Financial Reporting Council：FRC）が、統合規範を、投資する側の機関投資家を対象とするスチュワードシップ・コードと投資される側の会社を対象とするコーポレート・ガバナンス・コードの2つに分けて、2010年6月に公開し、2年毎に改訂を重ねている。

2014年9月公開のThe UK Corporate Governance Codeは、5章から成り、章毎の主要原則、補助原則、各則で構成されている。
第A章：リーダーシップ（Leadership）
第B章：（取締役会の）有効性（Effectiveness）
第C章：説明義務（Accountability）
第D章：報酬（Remuneration）
第E章：株主との関係（Relations with shareholders）

2012年9月公開のThe UK Stewardship Codeは7原則で構成されている。

最終的受益者に帰属する価値を保全し増大させるため、機関投資家は、
1．スチュワードシップ義務を遂行する方法に関する方針を開示するべきである。
2．公開されるべき管理に関する利益相反を管理する上での堅固な方針を保持するべきである。
3．投資先会社を監視するべきである。
4．スチュワードシップ活動を拡大する時期及びその方法に関する明確な指針を確立するべきである。
5．適切な場合には、他の投資家と協調して行動をするべきである。
6．議決権行使及びその結果の開示に関する明確な方針を持つべきである。
7．スチュワードシップ及び議決権行使の活動について、定期的に報告をするべきである。

ドイツでは、1994年に続発したKlöckner-Humboldt-Deutz AGの巨額粉飾決算、Metallgesellschaft AG等の石油先物取引による経営破綻、Schneider AGの不動産投機による経営破綻等を契機に経営監査体制のあり方と改革についての議論が展開され、1998年4月に「会社における統制及び透明性に関する法律（Das Gesetz zur Kontrolle und Transparenz im Unternehmensbereich：KonTraG）」が制定された。

2000年1月公表のBaums委員会報告書を受け、2002年2月28日に、Cromme委員会が「Deutscher Corporate Governance Kodex: DCGK（ドイツ・コーポレート・ガバナンス・コード）」を公表した。

本コードも「comply or explain rule」を採用しており、2013年5月改訂版は、次の6項目で構成されている。
1．株主及び株主総会（Aktionäre und Hauptversammlung）
2．執行役会と監督役会の協力（Zusammenwirken von Vorstand und Aufsichtsrat）
3．執行役会（Vorstand）
4．監督役会（Aufsichtsrat）
5．透明性（Transparenz）
6．年次財務諸表の提出及び監査（Rechnungslegung und Abschlussprüfung）
　2005年8月に「取締役の報酬の開示に関する法律」（Das Gesetz über die Offenlegung der Vorstandsvergütungen: VorstOG）が制定され、2009年7月「取締役の報酬の適切化に関する法律」（Das Gesetzes zur Angemessenheit der Vorstandsvergütung: VorstAG）が制定された。
　フランスでは、1980年代半ばの国家による企業活動への関与の緩和、国有企業民営化の実施、1994年のCalPERSの進出、外国人株主の比率及び影響力の増大等を経緯に、私企業協会と経営者全国評議会がコーポレート・ガバナンスについて検討する委員会を設置した。
　1995年に公表された第1次Viéno報告書は、次の勧告をした。
1．指名、報酬、会計の3委員会の取締役会内部への設置
2．最低2人の独立取締役の選任
3．取締役規程での取締役の職務の明文化及び職業倫理の明確化
　1998年に公表されたMarini報告書は、次の勧告をした。
1．良好な会社運営のための、会社の業務執行方法の改善
2．経営監視改善のための、株主の役割の評価、会計監査役の役割の明確化及び独立性の確保、罰則の厳格化
3．取締役会内部に設置する委員会への一定権限の委譲の容認
4．取締役議長と最高業務執行役（Directeur Général）の職務分離の容認
　1999年7月に公表された第2次Viéno報告書は、次の勧告をした。
1．取締役会議長と最高業務執行役の分離…Président-Directeur général: PDGという両職の兼務の解消

2．取締役の任期の6年から4年への短縮
3．取締役の個人情報の開示及び兼務社数の制限
4．取締役の報酬の開示
5．取締役会の3分の1を独立取締役化、アカウンタビリティの強化
6．監査委員会の独立性担保のための調査及び情報の提供

　AfepとLe Mouvement des entreprises de France（Medef、企業の運動、1998年10月にCnpfから改称）が設置した共同作業部会が2002年9月に公表したBouton報告書（上場会社のコーポレート・ガバナンスに関する自主規制案は、「独立社外取締役」の定義を厳格化した。

　2008年10月にAfepとMedefが各種委員会報告を基に作成した「Code de gouvernement d'entreprise des sociétés cotées（上場会社のコーポレート・ガバナンス・コード）」を公開した。

　2008年版は22項目で構成されていたが、2013年改訂版は25項目で構成されている。本コードも「comply or explain rule」を採用している。

　ドイツとフランスは、Stewardship Codeを制定していない。

　経済協力開発機構（Organisation for Economic Co-operation and Development: OECD）は、各国におけるコーポレート・ガバナンスに関する法律及び規則の改善に役立てるため、1999年5月に「OECD Principles of Corporate Governance（OECDコーポレート・ガバナンス原則）」を公表しているが、Enron、WorldCom等の会社不正の続発を受けて2004年4月に改訂し、その前文で次の通り述べている。

　　コーポレート・ガバナンスとは、会社の経営者、ボード、株主、その他利害関係者と間の一連の関係に関わるものであり、会社の目標を設定し、目標達成のための手段及び会社の業績を監視するための手段を決定する仕組を提供するものでもある。

　2004年4月改訂版は、次の6原則と複数の中原則で構成されている。
Ⅰ．有効なコーポレート・ガバナンスの枠組の基礎の確保
Ⅱ．株主の権利及び主要な持分機能
Ⅲ．株主の平等な取扱
Ⅳ．コーポレート・ガバナンスにおける利害関係者の役割

Ⅴ．開示及び透明性
Ⅵ．ボードの義務

　2016年9月、この改訂版がG20/OECDコーポレート・ガバナンス原則という表題で公表された。

　その基本的枠組（構成要素）は、次の通りである。
Ⅰ．有効なコーポレート・ガバナンスの枠組の基礎の確保
Ⅱ．株主の権利と平等な取扱及び主要な持分機能
Ⅲ．機関投資家、株式市場及びその他の仲介者
Ⅳ．コーポレート・ガバナンスにおける利害関係者の役割
Ⅴ．開示及び透明性
Ⅵ．ボードの義務

　この11年ぶりの改訂は、G20との協働により、ITの進展、金融危機への反省、証券取引の国際化による国境という障害に対処するためのものであり、非財務情報の開示を重視も重要視している。

　1995年に設立され、世界50カ国の機関投資家、個人投資家、コンサルタント、規制当局、弁護士等600以上で構成される国際コーポレート・ガバナンス・ネットワーク（The International Corporate Governance Network: ICGN）は、コーポレート・ガバナンスの推進を目的に2003年及び2007年に「Statement of Principles for Institutional Shareholder Responsibilities」を公表し、2013年に題名を「Statement of Principles for Institutional Investor Responsibilities」に変え、機関投資家の内部ガバナンスに関する6原則と機関投資家が投資先企業との関係で果たすべき義務に関する6原則を公表している。

内部ガバナンスに関する6原則
1．受託者義務
2．独立の監視機能
3．経営組織の能力及び実効性
4．利益相反、倫理規範、法令遵守
5．適切な報酬体系
6．透明性とアカウンタビリティ

外部義務に関する6原則
7．一貫した方針の策定及び適用
8．積極的な監視
9．積極的なエンゲージメント
10．十分な情報に基づく議決権行使
11．関連する政策対話への参加
12．集団的エンゲージメント

　「stewardship」とは、取締役が株主の代理人としてその利益のために会社を経営するのと同様にアセット・マネジャーはアセット・オーナー及び最終受益者の代理人としてその利益のために受託資産を管理・運用する職務であるとする概念であるが、ICGNは「The UK Stewardship Codeの用語の定義と概念が曖昧である上、外国では浸透していない」としてこれを使用せず、「fiduciary duty（受託者の義務、信認義務）」を使用している。ICGNは「comply or explain rule」も採用していない。

Ⅲ　日本のコーポレート・ガバナンスの歴史

　1920年代の主要会社は、財閥、国家、少数の大株主によって所有及び支配されていた。財閥系会社においては、本社から傘下会社に取締役を派遣し、予算、決算、人事等を掌握して会社の経営を支配した。
　1930年代に機関投資家として生命保険会社が登場したが、資産運用が目的であり、もの言わぬ株主であった。
　1940年代前半になると、国策会社が多数設立され、多数の民間会社が軍事会社に指定され、それらは国家の統制下に置かれた。
　敗戦により、財閥＝持株会社が解体されたため、株式持合による安定株主の確保が進行し、銀行がコーポレート・ガバナンスを担うメイン・バンク・システム（主力取引銀行による融資系列制度）が形成された。
　1964年のOECDへの加盟で貿易資本自由化による敵対的M&Aが懸念されたため株式持合が活発化したが、会社の防衛が目的であったため、互いの経営に干渉するものではなく、株主による監視機能は発揮されなかった。

1988年に、国際金融市場における取引の安全性を高めるためにBIS（Bank for International Settlements、国際決済銀行）規制が導入され、自己資本比率を8％以上に引き上げる必要に迫られた銀行が持株を売却したことにより、メイン・バンク・システムが終焉した。

　日本においてコーポレート・ガバナンスが注目され議論されたのは、CalPERSが1998年3月に日本企業に対して以下の3つの事項を提言する書簡を送付してからである。

- 株式相互持合を解消し、当該会社及び関係会社から独立した者を取締役会に含めること
- 最高経営執行者のパフォーマンス及び経営戦略計画の意思決定を効果的かつ効率的に行うために取締役会の規模を適切なものに縮小すること
- 当該会社及び関係会社から独立した監査人を選任すること

　東京証券取引所は、2004年3月に、OECDコーポレート・ガバナンス原則に準拠して作成した「上場会社コーポレート・ガバナンス原則」を公開し、「コーポレート・ガバナンスに関する基本的な考え方及びその施策の実施状況」を決算短信に記載するよう上場会社に求めていたが、2006年3月に、「コーポレート・ガバナンスに関する報告書」における開示に変更した。

　2006年5月施行の会社法でコーポレート・ガバナンスの確保のための措置が講じられたが、監査役の監視機能に対する危惧と社外取締役導入の遅れが相まって「日本のコーポレート・ガバナンスは遅れている」と外国投資家に不人気であった。そのため、2013年6月に日本経済再生に向けた①大胆な金融政策、②機動的な財政出動、③民間投資を喚起する成長戦略という3つの政策が閣議決定された。

　これに基づき、金融庁の主導で日本版スチュワードシップ・コードが作成され、2014年2月27日に「責任ある機関投資家」の諸原則≪日本版スチュワードシップ・コード≫として公表された。

　本コードは、次の7原則で構成されている。

　投資先企業の持続的成長を促し、顧客・受益者の中長期的投資リターンの拡大を図るために、

1．機関投資家は、スチュワードシップ責任を果たすための明確な方針を策定し、これを公表すべきである。
2．機関投資家は、スチュワードシップ責任を果たす上で管理すべき利益相反について、明確な方針を策定し、これを公表すべきである。
3．機関投資家は、投資先企業の持続的成長に向けてスチュワードシップ責任を適切に果たすため、当該企業の状況を的確に把握すべきである。
4．機関投資家は、投資先企業との建設的な「目的を持った対話」を通じて、投資先企業と認識の共有を図るとともに、問題の改善に努めるべきである。
5．機関投資家は、議決権の行使と行使結果の公表について明確な方針を持つとともに、議決権行使の方針については、単に形式的な判断基準にとどまるのではなく、投資先企業の持続的成長に資するものとなるよう工夫すべきである。
6．機関投資家は、議決権の行使も含め、スチュワードシップ責任をどのように果たしているのかについて、原則として、顧客・受益者に対して定期的に報告を行うべきである。
7．機関投資家は、投資先企業の持続的成長に資するよう、投資先企業やその事業環境等に関する深い理解に基づき、当該企業との対話やスチュワードシップ活動に伴う判断を適切に行うための実力を備えるべきである。

本コードは、その冒頭で、次のように解説している。

　本コードにおいて、「スチュワードシップ責任」とは、機関投資家が、投資先企業やその事業環境等に関する深い理解に基づく建設的な「目的を持った対話」（エンゲージメント）などを通じて、当該企業の企業価値の向上や持続的成長を促すことにより、「顧客・受益者」（最終受益者を含む）の中長期的な投資リターンの拡大を図る責任を意味する。

本コードは、英国版に倣い「principles-based」と「comply or explain rule」を採用しており、次の２点を除き、英国版と同様の内容である。
- 英国版の原則５にある「スチュワードシップ活動の強化」を入れず、代わりに「投資先企業の持続的成長に資する工夫」を入れている。
- 英国版の原則５にある「他の投資家との協調する行動」を盛り込まず、原則７で「判断を適切に行なうための実力の整備」を求めている。

次に、金融庁と東京証券取引所が事務局となり、「コーポレートガバナンス・コード　〜会社の持続的な成長と中長期的な企業価値の向上のために〜」が作成され、2015年6月1日に公表された。

本コードは、5章あり、章毎の基本原則、30の原則、38の補充原則で構成されている。

その冒頭で、コーポレート・ガバナンスについて、次の通り解説している。

「コーポレートガバナンス」とは、会社が、株主をはじめ顧客・従業員・地域社会等の立場を踏まえた上で、透明・公正かつ迅速・果断な意思決定を行うための仕組みを意味する。…それぞれの会社において持続的な成長と中長期的な企業価値の向上のための自律的な対応…を通じて、会社、投資家…経済全体の発展にも寄与する。

　第1章　株主の権利・平等性の確保
　第2章　株主以外のステークホルダーとの適切な協働
　第3章　適切な情報開示と透明性の確保
　第4章　取締役会等の責務
　第5章　株主との対話

本コードは、「OECDコーポレート・ガバナンス原則」(2004年版) を手本に制定されたものであるが、英国に倣い「principles-based」及び「comply or explain rule」を採用している。

尚、2018年6月1日に本コードの一部が改訂された。

東証は、2015年6月1日から本コードの適用を開始し、従来の「上場会社コーポレート・ガバナンス原則」を廃止している。

2014年の会社法改正では、業界の反対で社外取締役の設置を規定できなかったため、ソフト・ローで使用する「comply or explain rule」をハード・ローである会社法その他において、次の通り規定した。

会社法第327条の2

　事業年度の末日に監査役会設置会社が社外取締役を置いていない場合には、定時株主総会において社外取締役を置くことが相当でない理由を説明しなければならない。

会社法施行規則第74条の2第1項、第3項

　社外取締役を置いていない会社が、社外取締役となる候補者に関する議案を当該株主総会に提出しないときは、株主総会参考書類には、社外取締役を置くことが相当でない理由を記載しなければならない。

　この場合において、社外監査役が2人以上あることのみをもって当該理由とすることはできない。

東証有価証券上場規程　遵守すべき事項　第436条の2

　上場内国株券の発行者は、一般株主保護のため独立役員（一般株主と利益相反が生じるおそれのない社外取締役又は社外監査役を）1名以上確保しなければならない。

東証有価証券上場規程　遵守すべき事項　第436条の3

　上場内国株券の発行者は、別添「コーポレートガバナンス・コード」の各原則を実施するか、実施しない場合にはその理由を第419条に規定する報告書において説明するものとする。

　このような規定が不評であったため、2019年12月4日の会社法改正で、一定の会社について、社外取締役の設置が義務付けられた。

第327条の2　監査役会設置会社（公開会社であり、かつ、大会社であるものに限る。）であって金融商品取引法第24条第1項の規定によりその発行する株式について有価証券報告書を内閣総理大臣に提出しなければならないものは、社外取締役を置かなければならない。

　この会社法改正に伴ない、上掲の改正前会社法施行規則第74条の2は削除された。

　監査等委員会設置会社の形態については、外国の機関投資家及び資産運用会社等から、次のような懸念が表された。

　① 　指名委員会と報酬委員会の設置が義務付けられていない。
　② 　社外監査役から社外取締役への安易な移行がみられる。
　③ 　常勤監査等委員の設置が義務付けられていない。
　④ 　監査等委員の独任制が認められていない。
　⑤ 　社外取締役が2名では不十分である。
　⑥ 　内部監査部門を直属としてよいのか。

監査については、監査委員会と同様に「内部統制システムを利用した組織的な監査」を実施するとしている（立法者の解説）が、監査であれ、監督であれ、実効が上がるものとしなければならない。

[用語解説]

ソフト・ロー（soft law）とは、上場規則、JIS規格、JAS規格等の権力による強制力は持たないが、違反すると経済的、道義的な不利をもたらす社会規範を言う。

ハード・ロー（hard law）とは、法律、規則、条例等の法的な権力による強制力を持つ法規範を言う。

ルール・ベース（rules-based、細則主義）とは、ある物事の取組方法につき、広範かつ詳細な記述によって判断基準及び処理基準等を設定する立場又は方法を言う。この場合、漏れや抜道をついて骨抜きにされかねないので、詳細かつ膨大な規準の設定が必要となる。

プリンシプル・ベース（principles-based、原則主義）とは、ある物事の取組方法につき、詳細かつ膨大な規準を設定せず、原理原則的考え方だけを示す立場又は方法を言う。

「遵守せよ、さもなければ説明せよ（comply or explain）」とは、「原則を遵守せよ、遵守しない場合はその理由を説明せよ」という、英国のソフト・ローで用いられている手法であり、関係者の高い倫理観に依拠している。

英国では、基本的に、ハード・ローによって強制するのではなく、ソフト・ローで原則を示し、次のようなcomply or explainの手法を採っている。

- これを遵守するか否かは会社の良識ある自主性に任せる。
- 遵守しない場合は、先ず説明義務を果たさせ、後は投資者、利害関係者等市場の判断に任せる。

注意：一般には「コーポレート・ガバナンス・コード」と表記するが、東京証券取引所のものは「コーポレートガバナンス・コード」と表記する。

　　役職員としての作為義務（しなければならないこと）及び不作為義務（してはならないこと）を定めた社内規程、社内基準等は原則主義で簡潔明瞭に規定するのがよい。細則主義で規定すると膨大なものとなり、誰も読まなくなってしまう。

Ⅳ コーポレート・ガバナンスの形態

1 取締役の業務と職務
(1) 取締役（及び執行役）の業務
　取締役（及び執行役）の業務とは、株式会社の経営活動に関する業務（定款に定めた業務）を意味する。
　　会社法　第348条　取締役は、定款に別段の定めがある場合を除き、株式会社の業務を執行する。

(2) 取締役会の職務
　取締役会の職務とは、取締役会がする総ての行為（定款に定めた業務、会議の招集、討議、決議、新株発行、社債募集、合併、会社を代表する訴訟行為等）を意味する。
　　会社法　第362条　取締役会は、すべての取締役で組織する。
　　　　　　　　２　取締役会は、次に掲げる職務を行う。
　　　　　　　　　　一　取締役会設置会社の業務執行の決定
　　　　　　　　　　二　取締役の職務の執行の監督
　　会社法　第418条　執行役は、次に掲げる職務を行う。
　　　　　　　　　　一　取締役会の決議によって委任を受けた指名委員会等設置会社の業務の執行の決定
　　　　　　　　　　二　指名委員会等設置会社の業務の執行

2 取締役と執行役の機能
(1) 業務の決定（又は、業務執行の決定）
　業務の決定又は業務執行の決定とは、取締役会又は執行役会若しくは代表執行役による事業戦略等の決定、経営目標の設定、それらの達成に必要な経営資源の調達及び配分の決定、役員及び使用人を管理する方法及び手段の決定等の意思決定を意味する。

(2) 業務の執行
　取締役又は執行役による業務の執行とは、取締役又は執行役が取締役会又は執行役会若しくは代表執行役による業務（又は業務執行）の決定内容及び定款に定めた業務等の実行を意味する。

(3) 職務の執行の監督

　取締役による取締役又は執行役の職務の執行の監督とは、業務の決定内容と業務の執行に対する監視と監督を意味する。

3　コーポレート・ガバナンスの代表的形態

　業務執行の決定（又は業務の決定）、業務の執行、職務の執行の監督という3つの機能を1つの機関が担う仕組を一層型又は一元制と言う。

　上掲の3つの機能を2つの機関が分担する仕組を二層型又は二元制と言う。この他に、次のような区別もみられる。

(1) 英国型

　業務執行の決定及び業務の執行を担当するマネジメント・ボード

(2) ドイツ型

　業務執行の決定及び業務の執行への助言及び監督を担当するアドバイザリー・ボード

(3) 米国型

　監視及び監督だけを担当するモニタリング・ボード

(4) 日本型

　英国型取締役会と監査役（会）の併置

4　従来の形態区分

(1) 英米型（一層型、一元制、one-tier system）

　業務執行の決定、業務の執行、業務執行の監督の担当機関が分離しておらず、自己監督という弱点を孕む形態である。英国で開発されて米国でも採用されていたので、英米型と呼ばれた。

(2) ドイツ型（二層型、二元制、two-tier system）

　業務の執行の監督機関と業務執行の決定及び業務の執行の担当機関が2つに分離しており、ドイツ型と呼ばれているが、フランスの株式合資会社に関する1856年7月17日付法律で創設されたものであり、ドイツでその設置を義務付けたのは1870年一般ドイツ商法典である。

(3) 日本型（折衷型、二元制一層型）

　これは、英米型の取締役会と取締役の職務の執行を監査する監査役が併存する日本独特の形態である。

2000年代に入り、米国では一層型が二層型に変わり、日本では従来の監査役（会）設置型に加えて、監査等委員会設置型と指名委員会等設置型が創設され、「一層型又は二層型」は適当な分類ではなくなった。

5　現在の形態区分

(1) 英国型（management board type）

株主総会で選任された取締役で構成する取締役会（過半数が社外取締役）が業務執行取締役の選解任、報酬の決定、業務の決定、業務執行の監督を担い、業務執行取締役が業務執行を担う仕組である。

英国では取締役会議長と最高業務執行取締役の兼務が一般的である。

この形態は、アイルランド、ルクセンブルク、フランス、イタリア、スペイン、ポルトガル等が採用している。

(2) 米国型（monitoring board type）

米国では、2000年代に入って取締役会から業務の執行を担う執行役が分離して執行役会を形成したため、従来の一層型から二層型に変化している。

株主総会で選任された取締役で構成する取締役会（過半数が独立取締役）が選定する監査委員会が執行役の選解任、報酬の決定、業務執行の監視監督を担い、執行役会が業務執行の決定及び業務の執行を担う仕組であり、米国型モニタリング・モデルと呼ばれている。

(3) ドイツ型（advisory board type）

株主総会で選任された監督役と従業員代表の監督役で構成する監督役会が執行役の選解任、報酬の決定、業務執行の監視監督を担い、監督役会で選任された執行役で構成する執行役会が業務執行の決定及び業務の執行を担う仕組である。

この形態は、オーストリア、蘭国、スイス、ベルギー、フランス等が採用している。ベルギー及びフランスは英国型との選択制である。

監査役制度はドイツに倣ったと言われ、「Der Aufsichtsrat ernennt die Vorstandsmitglieder」を「監査役が取締役を選任する」と訳してきたが、「Aufsichtsrat」の機能は「Vorstandsmitglieder」の選任、解任、報酬の決定、執行役会業務規程の策定、業務執行への助言及び監督である。

正しい訳は、Aufsichtsrat＝監督役会、Vorstandsmitglieder＝執行役構成員、Vorstand＝執行役会であるから、「Der Aufsichtsrat ernennt die Vorstandsmitglieder」は「監督役会が執行役を選任する」である。

監督役会は米国型取締役会に似ているが、その権限は遥かに強い。

(4) 監査役（会）設置型（management & monitoring board type）

株主総会で選任された取締役で構成する取締役会が殆どの業務執行の決定及び取締役の職務の執行の監督を担当しかつ業務執行取締役が業務執行を担当するとともに株主総会で選任された監査役が取締役の職務の執行を監査する仕組である。監査役の機能は、外国人に理解され難い。

取締役会だけを見れば、英国型と同様の一層型構造であるため、自己監督で実効性に欠けると言われている。

(5) 監査等委員会設置型（management & monitoring board type）

株主総会で選任された取締役で構成する取締役会が業務執行の決定、代表取締役の選解職、職務執行の監督を担当し、業務執行取締役が業務執行の決定及び業務の執行を担当する仕組である。

監査役（会）設置会社との比較では、監査等委員会が監査役に代わって取締役の職務の執行を監査する機関構成であり、指名委員会等設置会社との比較では、指名委員会及び報酬委員会を設置する必要がなく、かつ殆どの業務執行の決定を業務執行取締役に委任できる（マネジメント・モデル又はモニタリング・モデルを選択できる）機関構成である。

(6) 指名委員会等設置型（monitoring board type）

株主総会で選任された取締役で構成する取締役会が重要な業務執行の決定、執行役の選解任及び職務の執行の監督を担当し、執行役が殆どの業務執行の決定及び業務の執行を担当する仕組である。いわば英国型と米国型の中間であり、完全なモニタリング・モデルではない。

2003年4月1日に施行された商法特例法で創設され、呼称は「委員会等設置会社」であったが、2006年5月1日に施行された会社法で「委員会設置会社」に変更され、2015年5月1日に施行された会社法で「監査委員会等設置会社」が新設されたことによる混同を避けるため、「指名委員会等設置会社」に変更された。

V　コーポレート・ガバナンスの形態の変化

コーポレート・ガバナンスの形態の変化を次の通り図示する。

(1) 大株主による業務執行取締役のガバナンス

株主がstockholdersであった時代は、業務執行取締役の解任が容易であったが、shareholdersへの移行により、困難となった。この形態は、親会社と子会社の最高経営執行者の関係として、今日も残っている。

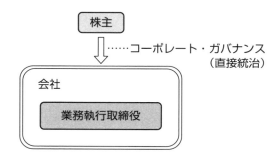

(2) 英国型：取締役会による業務執行取締役のガバナンス

当初はイングランドで考案され、後に米国でも採用された、一層型のマネジメント・モデルである。

取締役会議長と代表取締役の兼任により、自己監督となり、実効性に欠けるため、米国型モニタリング・モデルへの移行が見られる。

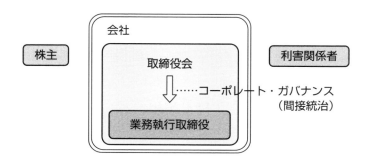

(3) ドイツ型：監督役会による執行役のガバナンス

監督役会が執行役の選任、解任、監督を行なう形態であり、ドイツ型、二層型、二元制等と呼ばれている。そのため。ドイツ固有のものと誤解されているが、フランスで発祥したものである。

フランスで、1856年に執行役の業務を監視する機関として監督役会の設置を義務付けた。ドイツは、1861年に任意設置の機関として採用し、1870年に執行役の監督機関として監督役会の設置を義務付けた。

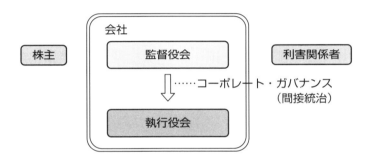

(4) 米国型：非業務執行取締役による業務執行取締役のガバナンス

米国では1950年代に経営者による会社の私物化が横行したため、非業務執行社外取締役が業務執行取締役を監視する体制に移行したが、取締役会議長兼最高経営執行者が強大な権限を維持し続けたため、ガバナンス機能を発揮できなかった。

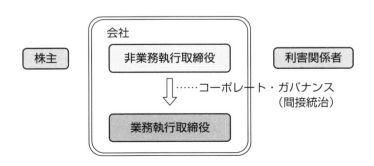

(5) 米国型：取締役会による業務執行者のガバナンス

　Enron及びWorldCom等の不正事件を教訓に最高経営執行者に対するコーポレート・ガバナンスの強化が求められ、取締役会の中に過半数を独立取締役で構成する指名、報酬、監査の3委員会を設置し業務執行者（取締役又は執行役又は兼務者）を監視及び監督する体制を確立した。

　これが、取締役会が執行役の監督に専念し、執行役が業務執行の決定及び執行を担当する、モニタリング・モデルと呼ばれる形態である。

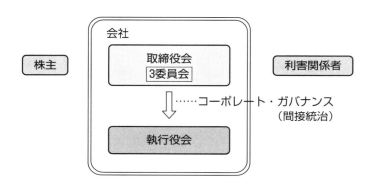

　取締役会議長と最高経営執行者の兼務が可能であり、かつ3委員会の委員は取締役会で選定及び解職されるので、各委員会の独立性の確保がコーポレート・ガバナンスの実効性の確保における根本的課題である。

　英国及びフランス等にも取締役会議長兼最高経営執行者を置いている会社が多数あるが、ガバナンス・コードで両者の分離を求めているので「comply or explain rule」の運用で兼務の解消が進むと考えられる。

(6) 日本の監査役（会）設置会社のガバナンス

　取締役会による業務執行の決定、取締役による業務執行、取締役会による取締役の職務執行の監督（マネジメント・アンド・モニタリング・ボード）に加えて監査役（会）による取締役の職務執行の監査という、ドイツ人法学者Herman Roeslerが考案した、日本の伝統的かつ独特の二元制一層型のガバナンス形態は、次の通りである。

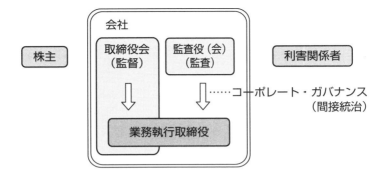

(7) 日本の監査等委員会設置会社のガバナンス

　2014年の改正会社法で新設の監査等委員会設置会社は、監査等委員が株主総会で選解任され、業務執行の決定を取締役会で行なうか又は業務執行取締役に委任するかを選択できるガバナンス形態である。

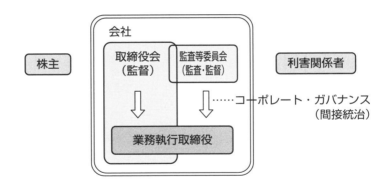

(8) 日本の指名委員会等設置会社のガバナンス

　指名委員会等設置会社（2003年4月施行の商法特例法で委員会等設置会社、2006年5月施行の会社法で委員会設置会社と呼ばれ、2015年5月施行の改正会社法で改称された）のガバナンス形態は、米国型を参考にしているが、重要な業務執行の一部を取締役会が決定するので、完全なモニタリング・モデルではない。

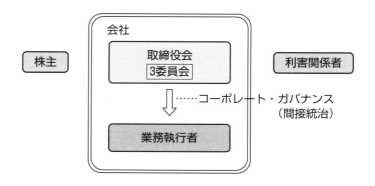

　監査役と監査等委員が株主総会で選任及び解任されるのに対し、監査委員は取締役会で選定及び解職されるので、独立性が確保されていない。

　「ガバナンス」という用語は、取締役会による業務執行者に対するガバナンス（corporate governance）と業務執行者による使用人等に対するガバナンス（in-house governance、社内統治、経営管理）の2種類の意味で使用されるので、何れを指すのかを明確にして置く必要がある。
　株主その他の利害関係者からの要請に応えて適切な社内統治を行なうためには、インターナル・コントロールを整備しなければならない。

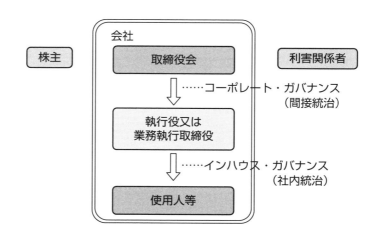

Ⅵ　コーポレート・ガバナンスの今日的課題

　コーポレート・ガバナンスとは、固まった定義はないがその本質は、株主その他の利害関係者が、最高業務執行者及びその業務執行に対する監視及び監督を有効に機能させて健全かつ効果的な企業行動を促進し、企業価値を高めることにある、とするのが包括的な解釈であろう。

　株主その他の利害関係者の関心は、短期的な高株価及び高配当よりも安定的かつ持続的企業価値の増大にあるため、最高経営執行者の主要な職務は、継続企業（going concern）としての存続能力の確保及び健全かつ継続的発展の実現となっている。

　そのため、最高経営執行者が果たすべきコーポレート・ガバナンスの今日的課題は、次の３点にあろう。

- 説明義務（accountability）の適時かつ適正な遂行
- 適時適正な情報開示（disclosure）と開示情報の充実（≒経営の透明性：managerial transparency）の向上
- 有効な内部統制（internal control）の整備（構築及び継続的運用）

　コーポレート・ガバナンスは、会社外部者による経営者に対するガバナンスであり、経営者による会社内部者のコントロール（外部統制）＝インハウス・ガバナンス（社内統治）とは異なるものである。

　コーポレート・ガバナンスは最高経営執行者にとっての「エクスターナル・コントロール（外部統制）であり、その対語であるインターナル・コントロールとは最高経営執行者にとっての「インハウス・ガバナンス（社内統治）」又は「インターナル・ガバナンス（内部統治）」である。

　最高経営執行者は他の役員及び職員の理解と協力がなければ、株主、投資者等の利害関係者に対して表明したコミットメントを実現できず、株主、投資者等の利害関係者によるコーポレート・ガバナンスの要請に応えるためには、インハウス・ガバナンスを適切に行なう必要があり、インハウス・ガバナンスを適切に行なうためには、有効に機能するインターナル・コントロールを整備しなければならない。

第3節 インターナル・コントロール（Internal Control）

Ⅰ インターナル・コントロールの概念の歴史

　インターナル・コントロールは、1910年代から米国で、会社及び金融機関の倒産並びに経営者不正が発覚した都度その改善のための調査及び研究が行なわれ、その概念が変更されてきた重要な命題である。

　内部統制又は内部管理と和訳されているinternal controlは、会社等の事業体が適正利益と社会的信頼を得て存続し続けるために自主的に制定する社内の決め事と役職員によるその実践であり、企業文化である。

　この概念の歴史的変遷、COSO、内部統制報告制度については第2章第1節で解説することとし、本節では、世界的に知られている米国のCOSO報告書、カナダのCoCo報告書、英国のターンブル・ガイダンスについて、解説する。

Ⅱ COSO報告書

　COSOは、1992年9月に「Internal Control ─ Integrated Framework（内部統制の統合的枠組、通称、COSO報告書）」を公表した。

　米国における内部統制に関する長年の研究課題は、公認会計士の監査リスク（＝重要な誤謬及び虚偽の表示を看過するリスク）を合理的に低い水準に抑えるためのシステムの構築とその有効性の評価にあった。

　一般に「内部統制には3つの目的があり、5つの構成要素から成る」とだけ説明され、プロセスとは何かの説明が省かれているが、同報告書が世界的に認められた理由は、「内部統制はプロセスである」という表現で「人間が実行しなければ機能しない、システムよりもプロセスが重要である」と知らしめたことに意義がある（第2章第1節Ⅴを参照）。

　COSO報告書が示した内部統制の基本概念及び用語の定義並びにその枠組は会社経営及び組織運営の基本形として世界中に伝播普及し、今日では、その理解が内部統制を論じる際の前提条件となっている。

　COSOは、内部統制について、以下の通り定義した。

内部統制とは、事業体の取締役会、経営者、その他の職員によって遂行される、次の範疇における目標の達成についての合理的な保証を提供するように設計されたプロセスである。
- 業務の有効性及び効率性
- 財務報告の信頼性
- 適用される法律及び規則の遵守

内部統制は、プロセスである。内部統制は、目的を実現する手段であり、それ自体が目的ではない。

内部統制は、人々によって遂行される。内部統制は、単なる方針の手順書及び書式ではなく、組織体のあらゆる階層の人々の行動である。

内部統制は、事業体目標の達成について、絶対的保証ではなく、合理的保証だけを提供するに過ぎない。

内部統制は、単一の事象又は状況ではなく、事業体活動に浸透している一連の連続する行動である。

内部統制は相互に関連する5つの要素から成っている。これらは、経営者の経営手法から導き出されたものであり、経営のプロセスと統合されている。
- 統制環境
- リスクの評価
- 統制活動
- インフォメーション及びコミュニケーション
- モニタリング

COSOは、過去20年間の事業モデル及び組織構造、会社不正、法規制、情報技術等の経営環境の変化に対応させるため、2013年5月14日に改訂版を公表し、併せて「内部統制システムの有効性評価の実例ツール」と「外部財務報告に係る内部統制の取組と事例の概要」を公表した。

主要な改訂点は、次の通りである。
- 内部統制の5つの構成要素の基本概念を17の原則で表示し、かつその適用上の87の着眼点を表示した。
- 業務目標と報告目標を拡張した。

・「財務報告」を「報告」に改め「内部報告」と「外部報告」に区分
　　・更に「財務報告」及び「非財務報告」に区分
- 外部財務報告統制の解説で、89の適用方法と141の適用事例を表示し、取締役会の役割とガバナンスとの関係を明確化した。
- 不正に関する考察の重要性を明示した。
- 内部監査機能の重要性を詳述した。

改訂版は、内部統制の概念を以下の通り定義した。

内部統制とは、事業体の取締役会、経営者、その他の職員によって遂行される、業務、報告、コンプライアンスに関連する目標の達成についての合理的な保証を提供するように設計されたプロセスである。

この定義には以下の基本概念が反映されている。内部統制は：

- 業務、報告、コンプライアンスの1つ又はそれ以上の範疇における、目標の達成に適合している。
- 遂行中の業務と活動からなるプロセスである－目的を達成する手段であり、それ自体が目的ではない。
- 人間によって遂行される－単なる方針、手順マニュアル、システム、書式についてのものだけでなく、内部統制に影響を及ぼす組織のあらゆる階層における人間とその行動についてのものである。
- 事業体の上級経営者と取締役会に合理的な保証を提供できるが、絶対的な保証はできない。
- 事業体の構造に適合が可能である－事業体の全体又は特定の子会社、部門、事業ユニット又は事業プロセスに対して、柔軟な適用が可能である。

改訂とは言え、1992年版／1994年版の内部統制の定義の核心、3つの目標、5つの構成要素の基本的部分を変更するものではない。

本改訂版の特徴は、公開会社、非公開会社、営利法人、非営利法人、政府機関、その他の団体に広範囲に適用可能なものとするため、広義の定義としたこと、構成要素を17の原則及び87の着眼点で明示したことにある。

内部統制と言えばCOSO報告書『内部統制の統合的枠組』を連想しがちであるが、その概念と整備目的について理解するためには内部統制の歴史を先ず理解する必要がある。そのための最良の書籍が、千代田邦夫先生が著わされた『アメリカ監査論』（中央経済社）である。本書には、米国公認会計士協会の監査手続書、監査基準書等による内部統制の概念、定義、改訂事由等の沿革が、詳細かつわかりやすく記載されている。

Ⅲ　CoCo報告書

　カナダでは、カナダ勅許会計士協会（The Canadian Institute of Chartered Accountants）が1995年にCoCo報告書（Criteria of Control Board Guidance for Directors）を公表した。

　CoCo報告書は、経営者、取締役、外部監査人のための会社組織の内部統制に関するガイダンスであり、コントロールそのものに焦点を当てた第1分冊及び取締役に向けた第2分冊で構成されている。

　CoCo報告書は、コントロールという用語を使用して、COSOよりも広範囲の概念を規定し、外部監査人が財務諸表監査の際に、財務諸表の作成の基礎となるコントロールについて、どこまで調査する義務があるのかを説明し、その限界を明確化している。

　CoCo報告書の概要は、以下の通りである。

　コントロールとは、資源、システム、プロセス、文化、構造、役割及び課題等からなる組織要素であり、組織の目標の達成に向けて人を支援するものである。

　組織目標は、次の3つである。
- 組織の実効性及び効率性
- 組織内部及び外部への報告の信頼性
- 法規及び内部方針の遵守

　会社の経営における意思決定及び実行のフローに従ったコントロールの段階は、次の5つである。
- 目標の設定及び伝達
- コミットメントの確立及び伝達並びに権限、職務、報告義務の明示

- 実行する能力、つまり知識、技能、手段の保持
- 行動、即ちコミットメントの実行
- 組織の統制の有効性のモニタリング及び学習効果

　CoCo報告書は、コントロールの対象並びにリスクを評価する目的及び意義を、組織目標の達成を阻害する可能性のあるリスク及び損失発生をもたらす可能性のあるリスクの発見だけではなく、事業機会の探知及び開拓による収益の増大にもおいている。

　CoCo報告書は、第2分冊に、取締役が職務を遂行するために必要な次の6項目に亙るチェック・リストを掲載している。

- 組織体のミッション、ビジョン、戦略（に関する経営陣への質問）
- 組織体の企業倫理（に関する他の取締役及び取締役会への質問）
- 経営陣によるコントロール（の有効性の評価）
- 経営陣（に関する評価）
- 組織体外部へのコミュニケーション（に関する評価）
- 取締役会の実効性（に関する評価）

Ⅳ　ターンブル・ガイダンス

　英国では、1998年6月にロンドン証券取引所が「The Combined Code（コンバインド・コード）」を制定し、全上場会社に対して年次報告書でコーポレート・ガバナンスに関するディスクロージャー（disclosure、情報公開）を同規範に従って行なうよう義務付けた。

　本コードは、上場会社と株主が遵守すべきコーポレート・ガバナンスの原則とベスト・プラクティスを定めたものであり、ロンドン証券取引所上場規則集に取り入れられた。本コードは、2010年6月に機関投資家を対象とするスチュワードシップ・コードと上場会社を対象とするコーポレート・ガバナンス・コードの2つに分割されている。

　1999年9月にターンブル委員会から「Internal Control, Guidance for Directors on the Combined Code（内部統制：コンバインド・コードに関する取締役のためのガイダンス、通称、ターンブル・ガイダンス、Turnbull Guidance）」が公表された。

本ガイダンスは、コンバインド・コード「第1篇　会社」の「D　説明義務及び監査」及び「D.2　内部統制」に関する実践的ガイドラインを証券取引所上場会社の取締役に提供するために作成されたものであり、表題は「内部統制」としているが、公表の真意はロンドン証券取引所の全上場会社に対してリスク・マネジメントが可能な内部統制システムの構築を要請することにあり、「リスク・マネジメントの実践において内部統制システムこそが主要な役割を果たす」と明記している。

　これは、内部統制とリスク・マネジメントの関係を理解する上で意義深い示唆に富んだ記述である。

　本ガイダンスの要請事項を要約すると、以下の5項目となる。

(1) リスクは業務目標の達成を阻害する主因でありリスク・マネジメントこそが株主資本及び会社資産を守る鍵となるので、
- リスクの特定及び評価に基づく内部統制を構築する。
- リスクの取込（risk taking）も利益の源泉の1つである。
- 合理的水準のリスク予防が目的であり、リスクの根絶が目的ではないので、リスク・マネジメントの費用対効果に留意する必要がある。

(2) 外部環境の変化に伴ないリスクの性質も変化するので、内部統制システムの有効性を継続的に確認し、必要があれば改善する。

(3) 内部統制（リスク・マネジメント）を推進するための、関係者の能動的かつ継続的な役割及び義務の分担は、次の通りである。
- 取締役会
  - 内部統制に関する方針の決定
  - 健全な内部統制システムの構築及び維持
  - 内部統制の実効性のレビュー
  - 内部統制の有効性の年次評価
  - 年次報告書における内部統制に関するディスクロージャー
- 経営陣
  - 取締役会が設定した方針に基づく内部統制（リスクの把握及びコントロール）の実践
  - リスクの評価

       ◦ 内部統制の実施状況のモニター
   • 従業員
       ◦ 内部統制の実践
（4）内部統制の枠組は経営のディスクロージャーを通じてその実践を迫られる。
（5）内部監査部門を設置している会社は、その範囲、権限、資源配分等について十分にレビューする必要がある。

　　内部監査部門を設置していない会社は、毎年リスク状況の変化を勘案して、その必要性につき継続的にレビューしなければならない。

　コンバインド・コードを補足するガイドラインとしてのターンブル・ガイダンスは1999年12月にロンドン証券取引所の上場規準として採用されたので、英国の総ての上場会社が、本コード及びターンブル・ガイダンスの規定に則り、経営管理体制を構築する義務を課された。

　本ガイダンスの特徴は、内部統制及びリスク・マネジメントに関する取締役の義務を明示することで、その実効性を担保したことにある。

　そのまえがきの一部を引用すると、以下の通りである。
   • 会社の内部統制体制は、事業目標の達成において重要なリスク・マネジメントで主要な役割を持っている。健全な内部統制は、株主の投資及び会社の資産の保全に貢献する。
   • 本ガイダンスは、健全な内部統制体制の確立と有効性のレビューの際に会社の取締役がリスク・ベースの手法を採用することを基礎においている。これは、その通常の経営とガバナンスのプロセスで会社によって組み込まれるべきである。

　1999年9月に詳細な実践の方法を解説した「Implementing Turnbull; A Boardroom Briefing（ターンブルの実践：取締役会への説明）」が発行された。本解説書は、2005年10月に改訂され、2014年9月の英国コーポレート・ガバナンス・コードの制定に伴ない、「Guidance on Risk Management, Internal Control and Related Financial and Business Reporting（リスク・マネジメント、内部統制並びに財政及び事業の報告に関するガイダンス）」に置き換えられた。

第4節 リスク・マネジメント (Risk Management)

Ⅰ リスク・マネジメントの歴史

英語のriskの語源は「岩礁の間を航行する」、「勇気をもって試みる」等を意味するラテン語のrisicareであったが、16世紀にスペイン語のrisco（岩礁）→ riesgo（危険）として常套語化され、17世紀に英語でriskとなったと言われている。

内部統制は事業体目標を達成する確実性を高めるプロセスであるが、ここで述べるリスク管理と和訳されているリスク・マネジメントは内部統制の上に成り立つリスク・テイキングの経営判断プロセスである。

リスク・マネジメントは、米国で1940年代後半から、logistics（軍事物資の補給及び物流管理）、operation（軍事行動）等の軍事的戦略及び戦術を参考にした会社の財務管理者等によって、リスクの掛繋ぎ（risk hedge）のための手法として主に付保を中心に研究されたものであり、1950年代後半から、今日的ビジネス・リスク・マネジメントとして広く研究されるようになった。但し、業務、法務、環境、情報の領域に拡大されたのは1990年代半ば以降である。

英国では、1999年12月にターンブル・ガイダンスがLSEの上場規則として採用されLSEに上場している総ての会社がリスク・マネジメントを実践する必要に迫られて以降、広く研究されるようになった。

内部統制についてはCOSOが提示して世界的に受け入れられた共通の定義が存在するが、リスク・マネジメントについては大手会計事務所が独自の定義を展開しているために概念上の混乱が生じている。

Ⅱ リスク・マネジメントの概念の変化

元来リスクとはそれが現実化すると損害をもたらすというマイナスの概念であり、リスク・マネジメントとは偶発事故及び事件で被る損害を如何に回避、転嫁、軽減するかという保険管理主体の業務であったが、1950年代から今日的ビジネス・リスクについての研究が進んだ。

1990年代半ばに米国会計事務所によって「ビジネス・リスクとは損失だけでなく利益ももたらすものであり、それを上手くコントロールするのがビジネス・リスク・マネジメントである」とする概念が公表され、今日では次の4つの解説が存在している。

(1) 蓋然性（probability）

　損害等のマイナスの結果をもたらす蓋然性を伴なう事象及び行為がリスクであり、蓋然性を抑制するのがリスク・マネジメントであるとする、伝統的概念である。

　probabilityとは、起こり得る確実性の度合であり、possibilityよりもその度合が高いことを言う。likelihoodも同様の意味で使われる。

　リスクへの対応として回避又は受容の選択があり、受容を選択した場合の対応として移転、分散、分離、軽減、中和、容認等がある。

(2) 阻害要因（hazard）

　目標の達成を阻害する要因を伴なう事象及び行為がリスクであり、阻害要因の現実化を抑制するのがリスク・マネジメントであるとする概念である。

　以上の2つは、汎用的なリスクの概念である。

(3) 不確実性（uncertainty）

　予定若しくは期待通りの結果又は予定外若しくは期待外れの結果をもたらす可能性（possibility）という不確実性を伴なう事象及び行為であり、予定又は期待とその結果の差異（variance）を抑制するのがリスク・マネジメントであるとする、新しい概念である。

　これは、例えば、人工衛星を確実に軌道に乗せるため及び航空機を確実かつ安全に着陸させるために適用するものであり、予算の達成に適用すると粉飾行為となりかねない。

(4) 機会（opportunity）

　マイナスだけではなくプラスの結果をももたらす要因（factor）を併せ持つ事象及び行為がリスクであり、マイナス方向のリスクを低く抑制し、プラス方向のリスクの現実化を促進するのがリスク・マネジメントであるとする、不確実性を発展させた概念である。

リスクは未だ現実化していない状態であり、リスク・マネジメントの概念及び手法は、業種毎及び分野毎に異なるので、どのような概念及び手法が自社に適合するものかをしっかりと検討する必要がある。

Ⅲ　COSO報告書「エンタープライズ・リスク・マネジメント」

COSOは、1992年9月に公表した「内部統制の統合的枠組」を基礎に、エンタープライズ・リスク・マネジメントの有効性評価及びその改善に広く活用される原則及び概念、共通の言語、明確なガイダンスの枠組を提供することを目的に、「Enterprise Risk Management — Integrated Framework（エンタープライズ・リスク・マネジメントの統合的枠組、通称、全社的リスク・マネジメント、ERM）」（以下においては、ERMと略称）を2004年9月29日に公表した。

ERMが「内部統制の統合的枠組」の改訂版であるとの解説もあるが、COSOは、次の通り、そのまえがきで、そうでないことを明示している。

ERMは、内部統制の枠組に取って代わるものでも取って代わろうとするものでもなく、むしろ内部統制の枠組を取り入れたものであり、会社は、内部統制のニーズを満たし、より完全なリスク・マネジメント・プロセスに接近するために、「エンタープライズ・リスク・マネジメントの枠組」に注目することを決意するであろう。

ERMは、次のように定義した。

事業体の価値の創造又は維持に影響を及ぼすリスクと機会に対処するERMは、次のように定義される。

ERMとは、事業体の取締役会、経営者、その他の職員によって遂行され、戦略設定に適用されるものであり、事業体目標の達成についての合理的な保証を提供するために、事業体に影響を与え得る潜在的な事象を識別し、リスク・アペタイトの範囲内でリスクを管理するよう事業体全体に亙って設計されたプロセスである。

この定義は、次の基本概念を反映している。
- 事業体を通して進行中のフローのプロセスである。
- 組織体のあらゆる階層の人々によって遂行される。

- 戦略設定、会社全体のあらゆる階層及びユニットに適用され、リスクについての事業体レベルのポートフォリオ的見方を含む。
- 現実化すると事業体に影響を与える潜在的事象を識別し、リスク・アペタイト（受容意欲）の範囲内でリスクを管理するために、設計された。
- 事業体の経営者及び取締役会に合理的保証を提供できる。
- 1つ又は複数の重複する目標の達成に適合している。

経営者は、事業体が設定したミッション又はビジョンの中で戦略目標を設定し、戦略を選定し、会社全体に行き渡る一連の他の目標を設定する。

このERMの枠組は、事業体目標を達成するのに適合する。

- 戦略 ― 事業体ミッションと連動し、それを支える高次元の目的
- 業務 ― 事業体資源の有効かつ効率的な活用
- 報告 ― 報告の信頼性
- 遵守 ― 適用される法律及び規則の遵守

ERMは相互に関連する8つの要素で構成されている。これらは経営者の経営手法から導き出されたものであり、経営プロセスと統合されている。

- 内部環境
- 目標の設定
- 事象の識別
- リスクの評価
- リスクへの対応
- コントロール活動
- インフォメーション及びコミュニケーション
- モニタリング

COSOは、2004年版ERMが事業の推進と管理の改善でなく保証活動に使用されたことの反省と多様化し複雑化したリスクに対応できるようにするため、12年ぶりにERMを改訂し、2017年9月6日に公表した。

改訂版は、組織体が価値を創造し、維持し、実現し、リスク・マネジメントの取組を改善するのに役立つように設計され、戦略や意思決定を強化するため、様々な視点及び運営体制に対応する5つのカテゴリーと20の原則（具体的要素）で構成されている。

カテゴリー		原則
リスク・ガバナンスと文化	1	取締役会による監視を実施する
	2	運営体制を確立する
	3	望ましい文化を定義する
	4	コア・バリューに対するコミットメントを提示する
	5	敏腕な人材を誘引、育成、保持する
リスク、戦略、目標設定	6	ビジネス・コンテクストを分析する
	7	リスク・アペタイトを定義する
	8	代替戦略を評価する
	9	事業目標を設定する
実行上のリスク	10	リスクを特定する
	11	リスクの重要度を評価する
	12	リスクの優先順位付けをする
	13	リスク対応を実施する
	14	ポートフォリオ・レビューを策定する
リスク情報、コミュニケーション、報告	15	実質的な変化を評価する
	16	リスクとパフォーマンスをレビューする
	17	ERMの改善を追求する
リスク管理パフォーマンスのモニタリング	18	情報システムを活用する
	19	リスクに関わるコミュニケーションを図る
	20	リスク、文化、パフォーマンスについて報告する

Ⅳ リスク、ハザード、ペリル、エクスポージャー

リスクとは、次のような事象又は行為である。

- 損害をもたらすハザード（hazard）が現実化する蓋然性（probability、likelihood）又は可能性（possibility）を持っている事象又は行為
- 目標の達成を阻害する要因（factors）を持っている事象又は行為
- 予定と結果に或いは目標と実績に差異（variance）をもたらす不確実性（uncertainty）を持っている事象又は行為

リスクの現実化が、injure（健康上の傷害）、harm（物質的、肉体的、精神的傷害）、damage（損害）、loss（損失）、crisis（危機）の発生であり、そうなるのは、ハザード（hazard）がエクスポージャー（exposure）となり、ペリル（peril）という条件が同時に揃ったときである。

　ハザードは、主に保険の分野で「危険要因」、「事故の間接要因」等と和訳されているが、詳しく述べると、「ある物体又は状況が損害を発生させるかも知れない状態」であり、「安全に注意する必要がある状態を、ハザーダス（hazardous）と言う。

　エクスポージャーは、「損害を被る可能性が高い人又は物体等がリスクから保護されずに晒されている状態、又は損害の影響を受ける可能性の高い範囲」である。

　ペリルは、「事故の直接原因」と和訳されているが、詳しく述べると、「ハザード」と同定（識別）した事故等の事象の発生である。

　ハザードへの対応を誤るとエクスポージャーとなり、それにペリルが加わると、損害が発生する。エクスポージャーとペリルが同時に揃わなければ、如何なるリスクも現実化しないし、損害も発生しない。

　これをわかりやすく解説すると、次の通りとなる。

- 動物園の虎は、人間に危害を加える可能性を持ったハザードであるが、檻の中にいる限り、人的被害が発生するリスクは低い。
- 虎が檻から逃げ出すとエクスポージャーとなる。但し、人間と遭遇しなければ、人的被害は発生しない。
- 虎が人間を襲うときにペリルとなり、虎に襲われ、噛み付かれることによって人的被害が発生する。

　この場合のハザードは存在している状態であるため「ハザードが発生する」という表現は誤りであり、正しくは「ハザードの現実化によってペリルという事態が発生する」である。

　リスク・マトリクスを使用したリスク評価（リスクの受容又は回避のための検討）の解説で、横軸に「リスクが発生する可能性」と記載し、縦軸に「リスク（が発生したとき）の影響度」と記載するのは、誤りである。

その理由は、リスクが発生しかつ実在していなければリスクの程度を評価することなどできないからである。
　このことを、図を用いて解説すると、以下の通りである。

(1) 英語版

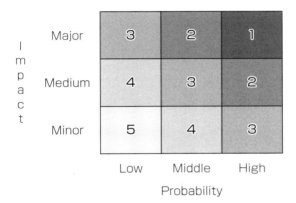

　ProbabilityではなくLikelihoodやConsequenceという人もおり、ImpactではなくSeverityという人もいる。

(2) 非合理的表現

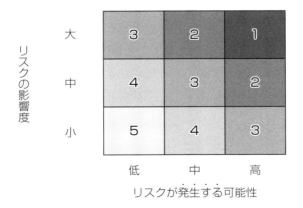

(3) 合理的表現

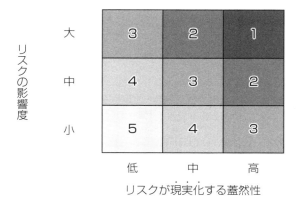

発生するのはリスクではなく危害及び損失であるから、Probability又はLikelihoodの合理的表現は、上記又は以下のものである。
　横軸：リスクが現実化する蓋然性　又は　損害が発生する蓋然性
　縦軸：リスク現実化による影響度　又は　発生する損害の影響度
「probability」の和訳として「発生頻度」「発生確率」「発生率」がある。この場合に「損害の発生…」という意味であれば正しい表現であるが、「リスクの発生…」という意味であれば誤訳となる。
　「リスクが発生する」という表現が道理に合わないことに気付いて、「リスクが顕在化する可能性」と記載する人もいるが、「顕在化」とは、「可視化」「表面化」であり、「潜在しているリスクの存在が認識されること」であるから、「現実化」とは異なる概念である。
　このことは、太平洋戦争中に投下された爆弾が爆発せずに残り、工事現場等で発見された場合に当てはめると、理解が容易となる。
① 爆弾が投下されたが爆発せず不発弾として地中深く残った。これがリスクの発生である。
② この不発弾が工事現場で発見された。これがリスクの顕在化である。
③ この爆弾が信管を外されずにある状態をハザーダスと言う。
④ この爆弾をそれと知らずにいじくり爆発したときがペリルである。
⑤ この爆発で人及び物が損害を被ったときがリスクの現実化である。

リスク・テイクの方法として、「リスク分散による事業の多角化」か事業ポートフォリオによる「特定事業分野への選択と集中」かの議論があり、日本企業は1970年代から1990年代にかけて事業の多角化を進め、1990年代後半からの低成長期に経営資源の効率的投入を掲げて選択と集中に転じた。

選択と集中は、成長性の高い分野には有効であるが、商品及び技術のサイクルの短い分野、競争の激しい分野、成熟度の高い分野においては裏目に出るリスクが高く、経営危機に陥った会社もある。

リスク分散による事業の多角化も特定分野への選択と集中も、過度にならないよう、リスクとリターンを慎重に検討する必要がある。

Ⅴ　ビジネス・リスク・マネジメントのプロセス

ビジネス・リスク・マネジメントのプロセスは以下の通りであるが、事前にそのための組織目標を明確に設定して置かなければならない。

① **存在しているリスクの識別及び同定＝特定**

　　ある契約の締結に伴なうリスクがどこにどのような状態で存在しているかを識別（distinguish）して同定（identify）する。

② **リスクの分析によるリスクが現実化する可能性の評価及びリスクの定量的又は定性的影響度の評価**

　　同定したリスクを分析して、当該リスクが現実化する可能性、及び現実化した場合の影響度を定量又は定性的に評価する。

③ **リスクの回避又は受容（受入、取込）の決定、受容の場合の限度の設定（Plan）**

　　評価した当該リスクについて、回避（avoidance）又は受容（受入＝acceptance、取込＝taking）の何れかを決定する。

　　回避とは、リスクのある契約を締結しない、又は事業及び取引等を開始若しくは継続しない、行為である。

　　受容とは、回避と正反対の行為であり、負担するリスク及び損失の限度額等の受容限度（tolerance）を設定し、リスクの伴なう契約を履行、又は事業及び取引等を実行する。

設定した限度額を超過する可能性が高くなった場合は、当該契約を解消する、又は当該事業及び取引等から撤退する。

④ リスク・コントロールの方法の決定（Plan）

移転、分散、分離、軽減、中和、容認（放置）等のリスク・コントロールの方法を決定する。

⑤ リスク・コントロールの実行（Do）

上述のリスク・コントロールの方法を実行する。

リスク・コントロールが機能せずリスクが現実化した場合は、予め策定しておいた対応プログラムを実施する。危機対応プログラムは、最悪の事態への対処策である。

⑥ リスク関連インテリジェンスの収集（Do）

リスク・コントロールに必要かつ有用な情報を収集する。そのためには、判断を誤ることのないよう、単なるinformationではなく、雑音及び誤報を除去した価値のある正確かつ有効なintelligenceの適時の収集に努めなければならない。

⑦ リスク・コントロールのモニタリング（Check）

コントロールが有効に機能しているかどうか、リスクがハザードに進展していないかどうかをモニタリングする。

monitoringの原意は人の行動や物体が変化する様子の継続的観察であるが、リスク・コントロールにおけるモニタリングとは、リスクがハザードに進展するのを抑制するため及びハザードに進展したときに透かさず発見するため、当該コントロールが有効に行なわれているかどうかを、点検、分析、照合、比較、評価、確認し、関係者に対して報告、相談、承認申請等の連絡をすることである。

モニタリングには、当該部局の責任者が日常業務において継続的に実施するものと内部監査部局及びリスク・マネジメント部局等の他の部局が独立的に実施するものの２種類がある。

⑧ インフォメーション及びコミュニケーション（Check）

リスク・コントロールの有効性のモニタリングの経過及び評価等について、関係者に対して、報告、相談、承認申請等の連絡をする。

⑨ リスク・マネジメントの実効性のレビュー（Check）

　リスク・マネジメントの方針及び実行した手続の実効性、リスク・マネジメント・システムの有効性を点検、分析、評価する。

⑩ リスク・マネジメントの改善及び実行（Action and Do of the Revised Plan）

　レビュー結果に基づいて、リスク・マネジメントの不備及び欠陥に関わる是正及び改善案を策定し、実行する。

Ⅵ　リスク・マネジメントとその類似語の違い

　ドイツのRisikopolitik（リスク政策）と米国のinsurance management（保険管理）を源流とするリスク・マネジメントは1960年代に経営管理の方法として日本に紹介された。米国起源のクライシス・マネジメントは1970年代後半に組織的危機対応の方法として日本に紹介された。

(1) 危機管理とリスク管理の違い

　両者は、上述通り、全く無関係に発生し、次第に類似の概念となり、併存しているが、危機管理はcrisis managementの和訳であり、risk managementを敢えて漢字に置き換えると危険性管理（危険可能性の管理）であり、危機管理ではない。

　リスク管理は、リスク・コントロールによってリスクの現実化及び現実化した場合の影響を低く抑制する<u>事前予防の手続</u>である。

　危機管理は、危機的状態又は非常事態に陥ったときにクライシス・コントロールによって現状復帰を図る<u>事後対処の手続</u>であり、リスク・マネジメントの手続の中に組み込んで置かなければならない。

(2) オウン・リスク（own risk）と自己責任の違い

　at one's own riskは、risk takingにより利益も損失も自己に帰する即ち自分でリスクを取るという意味である。

　自己責任とは、own riskの誤訳であり、自己リスクと訳すべきもの。これをself-responsibilityと英訳するのも誤訳である。responsibility（response + ible + ity）は、責任ではなく、業務遂行義務≒職務である。責任を意味する英語はblameであり、responsibilityではない。

第5節 コンプライアンス（Compliance）

Ⅰ　コンプライアンスの歴史とその概念の変化

　米国では、1970年代から1980年代にかけて大規模な不正事件が次々に発覚した。1970年代にはWatergate事件をきっかけに贈賄行為及び防衛産業による不正請求が発覚した。1970年代から1980年代にかけては証券会社による内部者取引（insider dealing）が発覚した。1980年代に貯蓄貸付組合（Savings and Loan Association: S&L）及び商業銀行等を経営破綻させた経営者の放漫経営及び横領等々が発覚した。

　そこで、多数の会社がこれらのスキャンダルを教訓に、1980年代後半から会社倫理プログラム（Corporate Ethics Program）、行動規範（Code of Conduct）、コンプライアンス・ガイドライン、マニュアルの類を策定して、コンプライアンス・システムの構築を開始した。

　コンプライアンスの原意は法律、証券取引所上場規則、社内規程類の遵守であったが、1980年代後半から展開された各社におけるコンプライアンス・システム構築過程で、fairness、integrity、ethics等の概念が導入され、これらを明文化した企業理念に基づく行動規範が制定され、総ての役職員が企業理念に則った行動を求められるようになった。

　「誠実」、「完全」と意訳されている「integrity」は、ラテン語の「手に触れられていない≒無傷の」を意味する「integer」が語源で、「言葉と行動の一致、終始一貫」、「倫理的完全」、「ぶれがないこと」を意味する用語であり、COSOやIIAの文書で枕詞のように出てくる。

　「compliance」は一般に「法令遵守」と和訳されているが、「comply」という1文字の意味は、単に「従う」又は「遵守する」でしかない。「compliance with the law」の和訳が「法律の遵守」であり、「comply with the rule」の和訳が「規則を遵守する」である。外国では「法規の遵守」と言うが、日本では「法令の遵守」と言う。

　今日のcomplianceは、法令の遵守という当初の概念から、会社倫理（corporate ethics）を付加した、広範囲の概念に発展している。

コンプライアンスとは、法令に反する行為を予防するだけではなく、成文化されていない倫理、道徳という社会規範に反する行為も予防するものであり、法令の遵守、法令制定の趣旨及び根本精神の理解、社会の規範及び常識の遵守を徹底して会社の活動を律するものである。

Ⅱ　コンプライアンスは法令違反の予防策

法令違反は、次の6つの何れか又は組合せによって起きる。
① 　法令の不知（過失）
② 　法令の無知（過失）
③ 　法令への無関心（過失）
④ 　法令の誤解（過失）
⑤ 　法令の軽視（未必の故意）
⑥ 　法令の無視（故意）

コンプライアンスを「法令遵守」と和訳するから、又は「コンプライアンス（法令遵守）」と表示するから、法令違反をもたらすと言える。

換言すると、「コンプライアンス＝法令遵守」との誤解から、「道義に背いても法令にさえ背かなければよい」という思考或いは法令違反すれすれの利益追求に走り、結果的に法令に違反するのである。

法務組織が「闘う企業法務」という標語を掲げ、法令違反にならない限界ギリギリまで攻めた者が勝つという論理で営業部門を支援していたために法令違反を引き起こし、法的制裁だけでなく社会的制裁を受け、信用を失墜する大会社が近年続出しているが、その原因は、上記の④の自社に好都合の誤った法解釈及び⑤の法令の軽視にあった。

「他社が違反しているのに、何故当社だけが法令遵守をしなければならないのか」、「法令違反すれすれまで攻めるのが才覚である」と公言する経営者及び役職員が今日でも存在しているのは嘆かわしい。

「弊社では法令遵守を周知徹底している」と胸を張る経営者もいるが、法令遵守は当然の義務であり、自慢するものではない。むしろ、コンプライアンスの本質を理解せず、罰則のある法令だけを遵守すればよいと考える思慮の浅い人物と看做されかねないことを自覚する必要がある。

社内におけるコンプライアンスの徹底の要請は大事であるが、これを役職員に対する締付の強化と受け取られると逆効果となる。
　コンプライアンスは、規制として捉えるのではなく、役職員の行動を法令違反から予防するために各社が独自に侵入禁止区域を設けたガイドラインであると理解するのが適当である。具体的には次の通りである。
- 会社の健全な発展を目的に、全役職員による法律・規則・社内規程・社会規範の遵守を促進する。
- 法令の規制範囲よりも広範な自主規制区域を設けて、役職員の過失による法令違反を予防する（役職員と会社を護る）。

　会社の経営責任者は、法規範及び社会規範を遵守する姿勢を社内外に明示し、関係会社を含む総ての役職員に遵守させ、積極的かつ組織的にリーガル・リスクを軽減する経営課題に取り組み、株主からの付託及び良好なコーポレート・ガバナンスという利害関係者等の要請に応える、コンプライアンス経営を確立する必要がある。
　英国及び米国等の大会社は自社のコーポレート・ブランドを堅持するためにcorporate ethics、mission、vision、valueを重視している。
　又、COSO報告書は、組織の評判について、大変に価値のあるものであり、単に法令を遵守すればよいというものではなく倫理的企業活動を奨励する気風が必要である、と強調している。
　コンプライアンスを確立するための手段として、目安箱、コンプライアンス相談窓口、ヘルプ・ライン、ホット・ライン、スピーク・アップ等で呼ばれる内部通報制度を導入する会社が増えているが、その運用を誤ると、誹謗中傷等に悪用される。
　内部通報制度の採用において留意すべき事項は、次の通りである。
① 　コンプライアンス委員会、法務部、人事部、弁護士等を通報先とする。
② 　匿名ではなく顕名とし、併せて、個人情報保護、秘密保持、通報者保護、賞罰無用を徹底する。
- 顕名とすることにより、ブラック・メールを排除し、通報者探しを禁止する。
- 通報者探しをすると、外部通報に発展する。

付録：コーポレート・ガバナンスの形態

I 米国型のコーポレート・ガバナンス

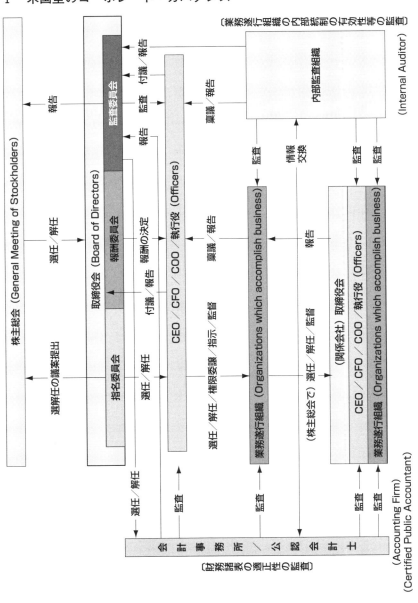

Ⅱ　ドイツ型のコーポレート・ガバナンス

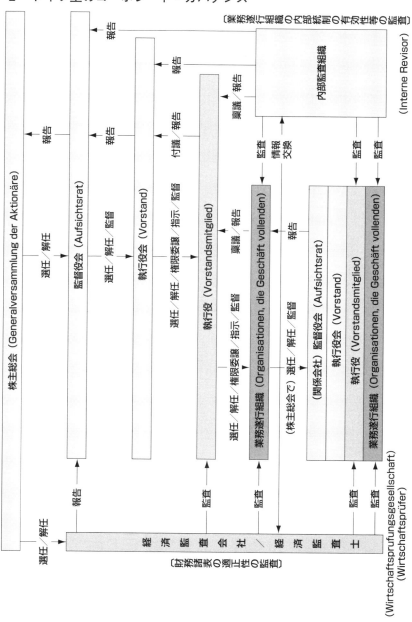

Ⅲ 日本型（監査役（会）設置会社）のコーポレート・ガバナンス

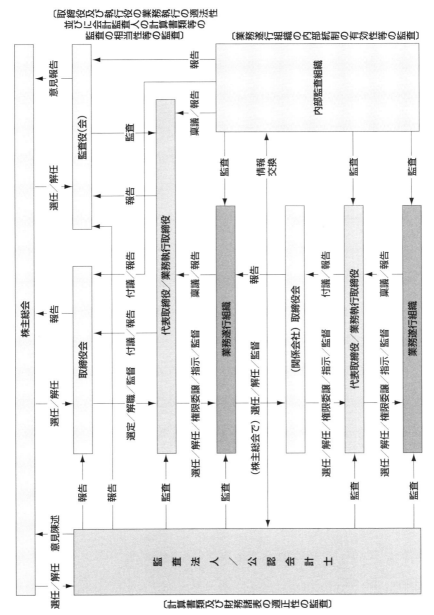

Ⅳ 日本型（監査等委員会設置会社）のコーポレート・ガバナンス

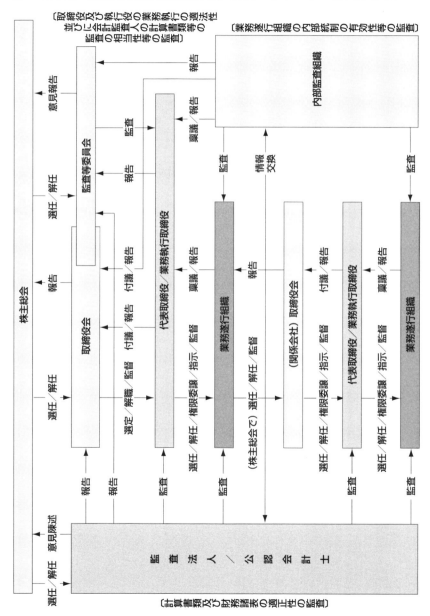

V 日本型（指名委員会等設置会社）のコーポレート・ガバナンス

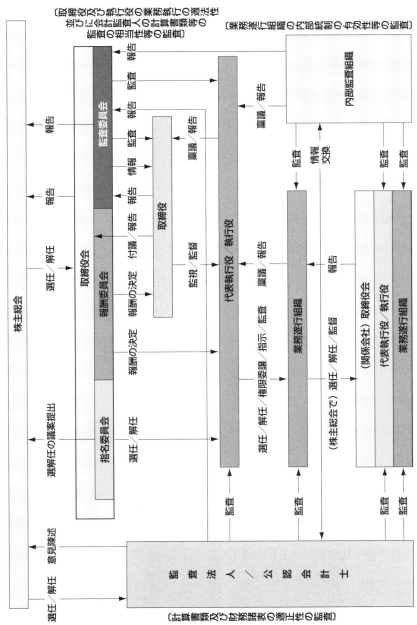

VI 日本の公開会社の3形態の比較

	項目	監査役(会)設置会社	監査等委員会設置会社	指名委員等設置会社
監督機関	構成員	取締役会、取締役	取締役会、取締役	取締役会、取締役
	員数	3人以上	3人以上	3人以上
	社外者の要否	不要	監査等委員の過半数	各委員会の委員の過半数
	選任	株主総会で監査役と区別して選任	株主総会で監査等委員と区別して選任	株主総会で取締役を選任
	解任	株主総会で解任	株主総会で解任	株主総会で解任
	任期	2年	1年	1年
	報酬	定款又は株主総会の決議で決定	定款又は株主総会の決議で決定	報酬委員会が決定
	重要な業務執行の決定の委任	不可能	可能（業務執行取締役への委任）	可能（執行役への委任）
執行機関	構成員	取締役	取締役	執行役
	員数	3人以上	1人以上	1人以上
	選任	株主総会で監査役と区別して選任	株主総会で監査等委員と区別して選任	取締役会で選任
	解任	株主総会で解任	株主総会で解任	取締役会で解任
	任期	2年	1年	1年
監査機関	構成員	監査役会、監査役	監査委員会、監査等委員（取締役）	監査委員会、監査委員（取締役）
	社外者の要否	半数以上	過半数	過半数
	常勤者の要否	要	不要	不要
	選任／選定方法	株主総会で監査役を選任	株主総会で監査等委員を選任	取締役会で監査委員を選定
	選任・解任・辞任に関する意見陳述権	あり	あり	なし
	任期	4年	2年	1年
	報酬	定款又は株主総会決議で決定。個人別の定めがない場合は枠の範囲内で監査役の協議で決定	定款又は株主総会決議で監査等委員で決定。個人別の定めがない場合は枠の範囲内で監査等委員である取締役の協議で決定	報酬委員会が決定
	報酬等に関する意見陳述権	なし	あり	なし
	株主総会における他の取締役の選任・解任・辞任・報酬等に関する意見陳述権	なし	あり	なし
	会計監査人の選任・解任・不再任に関する議案内容決定権	あり	あり	あり

注意：監査役／監査等委員会／監査委員会の詳細比較については、第4章の「付録2：公開会社の3種の監査機関の比較」(251頁)を参照されたい。

第2章
内部統制と報告制度の歴史

　第2章においては、内部統制と内部統制報告制度について解説する。
　第1節で、米国における内部統制の概念の変遷、体制（システム）と態勢（プロセス）の関係等について解説する。
　第2節で、米国における内部統制報告制度の沿革について解説する。
　第3節で、日本における内部統制の概念の沿革、内部統制の本質と重要性、その有効性の確保に不可欠のモニタリングの重要性について解説する。
　第4節で、日本における内部統制報告制度の沿革について解説する。
　第5節で、サーベインズ・オクスリー法と金融商品取引法の違い（全くの別物であること）、日米の規準設定主体の違いについて解説する。

米国における内部統制の概念とその変遷

Ⅰ 内部統制の概念

「内部統制」と「内部管理」という用語は異なるものと誤解されがちであるが、何れもinternal control systemの和訳である。

この異なる２種類の和訳が生じた原因は、以下にある。

① 経済安定本部（後に旧経済企画庁に改組）企業会計基準審議会が、1950年７月に中間報告として公表した『監査基準』で内部統制組織と和訳した。

② 更に、通商産業省（現在の経済産業省）が、1951年７月に公表した『企業における内部統制の大綱』で内部統制組織と和訳した。

③ これらに対し、金融監督庁（現在の金融庁）が、1998年９月に公表した『銀行組織の内部管理体制に関するフレームワーク（通称、BIS内部統制ペーパー）』で内部管理体制と和訳した。

日本の法令では、「○○の○○を確保するための体制」と記載されているだけであり「内部統制」という用語は一切使用されていないので、斯かる体制を指して、「いわゆる内部統制の体制」と言う。

会社法第362条
　取締役の職務の執行が法令及び定款に適合することを確保するための体制その他　…　企業集団の業務の適正を確保するために必要なものとして法務省令で定める体制の整備

金融商品取引法第24条の４の４
　…　財務計算に関する書類その他の情報の適正性を確保するために必要なものとして内閣府令で定める体制　…

会社法の対象はいわゆる全般的内部統制の態勢（プロセス）であり、金融商品取引法の対象はいわゆる財務報告に係る内部統制の体制（システム）である。

いわゆる内部統制の理解を難しくしているもう１つの原因は、判例で使用された異なる用語にある。

① 2000年9月20日の大阪地裁の判決（大和銀行株主代表訴訟）では、リスク管理体制という用語を使用した。
② 2002年4月5日の神戸地裁の和解所見（神戸製鋼所株主代表訴訟）では、内部統制システムという用語を使用した。

このように呼称の違い並びに全体（全般的内部統制）を意味する場合及び一部（財務報告に係る内部統制又はリスク・マネジメント）を意味する場合の違いはあるが、何れも内部統制の体制を意味している。

詳細な説明は後に回し、結論を先に述べると、内部統制とは、企業が適正利益と社会的信頼を得て存続し得るように、経営者が自主的に制定する社内の決め事と役職員によるその実践である。

内部とは、事業体の内部及び事業体内組織の内部という意味であり、事業体の外部者及び事業体内組織の外部者によらずそれぞれの内部者によって行なうという意味である。

日本では、金融商品取引法における内部統制報告制度の導入により、内部統制と言えばCOSO報告書、COSO報告書と言えば3つの目的と5つの構成要素と連想されるほど本報告書が知れ渡っているが、これを読んだだけでは本報告書の意義と内部統制の概念を理解できないので、その作成に至る経緯を知る必要がある。

Ⅱ 内部統制の概念の変遷

内部統制システム（internal control system）は使用人の誤謬及び不正から企業の資産を保全する目的で1800年代後半に考案された内部牽制システム（internal check system）の発展形である。

財務諸表監査は、19世紀後半から、総ての会計記録と証憑を検査する精細監査から抽出サンプルの検査により全体を推測する試査主体の部分監査に移行した。その監査を実施する会計士が財務諸表の信頼性判断の手段として重宝し、使用人の誤謬及び不正の予防及び発見に有効であるとして経営者に整備を勧めたのが内部統制システムであるが、1970年代以降続発した公開会社の不正及び倒産を契機にSECの積極介入により経営者不正の予防及び発見による投資家保護という目的に転換した。

米国における内部統制の定義は、米国会計士協会（American Institute of Accountants: AIA）が1917年に作成した財務諸表監査のための手順書『貸借対照表監査の覚書』及び1929年のその改訂版『財務諸表の検証』から1992年のCOSO報告書に至るまでに、内部統制システムを構築する目的又は目標及び概念は、次のように変遷した。

	公表年と題名	内部統制の目的又は目標	概念
(1)	1929年　AIA 財務諸表の検証	職員の誤謬及び不正からの会社の資産の保全	内部牽制のシステム
(2)	1936年　AIA 財務諸表の検査	職員の誤謬及び不正からの会社の資産の保全	内部牽制及び内部統制のシステム
(3)	1939年　AIA 監査手続の拡張	職員の誤謬及び不正からの会社の資産の保全	内部統制システム
(4)	1947年　AIA 監査基準試案	職員の誤謬及び不正の最小化による会社の資産の保全	内部統制システム
(5)	1949年　AIA 内部統制：調整された組織の諸要素	資産の保全、会計数値の正確性及び信頼性の点検、業務効率の増進経営方針の遵守の促進	会計的統制システム及び管理的統制システム
(6)	1958年　AICPA 独立監査人の内部統制のレビューの範囲	資産の保全、財務記録の正確性及び信頼性の点検、業務効率の増進経営方針の遵守の促進	会計的統制システム及び管理的統制システム
(7)	1988年　AICPA 内部統制構造の考察	企業目標の達成	内部統制ストラクチャー
(8)	1992年　COSO 内部統制の統合的枠組	企業目標（業務の有効性及び効率性、財務報告の信頼性、適用される法律及び規則の遵守）の達成	内部統制のシステム及びプロセス

注意：(5)は、1948年に作成され、1949年に公表された。

① AIAの『財務諸表の検証』（1929年）は、次のように定義した。

内部牽制システムとは会計システム（accounting system）であり、監査人は内部牽制の有効性を確かめるために付随的に会計システムの基本的重要事項を検証する。

② AIAの『独立公会計士による財務諸表の検査』(1936年) は、次のように定義した。

　内部牽制及び統制システム (internal check and control system) とは、現金その他資産の保全及び記帳事務の正確性を点検するために採用されている権限及び職務の分割、部門の独立、内部監査の常置、記録と保管と承認の分離等、会社組織内に組み込まれた様々な牽制の手段及び方法である。

③ AIAの監査手続書『監査手続の拡張』(1939年10月) は、内部統制システム (internal control system) という用語を初めて使用し、次のように述べた。

　経営者は、適切で有効な会計システムの維持、取引の会計帳簿への正確な記録、企業資産の保全、財務諸表の正確性と適正性についての直接的義務を負っている。

　監査人の職務は、横領の発見ではなく内部牽制及び統制が適切かつ有効に機能しているかどうかをレビューすることである。

　会計士監査は、疑いがある場合には監査手続を拡張しなければならないが、通常は被監査会社の内部統制システムの一貫性 (integrity) に依拠した試査を基礎とする。

④ AIAの『監査基準試案：一般に認められた意義及び範囲』(1947年10月) は、監査人に次の監査手続を要求した。

　監査手続を限定する試査の範囲を決定するための基礎として、内部統制の信頼性を適切に調査及び評価しなければならない。

　内部牽制及び統制の主目的は、誤謬及び不正のリスクを最小化することにある。そのシステムが適切かつ有効であれば、リスクは小さくなるので、精査及び試査の範囲を縮小できる。

　取引の開始、実行、記録、管理に多くの職員が携わっており、それぞれが独立している場合は、取引に真実性があり、適切に記録されている可能性が高いが、内部牽制及び統制には固有の限界があり、それらが著しく制約されている場合は相対的リスクが存在するので、より広範囲の監査を実施しなければならない。

『監査基準試案』は、1948年のAIA総会で『一般に認められた監査基準：その意義及び範囲』として承認され、1954年に監査手続委員会特別報告書として発行された。

　本試案は、内部監査を内部統制システムの重要な一要素であると定義したが、米国公認会計士協会（American Institute of Certified Public Accountants: AICPA）の監査基準書第16号（1977年1月）は、これを否定し、「…の重要な一要素」という記載を取り止めた。

⑤　AIAの特別報告『内部統制：調整された組織の諸要素並びに経営者及び独立公会計士にとっての重要性』（1949年11月）は、内部統制の概念を拡張し、経営管理の手段として定義した。

　　内部統制は、資産の保全、会計データの正確性及び信頼性の点検、業務効率の増進、定められた経営方針の遵守を促進するために企業の内部で採用されている組織計画並びに調整のための、総ての方法及び手段で構成される。これら諸要素を整備し、定期的に点検し、欠陥を是正する義務は、経営者にある。

本章第3節Ⅲで取り上げる『企業における内部統制の大綱』は、通商産業省がこの特別報告書に範を採って作成したものである。

⑥　AICPAの監査手続書第29号『独立監査人の内部統制のレビューの範囲』（1958年11月）は、内部統制について次のように定義した。

　　内部統制とは、経営管理手段であり、以下のような会計的機能及び経営的機能を有している。

- 会計統制は、主にかつ直接的に資産の保全及び財務記録の信頼性に関連する組織計画並びに総ての方法及び手続を意味する。
- 会計統制には、権限の委譲及び承認システム、記録及び会計報告の業務と営業又は資産管理の業務の分離、資産の現物管理、内部監査等の統制が含まれる。
- 管理統制とは、業務効率の増進及び経営方針の遵守に関連し、財務取引に間接的に関連する組織計画並びに方法及び手続を意味する。
- 管理統制には、統計分析、時間及び動作の研究、業績報告、職員の訓練計画、品質管理等の類の統制が含まれる。

本手続書は、1949年の『特別報告書』の広義の内部統制の概念を受け入れながらも、財務諸表監査で監査人が調査及び評価すべき内部統制は会計統制であるとして、監査人の責任範囲を会計統制に限定した。

Ⅲ 経営破綻の続発とその影響

1960年代後半から10年に互り経営者による放漫経営、会社の私物化、詐欺、不正な政治献金、粉飾決算、経営破綻が続発した。

連邦政府は、1977年12月9日に**海外不正行為防止法**（The Foreign Corrupt Practice Act: **FCPA**）を制定し、公開会社とその役員に外国の政府、公務員、政党職員への贈賄行為を禁止するとともに、妥当な内部会計統制システムの確立及び維持を義務付けた。

AICPAは、1977年9月に、**公共監視委員会**（Public Oversight Board: **POB**）の設置及びピア・レビュー（Peer Review）制度の導入等による会計事務所の監査業務の品質管理の仕組を構築した。

ところが、1980年代半ばから1990年代初頭にかけて、利鞘の縮小及び不動産貸付の焦付等が原因で、700以上の**貯蓄貸付組合**（Savings and Loan Associations: **S&L**）を含む2,590の金融機関が経営破綻した。

それだけでなく、1970年代と同様の事由で、商業銀行、鉄道、製造、卸売、小売等の多数の会社も経営破綻し、これがきっかけで、財務諸表監査についての投資者と会計事務所の間の認識の相違（期待ギャップ、expectation gap）が顕在化し、会計事務所は粉飾を看過した責任を追及されて巨額の損害賠償を支払わされ、危機的状況に陥った。

連邦議会は、4,810億ドル（当時のレート換算で110兆円）もの巨額の公的資金を投入して預金者を保護した。

斯かる状況の打開のためにとられた施策は、以下の通りである。

(1) 連邦議会は、1991年12月19日に、経営者の不正及び経営破綻を予防する連邦預金保険公社の機構改革、監督の強化、金融機関の財務報告制度の強化等を目的に、**連邦預金保険公社改善法**（Federal Deposit Insurance Corporation Improvement Act: **FDICIA**）を制定し、その第36条で、金融機関に限定した内部統制報告制度を規定した。

(2) AICPAは、監査業界の危機的状況を打開するため、米国会計学会、全米会計士協会、内部監査人協会、財務担当経営者協会に呼び掛けて1985年6月にトレッドウェイ委員会支援組織委員会（Committee of Sponsoring Organizations of the Treadway Commission：COSO）を組織し人的・資金的支援をして、不正な財務報告に関する全米委員会（National Commission on Fraudulent Financial Reporting、通称、トレッドウェイ委員会）を創設した。全米会計士協会は1991年7月に管理会計士協会と改称している。

トレッドウェイ委員会は、次の目的で設置された。
- 不正な財務報告の行為が財務報告の誠実性をどの程度損なうのかについて考察する。
- 不正の発見における独立公共会計士の役割について検討する。
- 不正な財務報告の作成を許す又は斯かる行為を直ぐに発見できない企業構造の特徴を特定する。

(3) トレッドウェイ委員会は、1987年10月に『不正な財務報告に関する全米委員会報告書』を公表し「不正な財務報告とは、作為的なものか不作為的なものかに関わらず、結果的に重要な誤導をする財務諸表を作成する意図的な又は不注意による行為である」と定義し、関係者に対して種々の勧告を行なった。

(4) AICPAは、この勧告に応えて、半年後の1988年4月に、9つの監査基準書を公表した（第3章第1節Ⅳの4を参照）。

その中でも、特に重要であり、本書の解説に関係しているものは、今日の財務諸監査の効果的かつ効率的実施方法を考案する基となった次の3つである。

① 第55号：『財務諸表監査における内部統制構造の考察』
　　内部統制構造の概念とその検討の重要性を明示
② 第56号：『分析的手続』
　　分析的手続と監査リスク・ベースの監査手法を提示
③ 第59号：『継続企業としての存続能力に関する監査人の考察』
　　監査人に被監査会社の存続能力の検討を要請

(5) COSOは、1992年9月に最初の報告書『内部統制の統合的枠組』を公表したが、内部統制の構築目的であった「資産の保全」が欠落しているとの批判を受けたため、1994年5月に追補版を公表した。

　COSO報告書に纏わる解説については本節Ⅴを、2013年改訂版を含む内部統制の定義については第1章第3節Ⅱを参照されたい。

(6) 1980年代半ば以降、大企業の最高経営執行者が率先して、企業行動規範、企業倫理プログラム、コンプライアンス・ガイドラインの類を制定するようになり、これらにおいて、従来の法令の遵守に加えて、公正さ及び誠実さ等の企業倫理の概念が導入された。

　この結果、コンプライアンスという用語は、従来の法律及び規則の遵守から、法律及び規則の遵守並びに社会規範の遵守を意味するものに変貌した。

Ⅳ　監査基準書第55号

　AICPAは、不正な財務諸表を看過する監査リスクを低い水準に抑えるためには、被監査会社の内部統制の信頼性に依拠して実施する財務諸表監査の試査の範囲を決定するための内部統制の調査及び評価よりも統制リスク（内部統制で是正できない誤謬及び不正等の固有リスク）の調査及び評価が重要であると考え、1998年4月に、監査基準書第55号『財務諸表監査における内部統制構造の考察（Consideration of the Internal Control Structure in a Financial Statement Audit）』を公表した。

　この基準書が提示した新たな監査手法は、監査基準書第56号『分析的手続』と併せて、今日の監査リスク・ベース監査の原型となっている。

　本基準書は、内部統制構造と言う用語に変え、次のように定義した。

　　企業の内部統制構造は、特定の企業目標が達成されるという合理的保証を与えるために設定した方針及び手続で構成されており、…これらのあるものは財務諸表監査に適当であろう。

　　監査に適当な方針及び手続は、財務諸表に具現されるアサーション（経営者の主張）を構成する財務データを記録、処理、要約、報告する企業の能力に関係している。

内部統制構造は、以下の3つの要素によって構成されている。
① 統制環境（Control Environment）
- 統制環境は、企業の特定の方針及び手続の有効性を確立、強化、緩和する種々の要素の集合、つまり企業全体の統制に対する状況又は雰囲気であり、そのような環境を作る最大の責任者は、経営者及び取締役会である。
- 統制環境は以下の要素で形成されている。
    - 経営者の哲学及び経営方法
    - 企業の組織構造
    - 取締役会及びその委員会、特に監査委員会
    - 権限及び職務の委譲方法
    - 経営者の管理方法
    - 内部監査
    - 人事政策及びその実践
    - 企業の業務及び実践に及ぼす外部の影響

② 会計システム（Accounting System）
- 会計システムは、企業の取引を識別、収集、分析、分類、記録、報告するため、並びに資産及び負債に対する会計義務を維持するために設定された方法及び記録から成る。
- 有効な会計システムは、以下の事項を総て満たすものでなければならない。
    - 総ての真実の取引を識別及び記録
    - 財務報告の適正分類のための、取引の十分、詳細、適時の記録
    - 財務報告の適正な記録のための、取引の貨幣価値の測定
    - 適正な会計年度での記録のための、取引の発生時点の決定
    - 財務諸表における取引及び関連する開示事項の適正な表示

③ 統制手続（Control Procedures）
- 統制手続は、特定の目標の達成について合理的保証を得るために経営者が統制環境及び会計システムに追加して設定した方針及び手続である。

- 統制手続は、様々な目標を有しており、様々な階層とデータ処理段階に適用され、統制環境及び会計システムに組み込まれているものもある。
  - 取引及び行為に関する適切な承認
  - 従業員の誤謬又は不正及びその隠蔽の機会を抑制するための、職務の分割
  - 取引、勘定残高、事象が適切に記録される保証に役立つ適切な書類及び記録に関する設定及び運用
  - 資産及び記録の使用に関する管理の全般的かつ適切な維持
  - 金額の適切な記録及び評価に関する第三者の照合

　本基準書は、従来の監査基準書で明示され受け入れられてきた「会計統制及び管理統制から成るという内部統制の定義は問題がある」として削除した。

　本基準書は、監査手続書第54号以来使用してきた、「内部統制の調査及び評価における会計統制システムのレビュー及び会計統制システムの遵守性テスト」という用語を「統制リスクの評価における統制テスト」という用語に変更した。

　本基準書は、その後半で、監査リスクとは財務諸表のアサーションにおける重要な虚偽記載のリスクであり、固有リスク、統制リスク、発見リスクから成ると解説した上で、内部統制構造を理解し、統制リスクの水準を評価し、その更なる引下の可能性を調査して、財務諸表のアサーションに関する実証性テストの範囲を決定するとして、財務諸表監査における内部統制の評価手続を示した(第5章第5節Ⅱで解説する「監査リスク・ベース監査」のアプローチを参照)。

　本基準書は、企業の内部統制構造は、特定の企業目標が達成されるという合理的保証を与えるために設定した方針及び手続、具体的には統制環境、会計システム、統制手続の3つの要素で構成されていると述べており、内部統制の仕組に関する定義としての完成形に近いものとして、COSO報告書『内部統制の統合的枠組』5つの構成要素の原型を形成している。

Ⅴ COSO報告書

1 報告書作成の経緯

　トレッドウェイ委員会は、1987年10月に公表した報告書で、総ての利害関係者に共通する内部統制の統合的な概念の定義並びに公開会社が内部統制の有効性を判断及び改善する際の基準となる指針の設定を勧告した。COSOは、この勧告に応えて、1991年3月に公開草案を公表し、6月14日まで意見を募集した。

　因みに、公開草案では、構成要素として、①インテグリティ、倫理的価値観、能力、②統制環境、③目標、④リスク評価、⑤情報システム、⑥統制手続、⑦コミュニケーション、⑧経営の変化、⑨モニタリングの9つが掲げられていた。尚、integrityは、誠実や完全と訳されているが、本来の意味は、終始一貫、言動一致、矛盾やぶれがないことである。

　公開草案の原文及び和訳は、次の通りである。

　<u>Internal Control is the process</u> by which an entity's board of directors, management and/or other personnel obtain reasonable assurance as to achievement of specified objectives; it consists of nine interrelated components, with integrity, ethical values and competence, and the control environment, serving as the foundation for the other components, which are: establishing objectives, risk assessment, information systems, control procedures, communication, managing change, and monitoring.

　<u>内部統制とは、</u>事業体の取締役会、経営者及び又はその他職員が特定目標の達成について合理的保証を得るプロセスであり、相互に関連する9つの要素、即ちその他の要素の基礎として機能する①インテグリティ、倫理的価値観、能力、及び②統制環境、並びに③目標の設定、④リスク評価、⑤情報システム、⑥統制手続、⑦コミュニケーション、⑧経営の変化、⑦モニタリングから成る。

　COSOは、1992年9月に①要約篇、②枠組篇、③外部報告篇、④評価ツール篇から成る最初の報告書を公表した。

COSOは、当初は不正な財務報告の予防及び発見に有効な内部統制の体制の定義を意図していたが、調査の過程で監査基準書第59号の影響を受け、継続企業としての存続能力の確保に必要なリスク・マネジメント主体の内容となり、企業の継続的発展の阻害要因であるリスクに適切に対処するためのリスク・マネジメントの重要性及びその要領をリスクの評価、統制活動、モニタリング等の構成要素で詳説した。

COSOは、事業体における内部統制の構築及び運用を促進するため、監査リスクの抑制に主眼をおいてきた従来の内部統制体制の構築目標を事業体の経営に有用な取締役会及び経営者のためのものに変更し、経営目標の達成に有用な業務の有効性及び効率性を第1の範疇に掲げた。

「内部統制には3つの目的があり、5つの構成要素から成る」と誤った説明が為され、しかも「プロセス」という言葉の説明がないため、日本ではCOSOの真意が理解されていない。

そもそも、COSO報告書に「内部統制には3つの目的がある」という記述などない。原文は、次の通り「内部統制は、…プロセスである」という定義であり、しかも「3つの目的がある」とは述べていない。

<u>Internal control is a process</u>, effected by an entity's board of directors, management and other personnel, designed to provide reasonable assurance regarding the achievement of <u>objectives</u> in the following categories:

<u>内部統制とは</u>、事業体の取締役会、経営者、その他職員によって遂行される、次の範疇における<u>目標</u>の達成についての合理的保証を提供するために設計された<u>プロセスである</u>。

「objective(s)」は、「目標」であり、「目的」ではない。「process」という用語が何を意味するかは、英英辞典を引かなければ理解できない。英英辞典で最初に出てくる解説と筆者による和訳は、次の通りである。

a series of things that are done in order to achieve a particular result（特定の結果を得るために行なわれる一連の行為）、又は

a series of actions that are done in order to achieve a particular result（特定の結果を得るために行なわれる一連の行動）

第2章 内部統制と報告制度の歴史

2　3つの目標の意味

　一般に「内部統制には業務の有効性及び効率性、財務報告の信頼性、適用される法律及び規則の遵守という3つの目的がある」と理解されているが、本報告書は、objective＝目標とend＝目的を区別して記載しており、冒頭の内部統制の定義に続く基本概念の解説で、「内部統制は、目的を実現する手段であり、それ自体が目的ではない」と述べている。

　要するに、内部統制システムを構築する目的は会社を継続企業とすることであり、内部統制システムが構築され、かつそれがプロセスとして実践されるならば、3つの目標は達成されると述べているのである。

3　報告書の独創性と核心

　本報告書の独創性と核心が広範囲に受け入れられた理由は、システム（体制≒仕組≒決め事）の構築よりもプロセス（一連の行動＝システムの実践≒態勢）が重要であることを明示したことにある。

　本報告書は、上述の3つの目標に続けて、プロセスの重要性について次の通り解説している。5つの構成要素の記述は、その後である。

　　内部統制は、プロセスである。内部統制は、目的を実現する手段であり、それ自体が目的ではない。

　　内部統制は、人々によって遂行される。内部統制は、単なる方針の手順書及び書式ではなく、組織体のあらゆる階層の人々の行動である。

　　内部統制は、事業体目標の達成について、絶対的保証ではなく、合理的保証だけを提供するに過ぎない。

　　内部統制は、単一の事象又は状況ではなく、事業体活動に浸透している一連の連続する行動である。

4　内部統制の中核

　事業体の3つの目標が達成されても経営判断及びリスク管理の誤りにより継続企業としての存続能力を喪失すると内部統制の整備が無意味となるので、COSO報告書は、多数の紙面を割いてリスク管理の重要性を説明しており、その『内部統制の統合的枠組』という題名にも拘わらず、内部統制の中核が継続企業としての存続能力の確保に有用かつ不可欠のリスク・マネジメントにあることを明示している。

5　システムとプロセス

　本報告書は、監査基準書第55号で体制（システム）の完成形ともいうべき構造が詳細に解説されたため、体制という決め事をプロセスとして実践することの重要性を強調し、体制については説明をしていない。

　内部統制の概念と有効性の意味を理解するためには、先ずシステムとプロセスの意味を理解し、次に両者の関係を理解することである。

- システムとは、組織の設置、社内規程及び基準等の制定、重要な資産へのアクセス制限、職務の分担、権限の付与、重要な業務の記録及び保存、二重点検、複数の関連情報の照合、記録と現物の照合及び調整、業績評価、差異分析等の、役職員を適切にコントロール（統制≒管理）するための決め事又は仕組であり、当初は組織と和訳されていたが、現在は体制と和訳されている。

　本報告書は、どのような内部統制システム（決め事）を構築しても、それに従って行動（＝実践）しなければ機能せず、形骸化してしまうということで、プロセスとすることの重要性を強調したのである。

- プロセスとは、業務における一連の行動（決め事に従った職務の遂行≒決め事の実践）を意味し、筆者は態勢と和訳している。

　態勢は、身構えであり的確な和訳ではないので、実践の方が適当とも考えたが、理論に対する実践と理解されがちなので、体制との相対性を考慮して、態勢を選択した。

　運用という訳語も考えたが、それでは、経営者がシステムを活用する（職員に実践させる）という意味になり、自身が行動することを意味するプロセスの原意から離れるので、適当な訳語ではない。

6　報告書の題名

　COSOは、報告書の題名を「Internal Control System and Process」ではなく簡潔な「Internal Control ─ Integrated Framework」としたが、SOAを完成するSEC最終規則により「Internal Control over Financial Reporting: ICFR（財務報告に係る内部統制）」の部分だけが注目される状態となったため、これを含んだ内部統制の全体を「Overall Internal Control（全般的内部統制）」と呼んで区別する必要が生じた。

7　報告書に対する批判とCOSOの対応

　1992年9月に公表した報告書は、内部統制の従来の構築目的であった「資産の保全」を明記していなかったため、GAO（General Accounting Office、会計検査院）に海外不正行為防止法の要件を満たしていないと批判され、FDIC（連邦預金保険公社）も、1993年に公表したFDICIAの実施指針で、本報告書の内部統制の枠組を採用しなかった。

　そのために、COSOは、1994年5月に、以下の内容を記載した『外部関係者に対する報告』の追補版を公表した。

- 資産の保全に係る内部統制は、事業体の取締役会、経営者、その他の職員によって遂行されるものであり、未承認による資産の取得、使用、処分からの事業体の資産の保全について合理的保証を提供することを目的に設計されたプロセスである。
- 財務諸表に重要な影響を及ぼす可能性のある事業体資産が未承認による資産の取得、使用、処分から保全されている、又は斯かる行為が迅速に発見されているとの合理的保証を事業体の取締役会と経営者が得ていれば、内部統制は有効であると判断することができる。
- 未承認による取得、使用、処分からの事業体の資産の保全に係る内部統制は、COSO報告書が定義したように、3つの基本的統制の範疇の1つ又は複数に属するものであり、資産の保全に係る内部統制として記述されている内部統制の広範な領域の一部分である。

　GAOは、COSOの対応を受け、本報告書に対する不支持を撤回した。FDICも、FDICIAの実務指針における内部統制の枠組として本報告書の枠組を採用した。

　本報告書は、リスクの範囲及び性質が限定的であり継続企業に影響を与えるビジネス・リスクが考慮されていない等の批判を受けたため、2004年9月29日に『エンタープライズ・リスク・マネジメントの統合的枠組（ERM）』を公表した。

　ERMについては<u>第1章第4節Ⅲ</u>を参照されたい。

第2節 米国における内部統制報告制度の沿革

I 内部統制報告制度の概念

内部統制報告制度とは、①内部統制を確立及び維持する義務を負っている最高経営執行者等が財務報告に係る内部統制の評価の結果を経営者報告書に取り纏め財務報告に添えて提出し、②財務諸表監査の監査人が経営者報告書の内容の適正性について検証し、証明報告書（attestation report）を発行するものであり、立法当局及び証券取引委員会の主導で義務付けられ、かつ証明業務から監査へと強化されてきている。

その基礎は、1972年6月17日に発覚したWatergate事件がきっかけで1977年12月9日に制定された海外不正行為防止法における規定によって整備された。

II 海外不正行為防止法

FCPAは、総ての公開会社とその役員に対し、外国の政府、公務員、政党職員等への贈賄行為を禁止するとともに、妥当な内部会計統制システムの確立及び維持を義務付けた連邦法である。

- 海外における政治的不正支払を禁止する規定（贈賄禁止規定）
- 内部会計統制システムの確立及び維持を義務付ける規定（SEC勧告に基づく会計規定）

FCPAは、第102条で、監査手続書第54号『内部統制に関する監査人の調査及び評価』が示した企業の資産の保全及び財務記録の信頼性を保証する内部会計統制の4つの基本的な事項を合理的に保証するために、1934年証券取引所法の適用を受ける公開会社及びその役員に、内部会計統制システムを設計して維持することを義務付けた。

- 取引は、経営者の全般的又は個別的承認によって行なわれること。
- 取引は、財務諸表がGAAP及び他の規準に準拠して作成できるようにかつ資産に対する会計義務を維持できるように記録されること。
- 資産とのアクセスは、経営者の承認を得た者だけが許されること。

- 資産に対する会計義務として、合理的期間に実在資産との照合が行なわれ、両者に差異があれば適切な措置がとられること。

1934年証券取引所法の第13条(b)(2)は、以下の通りに規定された。

(A) 発行会社の取引及び資産の処分が合理的に詳細で正確にかつ公正に反映された勘定書を作成及び保存しなければならない。

(B) 次の事項を合理的に保証するために、内部会計システムを構築及び維持しなければならない。

　(i) 取引が経営者の全般的又は個別的承認によって行なわれる。

　(ii) 取引がGAAP又はその他の適用される規準に準拠して財務諸表が作成されることを可能とするために、及び資産の明細を説明することを可能とするために、必要な範囲で記録される。

　(iii) 資産の使用が、経営者の全般的承認又は個別的承認によって行なわれる。

　(iv) 記録された資産の明細が、合理的な期間をおいて実在資産と照合され、差異があるときは適切な処置がとられる。

III 連邦預金保険公社改善法

連邦議会は、1991年12月19日、金融機関の経営破綻の防止を目的に、連邦預金保険公社改善法（Federal Deposit Insurance Corporation Improvement Act of 1991：FDICIA）を制定した。

FDICIAは、資産150百万ドル以上でかつ連邦預金保険公社（Federal Deposit Insurance Corporation：FDIC）の保証を受けている金融機関に対して1993年1月1日以降に始まる事業年度からの財務諸表監査を強制するとともに、内部統制の有効性及び法規の遵守性についての経営者の評価及びその結果を記載した経営者報告書の提出並びに同報告書の適正性についての監査人の証明を受ける義務を課した。これが内部統制報告制度の起源であり、FDICIAは、次のように規定した。

- 金融機関の経営者は、
  ◦ 適切な内部統制構造並びに財務報告手続の確立及び維持に関する経営者の義務を表明しなければならない。

- ○ 内部統制構造及び財務報告手続の有効性に係る評価について、報告しなければならない。（内部統制報告書）
- 当該金融機関の監査を担当する外部監査人は、
  - ○ 経営者の主張（assertion）について証明（attest）し、経営者報告書とは別に報告しなければならない。（証明報告書）
  - ○ 証明は、一般に認められた証明契約基準に準拠していなければならない。

FDICIAは、内部統制報告制度を規定した世界初の法律であり、SEC登録会社（＝公開会社）に拡大適用した2002年SOAの先駆けとなった。

Ⅳ　サーベインズ・オクスリー法

2001年に、内部統制の盟主であると認識されていた米国においてEnron／Global Crossing／Tyco International Ltd.／IM Clone Systems Inc.／Xerox／Adelphia Communications／WorldCom等の大会社による会計不正及び経営破綻等の事件が次々に発覚しただけでなく、大手公認会計事務所の関与も明るみにでて、米国の証券取引市場及び監査業界の信用が失墜した。

連邦議会は、Enron事件の発覚から僅か9ヶ月目の2002年7月30日に、証券関係諸法に準拠して作成する企業情報開示の正確性及び信頼性の向上による投資家の保護並びにその他を目途とする法律（An Act To protect investors by improving the accuracy and reliability of corporate disclosures made pursuant to the securities laws, and for other purposes: SOA）を制定した。

SOAは、米国証券市場の信頼性向上と投資者保護のために、監査人、会社、経営者、アナリスト等の関係者の義務、監督機関の権限、不正に対する罰則を強化した、1934年証券取引所法の不備を暫定的に補完する連邦法であり、内部統制報告制度はその一部に過ぎない。

SOAと金融商品取引法は、確認書制度、内部統制報告制度、罰則等に該当する規定が類似しているだけであり、両法は、その制定目的、適用対象、規定内容等において全く異なる法律である。

1 第302条の規定事項

　第302条は、総てのSEC登録会社のPEO及びPFO（＝CEO及びCFO）又は同様職務の執行者に対し、所定の文言による証明書に個人名を記入して署名し、別々に年次報告書に綴じ込むよう求めた。

　一般に「宣誓書」又は「査証」として和訳されているが、原文は「certification」であり、「証明書」と訳すのが適当であろう。

　証明書の記載項目は、以下の通りである。
- 会社の四半期報告書（Form 10-Q、10-QSB又は年次報告書（Form 10-K、10-KSB、外国企業は20-F、40-F6）を吟味したこと。
- 署名者の知る限り、当該報告書に重要な虚偽の記載又は重要な事実の欠落若しくは省略がないこと。
- 署名者の知る限り、当該報告書に含まれている財務諸表及びその他の財務情報が、総ての重要な項目において報告期間における当該企業の財務状態及び営業成績の状態を適正に表示していること。
- 署名者が、内部統制を確立して維持する義務を負っていること。
- 署名者が、発行者及び連結子会社についての重要な情報の総てが定期報告書の作成期間中に当該会社内部の他の者によって署名者に伝達されるよう、内部統制を設計したこと。
- 署名者が、定期報告書の提出前90日以内の日に発行会社の内部統制の有効性を評価したこと。
- 署名者が、当該日現在の評価に基づき、発行会社の内部統制の有効性評価についての結論を当該報告書に掲載したこと。
- 署名者が、発行会社の外部監査人及び監査委員会に対し、次の開示をしたこと。
  - 発行会社の財務データを記録し、処理し、要約し、報告する能力に悪影響を及ぼし得る内部統制の設計上又は運営上のあらゆる顕著な不備及び監査人のために特定した内部統制の総ての重要な弱点（material weakness）
  - 重要であるか否かに関係なく、発行会社の内部統制において重要な役割を担う経営者又は従業員が関与した不正

- 内部統制の評価日以降、顕著な不備（significant deficiency）と重要な弱点の是正措置を含む、内部統制又は重要な影響を及ぼす他の要因に変更があったか否かを署名者が年次報告書で開示したこと。

2　第404条の規定事項

SOA第404条は、SECに対し、1934年証券取引所法に基づく各年次報告書に内部統制報告書を含める規則を制定するよう求めた。

- 当該年次報告書で、財務報告のための内部統制構造及び手続を確立し維持する経営者の義務を言明すること。
- 財務報告のための内部統制構造及び手続の有効性についての、直近の会計年度末時点の発行会社の評価を含むこと。
- 内部統制の評価については、発行会社のために監査報告書を作成又は発行する登録公認会計事務所が経営者による評価を証明及び報告する。

第302条及び第404条の規定事項は、SECの最終規則及びPCAOB（公開企業会計監視委員会）の監査基準によって大幅に変更された。

3　SEC最終規則によるSOAの修正

第302条に「内部統制」と記載され、第404条に「内部統制構造」と記載されていたことで混乱が生じたため、SECは2002年8月29日に規則「会社の四半期報告書及び年次報告書における開示の証明」を公表し、併せて1934年証券取引所法規則に13a-14及び15d-14を新設した。

SECは、第302条(a)項(4)号に記載されていた「内部統制」を「開示統制及び手続（Disclosure Control and Procedures: DCP）」に変更し、併せて第404条(a)項(1)号に記載された「内部統制構造」を「財務報告に係る内部統制（Internal Control over Financial Reporting: ICFR）」へと変更した。

「財務報告に係る内部統制」は財務情報（営業成績）だけを対象とし、「開示統制及び手続」はその他の情報（企業情報）を対象としている。

後述する金融商品取引法は、両者を区別せず「財務計算に関する書類その他の情報（企業情報）の適正性を確保するために必要な体制」とし、「開示統制及び手続」を財務報告に係る内部統制に含めて「財務計算に関する書類その他の情報の適正性を確保するための体制」と規定した。

第3節　日本における内部統制概念の沿革

Ⅰ　日本人にとっての内部統制

　日本に内部統制の概念がもたらされた時期ときっかけは、終戦直後の占領軍総司令部（GHQ）の指示による証券取引法及び公認会計士法の制定であったが、関係者以外の者に知られることはなかった。
　その後、20世紀から21世紀への変わり目に、金融機関への金融監督庁通達（内部管理体制の構築及び検査から監査への移行）、大阪地裁の判決（大和銀行株主代表訴訟）及び神戸地裁の和解勧告（神戸製鋼所株主代表訴訟）等で一部の業界に衝撃を与えたが、その他の者にとっては対岸の火事に過ぎなかった。
　内部統制という用語が多数の耳目を集めたきっかけは、2005年6月の会社法の制定と2006年6月の証券取引法等の一部改正（金融商品取引法への改編）であった。この結果、内部統制という用語は周知されたが、その概念については、どの程度理解されたのか、甚だ疑問である。
　COSO報告書が強調した「プロセス」の意味及び重要性が理解されておらず、かつ「リスク管理体制」、「内部管理体制」、「財務報告に係る内部統制」等の異なる用語が使用されたため、内部統制の概念の理解、内部統制体制を整備（構築及び運用）する目的において、現在も様々な混乱と誤解が見られる。
　内部統制と内部統制報告制度の概念、内部統制を整備する目的、関連用語の意味を理解するためには、その歴史を知る必要がある。

Ⅱ　監査基準における概念

　「internal control system」を「内部統制組織」と和訳し、この概念を日本で初めて公的に記述したものが、1950年7月14日付で経済安定本部企業会計審議会が中間報告として公表した『監査基準』及び『監査実施準則』であり、「内部統制組織」が財務諸表監査の効率的実施のための重要な監査対象であることを監査人に明示した。

この概念に関係する記述は、以下の通りである。

　ここに監査とは、企業が外部に発表する財務諸表について、職業的監査人がこれを行う場合に限るものとする。

　この種の監査の目的は、財務諸表が、「企業会計原則」に準拠して作成され、企業の財政状態及び経営成績を適正に表示するか否かにつき、監査人が、職業的専門家としての意見を表明して、財務諸表に対する社会一般の信頼性を高めることである。…

　監査人は、監査手続の適用範囲を決定するため、内部統制の制度とその運営状態を調査し、その信頼性の程度を判定しなければならない。

　監査人は、監査の効果と犠牲とを比較評量するとともに、内部統制組織の信頼性の程度を判定して、監査手続適用の範囲、方法及び日数を合理的に決定しなければならない。

　<u>試査の範囲は、企業の内部統制組織の信頼性の程度に応じ、適当にこれを決定する。内部統制組織がよく整備運営されている場合には、これを信頼して試査の範囲を縮小することができるが、その組織が完全でなく、又効果が充分に認められない場合には、これに応じて、試査の範囲を拡大しなければならない。従つて、場合によつては精査を必要とする</u>…

上掲の通り、大蔵省等が目指したものは、未経験の公認会計士による試査を基本とした財務諸表監査の円滑かつ効率的実施（＝試査の範囲の縮小等）であり、その受入体制としての内部統制組織（＝内部牽制組織及び内部監査組織）の整備であった。

　本監査基準の「内部統制組織＝内部牽制組織＋内部監査組織」という記載の「組織」とは、「system」の和訳であり、「organization」の和訳ではないので、誤解をしないよう注意を要する。

　尚、本監査基準は、<u>本章第1節Ⅱ</u>に記載したAIAの『<u>監査基準試案</u>』を手本として作成したものであり、基準試案の「内部監査は内部牽制及び統制システムの重要な部門である」という定義を取り入れ、内部統制の体制は内部牽制体制及び内部監査体制で構成されると記載しているが、斯かる定義はAICPAの監査基準書第9号（1975年）で否定されている。この詳細については<u>第4章第6節Ⅲ</u>を参照されたい。

「内部監査は内部統制のモニタリング機能である」とする解説が内部統制及び内部監査の講義等で未だに散見されるので、注意を要する。

基準試案は、「監査基準書と監査手続書は異なるものである。前者が監査業務の遂行に関する質の尺度を定めたものであるのに対し、後者は実施すべき行為の手続に関する部分を定めたものである」として、監査基準を一般基準、実施基準、報告基準に区分している。

Ⅲ 大綱と手続要領における定義

産業合理化の推進を目論む通商産業省は、企業経営者に対し、1951年7月に『企業における内部統制の大綱』を公表し、更に、1953年2月に『内部統制の実施に関する手続要領』を公表した。

『大綱』は、計算的統制制度の導入により経営能率を増進する重要性とコントローラー制度の確立により予算統制を推進する重要性を説明し、これらに基礎を置く内部統制の整備及び確立を推奨した。

内部統制とは、企業の最高方策にもとづいて、経営者が、企業の全体的観点から執行活動を計画し、その実施を調整し、かつ実績を評価することであり、これらを計算的統制の方法によつて行うものである。それは経営管理の一形態であるが、経営活動の執行について直接的になされる工程管理や品質管理などとは異なり、計算的数値にもとづいて行われる間接的統制である点に、特徴がある。…

わが国の企業においては、整備した内部統制組織をなるべく速かに確立する必要がある。

大規模企業においては、<u>内部統制機能</u>を専門的に担当するものとして、<u>統制部門</u>のうちに独立したコントローラー部を確立し、これをその主任者たるコントローラーに総監させるのが望ましい。

コントローラー制度は、アメリカにおける代表的企業においては、広く一般化されている。わが国の企業においても、今後<u>内部統制</u>の有効な実施を図るためには、ぜひともこの制度を導入する必要がある。

『手続要領』は、予算統制の手続要領、常務会及び内部監査課の設置の重要性、内部統制を中心とする各部課相互間の手続等を説明した。

抽象的に過ぎた『大綱』の具体的な実施要領を示す目的で作成された『手続要領』は、コントローラー制度について、次の通り解説した。

　コントローラー部は、企業の統制部門に所属するものであり、経営管理組織において執行部門とは異なる独立の部門を構成する。

　…コントローラー部の遂行する内部統制の効果を高めるために、コントローラーは、取締役会および常務会の一員たる副社長または常務取締役がこれにあたり、企業の最高政策の決定に参画することが望ましい。

　コントローラー部の部門組織の代表型としては、予算課、会計課、統計課および監査課よりなるものがあげられる。

　コントローラー部と財務部とは分離独立させて、別個の部門組織とすることが望ましい。財務部ではもつぱら財務執行機能を担当するものとして、例えば資金課、買掛課、投資家および売掛課をもつて構成することが適当である。

　コントローラー部は内部統制に関して社長を補佐するものであるから、その担当事務の遂行については、当然に社長または常務会と密接な関係を有している。

　常務会は、全般経営に関する社長の協議機関であつて、社長・副社長・専務取締役・常務取締役およびこれに準ずるものから構成される。そしてコントローラーは常務会を通じて社長を補佐する。

　内部統制は、取締役会によつて決定された企業の基本方針に従つて、社長の樹立する最高方策にもとづいて実施される。

　内部統制を有効に実施するためには、内部牽制をなしうるように、適当な職制と内部統制に関する事務手続規程を定めなければならない。しかしこれを定めたにしても、これのみでは必ずしも所期の目的を十分に達しうるとは限らない。内部統制がその手続規程に従つて適正に行われているか否か、これらの内部統制組織が個々の企業の実情に照らして有効、適切であるか否かが、この事務に直接たずさわらない他の係員によつてたえず検証され評価され、これにもとづいて常務会に進言がなされる時に初めて内部統制が完全なものとなる。この機能が内部監査であり、これを担当するのがコントローラー部監査課である。

『大綱』が内部監査の重要性を強調した理由は、最初の法定監査の円滑実施に備えて、受入側企業にとって内部牽制組織が機能しているかどうかの検証とその信頼性の向上が不可欠と認識していたからである。

大綱は1949年のAIA特別報告書に内部統制システムの概念と定義の範を求めたが、米国においても定まっておらず変遷を重ねていった。

内部統制という和訳は、終戦直後の日本人にとって、言論統制、物価統制等の嫌な記憶を呼び起こし、各地における説明会の開催という通商産業省の地道な努力にも拘わらず、確たる成果を上げずに終わった。

コントローラー制度は、近代的内部監査の先駆者であるPennsylvania鉄道の経営管理手法を模したものである（第3章第2節Ⅰを参照）。

Ⅳ　日本会計研究学会報告書における定義

日本会計研究学会会計監査特別委員会は、1970年6月に報告書『財務諸表監査における内部統制の研究』を公表し、以下のように定義した。

　財務諸表監査は、被監査会社における内部統制が十分に整備および確立されていることを前提とし、これを信頼して試査の方法により監査手続を実施することを建前としている。

　内部統制とは、企業の資産を保全し、会計記録の正確性と信頼性を確保し、かつ経営活動を総合的に計画し、調整し、評定するために、経営者が設定した制度・組織・方法および手続を総称するものである。

　内部統制は、次の3つで構成される。

- 企業の資産の保全のための内部統制（資産管理）

　　資産管理とは、企業の財務に関する不正・誤謬を発見・防止し、各種の不当な行為から資産を保全するための諸管理をいう。

　　資産管理には、資産受払保管業務、資産保全の手続、人的・物的資産保全手段が必要である。

- 会計記録の正確性と信頼性を確保するための内部統制（会計管理）

　　会計管理とは、整備された会計組織を確立し、会計監査としての内部監査を充実するなど、会計記録の正確性と信頼性を確保するための諸管理をいう。

会計管理には経理規定の整備、勘定組織・帳簿組織の確立、会計伝票の回付系統の明確化、証憑書類に基づく取引記帳、統制勘定と補助元帳の利用、日計表の作成、銀行勘定調整表の定期的作成、帳簿棚卸・実地棚卸の制度化、原価計算規定の整備、会計監査としての内部監査等、会計組織の確立が必要である。

- 経営の合理化または能率増進のための内部統制（業務管理）

業務管理とは、一定の経営方針に従って合理的かつ能率的に経営活動を遂行するために設定された諸管理をいう。

業務管理には、経営管理のための内部報告制度、業務監査としての内部監査、時間研究・動作研究・工程管理・品質管理などの生産管理、従業員訓練計画・職務分析・職務評価・賃金制度などの労務管理、経営統計の作成・分析、等が含まれる。

本報告書の定義は、計数管理面を強調し資産の保全を対象としていなかった大綱と対照的なものであり、AIAが1949年に公表した特別報告書及び1958年に公表した監査手続書第29号と同様のものであった。

監査手続書第29号と本報告書の外見上の違いは、前者の「内部統制は会計的統制と経営的統制の2つを含む」との解説に対し、本報告書は、会計的統制の部分を2分して「資産管理」と「会計管理」とし、経営的統制の部分を「業務管理」として、全体を3つに区分したことである。

V 監査基準委員会報告書第4号における定義

日本公認会計士協会監査基準委員会は、1994年3月23日に、監査人の内部統制の状況把握及び有効性評価の実務指針を提供するため、委員会報告書第4号『内部統制』で、内部統制について次の通り定義した。

内部統制の目的は、適正な財務諸表を作成し、法令の遵守を図り、会社の資産を保全し、会社の事業活動を効率的に推進することにある。

内部統制は、上記の目的を達成するために経営者が自ら設定するものであるため、内部統制の確立と維持の責任は経営者にある。

経営者は、内部統制が有効であるかどうかについてこれを継続的に監視する立場にある。

本報告書の定義は、会社の資産の保全を除けばCOSO報告書と同様のものであったが、2002年7月11日の同委員会報告書第20号（中間報告）『統制リスクの評価』の改訂をもって廃止された。

Ⅵ　大阪地裁の判決

　大阪地方裁判所は、2000年9月20日、大和銀行株主代表訴訟に関する判決文において「取締役は取締役会構成員としてリスク管理体制を構築すべき義務を負っており、取締役及び監査役は代表取締役及び業務担当取締役がリスク管理体制構築の義務を履行しているかどうかを監視する義務（取締役及び監査役としての善管注意義務及び忠実義務）を負っている」と述べて、取締役、代表取締役、業務担当取締役、監査役の任務懈怠の責任を認めた。

　大阪地裁が使用した「リスク管理体制」という用語は「内部統制システム」を意味しているが、判決の法的根拠は、以下の通りであった。

民法第643条（委任）
　委任は、当事者の一方が法律行為をすることを相手方に委託し、相手方がこれを承諾することによって、その効力を生ずる。

民法第644条（受任者の注意義務）
　受任者は、委任の本旨に従い、善良な管理者の注意をもって、委任事務を処理する義務を負う。

民法第415条（債務不履行による損害賠償）
　債務者がその債務の本旨に従った履行をしないときは、債権者は、これによって生じた損害の賠償を請求することができる。債務者の責めに帰すべき事由によって履行をすることができなくなったときも、同様とする。

民法第715条（使用者等の責任）
　ある事業のために他人を使用する者は、被用者がその事業の執行について第三者に加えた損害を賠償する責任を負う。
　ただし、使用者が被用者の選任及びその事業の監督について相当の注意をしたとき、又は相当の注意をしても損害が生ずべきであったときは、この限りでない。

大阪地裁は、前記の判決において、「健全な会社経営を行うためには、目的とする事業の種類、性質等に応じて生じる各種のリスク、例えば、信用リスク、市場リスク、流動性リスク、事務リスク、システムリスク等の状況を正確に把握し、適切に制御すること、すなわちリスク管理が欠かせず、会社が営む事業の規模、特性等に応じたリスク管理体制（＝いわゆる内部統制システム）を整備することを要する」と述べた。

　本判決文には「会社経営の根幹に係わるリスク管理体制の大綱については取締役会で決定することを要し」との記載があり、これが会社法において内部統制の体制構築の基本方針の取締役決定又は取締役会決定を求める基となった。

　神戸地裁も、この判決から1年半後の2002年4月5日に、神戸製鋼所株主代表訴訟の早期終結に向けてと題する、同様の趣旨の裁判所所見を述べて、原告及び被告に早期和解を勧告した。

　因みに、取締役は、判例により、次の監視義務も課されている。

1969年11月26日最高裁判決：代表取締役の監視義務

　代表取締役は、他の代表取締役及び平取締役の行為について監視義務を負う。

1973年5月22日最高裁判決：平取締役の監視義務

　代表権のない取締役といえども、代表取締役の行為について監視義務を負う。

1980年3月18日最高裁判決：名目的取締役の監視義務

　名目的取締役といえども、代表取締役の行為について監視義務を負う。

Ⅶ　金融監督庁の方針における概念

　1995年9月に前述の大和銀行ニュー・ヨーク支店の不祥事が発覚したのに加えて1996年4月に日本長期信用銀行ニュー・ヨーク支店の当局宛自己ポジションの報告相違事件が発覚したため、FRBが内部監査部門の設置を邦銀各行に要求した。これを踏まえて、バーゼル銀行監督委員会（BCBS）が『銀行組織の内部管理体制に関するフレームワーク（通称：BIS内部統制ペーパー）』を策定し、1998年9月22日に公表した。

金融監督庁は、これを受け、1999年7月に金融検査マニュアルと通称される『預金等受入金融機関に関する検査マニュアル』を公表したが、この中で「internal control system」を「内部管理体制」と和訳した。
　因みに、本マニュアルは、2019年12月18日に廃止された。
　金融庁は、2001年4月25日に公表した『預金等受入金融機関及び保険会社に係る検査マニュアルの充実について』において、内部監査を重視した内部管理体制の整備の方針を打ち出した。

Ⅷ 監査基準の改訂に関する意見書の解説

　企業会計審議会は、日本企業の活動の複雑化及び資本市場の国際的な一体化を背景に、公認会計士の監査による適正なディスクロージャーの確保及び質的向上の要求を勘案して『監査基準』の抜本的改訂を行ない、2002年1月25日に公表した。
　本監査基準の改訂は、財務諸表の重要な虚偽表示の原因となる不正を発見する姿勢の強化、ゴーイング・コンサーン問題への対処、リスク・アプローチの徹底、新会計基準への対応、監査報告書の充実化を目的としたものであり、改訂監査基準は、その前文で、リスク・アプローチを採用する場合に重要な評価対象の内部統制について次の通り解説した。
　…、内部統制とは、企業の財務諸表の信頼性を確保し、事業経営の有効性と効率性を高め、かつ事業経営に関わる法規の遵守を促すことを目的として企業内部に設けられ、採用される仕組みと理解される。
　内部統制は、(1)経営者の経営理念や基本的経営方針、取締役会や監査役の有する機能、社風や慣行などからなる統制環境、(2)企業目的に影響を与えるすべての経営リスクを認識し、その性質を分類し、発生の頻度や影響を評価するリスク評価の機能、(3)権限や職責の付与及び職能の分掌を含む諸種の統制活動、(4)必要な情報が関係する組織や責任者に適宜、適切に伝えられることを確保する情報・伝達の機能、(5)これらの機能の状況が常時監視され、評価され、是正されることを可能とする監視活動という5つの要素から構成され、これらの諸要素が経営管理の仕組みに組み込まれて一体となって機能することで上記の目的が達成される。

このような内部統制の概念と構成要素は国際的にも共通に理解されているものであるが、それぞれの企業において、具体的にどのような内部統制の仕組みを構築し、どのように運用するかということについては、各国の法制や社会慣行あるいは個々の企業の置かれた環境や事業の特性等を踏まえ、経営者自らが、ここに示した内部統制の機能と役割を効果的に達成し得るよう工夫していくべきものである。

なお、監査人による統制リスクの評価対象は、基本的に、企業の財務報告の信頼性を確保する目的に係る内部統制であるが、そのための具体的な仕組み及び運用の状況は企業によって異なるため、監査人が内部統制を評価するに当たっては、上記5つの要素に留意しなければならない。

Ⅸ 商法特例法と商法施行規則の規定事項

2003年4月1日に施行された商法特例法で、米国型の「委員会等設置会社制度」が導入された。

改正商法特例法及び同特例法施行規則は、委員会等設置会社に対し、委員会の職務の遂行のために必要な事項として法務省令で定める体制に関する事項について決定する義務を課した。

この法務省令で定める体制を、「いわゆる内部統制の体制」と言う。

改正商法特例法

第21条の7　取締役会は、次に掲げる事項その他委員会等設置会社の業務を決定し、取締役及び執行役の職務の執行を監督する。

　二　監査委員会の職務の遂行のために必要なものとして法務省令で定める事項

商法特例法施行規則

第193条　商法特例法第21条の7第1項第2号に規定する法務省令で定めるものは、次に掲げるものとする。

　五　損失の危険の管理に関する規定その他の体制に関する事項

　六　執行役の職務の執行が法令及び定款に適合し、かつ、効率的に行われることを確保するための体制に関するその他の事項

Ⅹ　会社法と会社法施行規則の規定事項

　日本の法律では「内部統制」という用語が一切使用されていないので、法令上の「○○の体制」を「いわゆる内部統制の体制」と言う。

　2014年6月20日改正、2015年5月1日施行の会社法では、内部統制の体制について、次の条文で規定している。

項目	会社法	会社法施行規則
取締役会非設置会社に適用	第348条	第98条、第118条
監査役会設置会社に適用	第362条	第100条、第118条
監査等委員会設置会社に適用	第399条の13	第110条の4、第118条
指名委員会等設置会社に適用	第416条	第112条、第118条

　主要条文の規定事項は、以下の通りである（参考までに、内部統制に関係する部分に下線を付す）。

第348条　取締役は、定款に別段の定めがある場合を除き、株式会社の業務を執行する。

2　取締役が2人以上ある場合には、株式会社の業務は、定款に別段の定めがある場合を除き、取締役の過半数をもって決定する。

3　前項の場合には、取締役は、次に掲げる事項についての決定を各取締役に委任することができない。

　四　<u>取締役の職務の執行が法令及び定款に適合することを確保するための体制その他株式会社の業務並びに当該株式会社及びその子会社から成る企業集団の業務の適正を確保するために必要なものとして法務省令で定める体制の整備</u>

4　大会社においては、取締役は、前項第4号に掲げる事項を決定しなければならない。

第362条　取締役会は、すべての取締役で組織する。

2　取締役会は、次に掲げる職務を行う。

　一　取締役会設置会社の業務執行の決定

二　取締役の職務の執行の監督
　三　代表取締役の選定及び解職
3　取締役会は、取締役の中から代表取締役を選定しなければならない。
4　取締役会は、次に掲げる事項その他の重要な業務執行の決定を取締役に委任することができない。
　四　取締役の職務の執行が法令及び定款に適合することを確保するための体制その他株式会社の業務並びに当該株式会社及びその子会社から成る企業集団の業務の適正を確保するために必要なものとして法務省令で定める体制の整備
5　大会社である取締役会設置会社においては、取締役会は、前項第6号に掲げる事項を決定しなければならない。

補足：第4項は代表取締役等1人の取締役に任せてはならないことを、第5項は取締役会決議が必要であることを意味している。

会社法施行規則の規定事項は、以下の通りである。

第100条
　一　当該株式会社の取締役の職務の執行に係る情報の保存及び管理に関する体制
　二　当該株式会社の損失の危険の管理に関する規程その他の体制
　三　当該株式会社の取締役の職務の執行が効率的に行われることを確保するための体制
　四　当該株式会社の使用人の職務の執行が法令及び定款に適合することを確保するための体制
　五　次に掲げる体制その他の当該株式会社並びにその親会社及び子会社から成る企業集団における業務の適正を確保するための体制
　　イ　当該株式会社の子会社の取締役、執行役、業務を執行する社員…の職務の執行に係る事項の当該株式会社への報告に関する体制
　　ロ　当該株式会社の子会社の損失の危険の管理に関する規程その他の体制
　　ハ　当該株式会社の子会社の取締役等の職務の執行が効率的に行われることを確保するための体制

ニ　当該株式会社の子会社の取締役等及び使用人の職務の執行が法令及び定款に適合することを確保するための体制
　3　監査役設置会社である場合には、第1項に規定する体制には、次に掲げる体制を含むものとする。
　　一　当該監査役設置会社の監査役がその職務を補助すべき使用人を置くことを求めた場合における当該使用人に関する事項
　　二　前号の使用人の当該監査役設置会社の取締役からの独立性に関する事項
　　三　当該監査役設置会社の監査役の第1号の使用人に対する指示の実効性の確保に関する事項
　　四　次に掲げる体制その他の当該監査役設置会社の監査役への報告に関する体制
　　　イ　当該監査役設置会社の取締役及び会計参与並びに使用人が当該監査役設置会社の監査役に報告をするための体制
　　　ロ　当該監査役設置会社の子会社の取締役、会計参与、監査役、執行役、業務を執行する社員、…その他これらの者に相当する者及び使用人又はこれらの者から報告を受けた者が当該監査役設置会社の監査役に報告をするための体制
　　五　前号の報告をした者が当該報告をしたことを理由として不利な取扱いを受けないことを確保するための体制
　　六　当該監査役設置会社の監査役の職務の執行について生ずる費用の前払又は償還の手続その他の当該職務の執行について生ずる費用又は債務の処理に係る方針に関する事項
　　七　その他当該監査役設置会社の監査役の監査が実効的に行われることを確保するための体制
第118条　事業報告は、次に掲げる事項をその内容としなければならない。
　　二　法第348条第3項第4号、第362条第4項第6号、第399条の13第1項第1号ロ及びハ並びに第416条第1項第1号ロ及びホに規定する体制の整備についての決定又は決議があるときは、その決定又は決議の内容の概要及び当該体制の運用状況の概要

補足：「損失の危険の管理」は「リスク・マネジメント」を意味しており、このことからも「リスク・マネジメントが内部統制の中核であること」が読み取れる。

末尾の「及び当該体制の運用状況の概要」は2015年2月6日の改正施行規則で加筆されたもので、内部統制体制の整備について作為義務及び不作為義務の決め事の仕組（システム）を単に構築するだけでなく（プロセスとして）実践させているか否かについても記述を求めている。

会社法及び会社法施行規則が規定した事項は、次の3点でしかない。
① 内部統制体制の整備についての決定の取締役への委任の禁止
② 大会社の内部統制体制の整備についての取締役会決議
③ 決定／決議の内容及び当該体制運用状況の概要の事業報告への記載

それにも拘わらず、会社法が、2005年6月29日成立、7月26日公布、2006年5月1日施行という手順を踏んだ10か月間に「会社法で大会社に内部統制の整備が義務付けられた」というセミナーが頻繁に開催され、内部統制の義務化についての解説本が法律事務所、監査法人、弁護士、その他によって何冊も刊行されたが、これは誤った解釈である。

会社法の制定は2005年7月26日でありその5年前の2000年9月20日の大和銀行株主代表訴訟に対する大阪地裁判決で取締役がリスク管理体制構築義務を負っていることが明示されており、内部統制体制の整備が、会社法で義務付けられたものでないことは明白である。

当時法務大臣官房参事官の相澤哲氏が、次の通り解説している。

　内部統制システムの構築自体は、会社法が新たに要求することとしたものではなく、業務執行者の善管注意義務等の一内容として、現行法の下でも求められているものです。すなわち、内部統制システムの構築の義務自体は既に求められていることを前提として、会社法ないしその省令においては、取締役会がある会社にあってはそれに関する基本方針を決定する場合には取締役会において行うべきこと、大会社においてはその決定を行わなければならないこと、決定内容については事業報告において開示すべきことを求めているにとどまります。

出典：相澤哲「省令の概要と株式・機関関係」『企業会計』Vol.58、No.4、p.20、2006年。「現行法」とは当時の商法を意味している。

内部統制の概念はその用法等を説明する主体毎に様々であるが、その機能に着目して整理すると次の通りとなる。

- 『監査基準』等：試査の範囲を決定するための評価の手段
- 『大綱』等：企業を円滑かつ能率的に運営するための経営管理の確立
- 『内部統制の統合的枠組』：会社の健全かつ継続的発展の実現
- 「会社法」等：取締役等及び使用人の職務の執行の適正の確保
- 「金融商品取引法」等：財務報告書類その他の情報の適正性の確保

XI 内部統制の要約

1 内部統制の本質

内部統制を整備する目的は、事業体の健全かつ継続的発展を実現することにある。

内部統制とは、事業体内に整備する予防機能、発見機能、是正機能という3つの自浄機能から成る、体制及び態勢である。

つまり、誤り、過ち、巨額の損失等の異常な事態が発生しないように予防する体制（システム）及び態勢（プロセス）であり、異常な事態が発生しても直ぐに発見し、是正（浄化）する体制及び態勢である。

内部とは、組織の外部者によってでなく、組織内で（自分たちで）という意味である。

体制（システム）とは、全体が調和して機能する、組織、制度（規程及び基準の制定、職務の分担及び権限の付与による業務の牽制）、手続、方法、様式等の決め事（仕組）を意味する。

態勢（プロセス）とは、役職員が組織、制度、手続、方法、様式等の決め事に従う身構え及び一連の行為を意味する。

近年辟易するほどの企業不祥事が続発したが、マス・メディアが法令違反による不祥事として報道するため、原因が内部統制の態勢の不備にあることに気付かず、全般的内部統制の体制及び態勢の整備の重要性を理解できないのである。

報道された不祥事及び法令違反は、全般的内部統制の態勢の不備即ち業務の遂行において準拠すべき決め事であるコンプライアンスの無知、軽視、無視に起因する。

　ところが、これらの企業不祥事を細々とした「法律」、「規則」、「社内規程」、「マニュアル」等に対する違反行為として報道するため、自社と関わりのない個別の事件（対岸の火事）と受け止めてしまう。

　これらの法令違反及び不祥事を予防するためには、全般的内部統制が広義の概念であり、その中核がリスク・マネジメントであり、その中にコンプライアンスが含まれ、法令遵守がコンプライアンスの一部に過ぎないことを理解する必要がある。

　コーポレート・ガバナンス、インターナル・コントロール、リスク・マネジメント、コンプライアンスの関係は、以下の通りである。

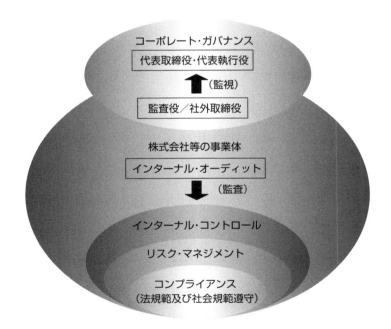

① 全般的内部統制とは広範な概念であること
② その中核がリスク・マネジメントであること

③ その中にコンプライアンスが含まれていること
④ 「コンプライアンス＝法令遵守」ではなく「コンプライアンス＝法規範及び社会規範の遵守」であること
⑤ 財務報告に係る内部統制は全般的内部統制の一部であり、全般的内部統制の体制及び態勢の整備が最重要であること
⑥ その有効機能のためにはモニタリングが不可欠であること

(1) 全般的内部統制

　全般的内部統制とは、経営方針を実行するため、経営目標を達成するため、その積重ねにより健全かつ継続的発展という事業目的を実現するために設定する、総ての役職員が遵守すべき様々な決め事から成る体制及び総ての役職員が決め事を遵守して職務を遂行する態勢である。

　換言すると、誤り＝誤謬、過ち＝不正、それらによる事故、不祥事、損失等の異常な事態の発生を予防し、異常な事態が発生しても速やかに発見し、是正する3つの自浄機能から成る体制及び総ての役職員による決め事の実践としての態勢である。

(2) 財務報告に係る内部統制

　財務報告に係る内部統制とは、事業体の財務報告の信頼性を確保するための内部統制の体制及び態勢である。

　換言すると、不正な財務報告を予防、発見、是正する3つの自浄機能から成る体制及び態勢であり、全般的内部統制の一部である。

(3) リスク・マネジメント

　リスク・マネジメントとは、損失又は損害をもたらす要因を内包しているリスクが現実化する蓋然性を除去又は軽減するためのシステム及びプロセスであり、リスクが現実化してもその影響を軽減するための体制及び態勢である。

(4) コンプライアンス

　コンプライアンスとは、事業体の社会的信用を保持するために、法令及び規則等に違反する行為だけでなく倫理及び道徳等の社会規範に背く行為も予防する目的で事業体が独自に設定した、企業倫理プログラムであり、法令の遵守だけでなく、社会規範の遵守を含む概念である。

(5) モニタリング

　モニタリングとは、異常な事態の発生を適時に感知して適切な対処をするためにある物事を継続して注視することであり、継続的監視と和訳されているが、内部統制及びリスク・マネジメントの分野で言うモニタリングは、総ての役職員が業務に組み込まれた内部統制という決め事を継続反復的にかつ適切に実践（具現）しているかどうかの、随時の点検及び評価である。

2　モニタリングの重要性

　モニタリングによる異常な事態の早期発見及び是正が重大な誤り及び過ちの予防及び牽制となり、全般的内部統制が有効に機能する。

　全般的内部統制はシステムの構築だけでは機能しないので、プロセスとして有効に機能していることを確認するモニタリングが必要である。

　財務報告に係る内部統制もフロー・チャート、業務記述書、リスク・コントロール・マトリクス（三点セット）を文書化するだけでは機能しないので、その有効性の評価（モニタリング）を実施する。

　COSOは、『内部統制の統合的枠組』で「モニタリングには、日常的モニタリングと独立的評価の2つがある。モニタリングのプロセスは、日常的モニタリング活動若しくは独立的評価又は両者の組合せを通じて達成される」と述べている。

　日常的モニタリングと独立的評価とは、次のものである。

モニタリング	日常的モニタリング	(1) 組織内部の上位者による点検
	独立的評価	(2) 管理部署組織による二重点検
		(3) 内部監査組織による三重点検

　1950年代は内部統制の1次統制、2次統制、3次統制と呼ばれ、3次統制である内部監査は、1次統制と2次統制の有効性を評価していた。2000年頃から「Three Lines of Defense」（第1の防衛線、第2の防衛線、第3の防衛線）という用語に代わったが、IIAは、「The IIA's Three Lines Model」に改称した改訂版を2020年7月20日に公表している。

(1) 日常的モニタリング

　全般的内部統制という自浄機能は、それぞれの組織毎に日常の業務において、組織の責任者及び上位者等が部下の業務について、進捗状況、目標の達成状況、リスク・コントロールの有効性、重大な誤謬・怠慢・不備・不正等の異常な事態が発生していないかを点検し、疑問があれば問い質す、問題があれば解決に導く、異常な事態が発生していれば是正させる等の管理及び監督の活動によって担保される。

　これが、社内の各現場で日常の業務に組み込まれて実施され、日常的モニタリングと呼ばれる、1つ目の自浄機能であり、当該組織の責任者及び上位者の重要な職務の1つである。

(2) 独立的評価

　日常的モニタリングには点検者の油断、不注意、手抜等によって機能しなくなるリスクが存在しているので、全般的内部統制の自浄機能は、管理部署等による二重点検及び牽制によって重層的に担保される。

　これが、当該組織外部の第三者によって行なわれ、独立的評価と呼ばれる、2つ目の自浄機能である。

　しかしながら、管理部署等による独立的評価にも、評価先の部署との業務上の関係で生じる遠慮、油断、不注意、手抜等によって有効に機能しなくなるリスクが存在しているので、3つ目の自浄機能として、内部監査組織による独立的評価が必要となる。

(3) 内部監査

　内部監査は、最も信頼性の高い独立的評価であるだけでなく、日常的モニタリングが現場単位の（社内組織毎の）自浄機能であるのに対し、全社的自浄機能として位置付けられる、重要な独立的評価である。

3　不正のトライアングル排除の重要性

　不正のトライアングルは、米国のDonald R. Cressey教授が服役中の横領犯罪者との面談調査と分析によって解明した不正の仕組についての仮説であり、Cressey教授は、「普通の人間が不正を働く動機を固めた背景には3つの要因の存在があり、これら全部の除去は困難であるが、機会を除去するだけで、不正を抑止できるのではないか」と述べた。

この機会を除去する方法は、実効のある日常的モニタリングの実施である。

不正のトライアングル
The Fraud Triangle

刺激(アメ)／圧力(ムチ)
Incentive / Pressure

機会
Opportunity

自己正当化／居直りの姿勢
Rationalization / Attitude

　「インセンティブ」ではなく「動機」と記載している解説書があるが、原文には「incentive」と記載されており、「動機づけのための刺激」を意味する。
　関連用語の英語並びに直訳及び意訳は、次の通りである。
- motive　　＝動機
- motivation＝動機づけ
- incentive　＝動機づけのための手段…アメ
- pressure 　＝動機づけのための手段…ムチ

　Cressey教授は3つの要素が揃うことで不正を働く動機が固まったと想定して不正のトライアングルと呼称したのであり、incentiveを動機と誤訳すると、他の2つの要素は不要となり、トライアングル仮説は成立しない。
　日常的モニタリングの適切な実施によって、不正のトライアングルの中の機会だけでも除去すれば不正の牽制となるので、内部監査において不正をもたらす機会の有無（日常的モニタリングの有効性）を遺漏なく検討することが肝要である。

第4節 日本における内部統制報告制度の沿革

Ⅰ 金融庁の取組

　金融庁は、米国におけるSOAの制定並びに同法が規定した内部統制報告制度の英国及びフランス等における導入を契機に、証券市場がその機能を十全に発揮していくために投資者に対する企業情報の適正開示が不可欠であるとの認識の下、2003年3月に内閣府令第28号で、主要金融機関を除き任意適用ではあったが、代表者確認書の提出を求めた。

　2004年10月に金融審議会が今後の開示制度のあり方について審議を開始し、2005年1月に企業会計審議会内に内部統制部会を設置する等、内部統制報告制度の導入に向けた作業が展開された。

　その結果、2006年6月7日に成立した証券取引法等の一部を改正する法律（2007年9月30日をもって、金融商品取引法に題名変更された）において、確認書制度及び内部統制報告制度が導入された。

　日本の内部統制報告制度に関係する顕著な事項の沿革を要約すると、以下の通りである。

Ⅱ 確認書制度の導入

　金融庁は、2003年3月31日に公表した企業内容等の開示に関する内閣府令等の一部を改正する内閣府令第28号で、公的資金の投入により救済された主要金融機関約50行に対し、有価証券報告書等提出者の代表者が当該有価証券報告書等の記載内容が適正であることを確認した旨を記載する確認書の有価証券報告書等への添付を要求し、2003年4月1日以後開始する事業年度から適用とした。

Ⅲ 内部統制基準及び実施基準の公表

　企業会計審議会総会で2005年1月28日に設置された内部統制部会が、2月から審議を開始し、2005年12月8日に『財務報告に係る内部統制の評価及び監査の基準案』（基準案）を公表した。

基準案の取纏めの過程で実務上の指針の策定を求める意見が出されたため、2006年11月21日に『財務報告に係る内部統制の評価及び監査に関する実施基準案』（実施基準案）を公表した。

　基準案及び実施基準案は2007年2月15日の企業会計審議会総会で承認されて、一般に公正妥当と認められる『財務報告に係る内部統制の評価及び監査の基準並びに財務報告に係る内部統制の評価及び監査に関する実施基準』として公表された。

Ⅳ　金融商品取引法における規定事項

　2006年6月7日の証券取引法等の一部を改正する法律（平成18年法律第65号）の成立により、確認書制度及び内部統制報告制度が導入され、2008年4月1日以降開始する事業年度から適用開始となった。

　確認書制度及び内部統制報告制度の規定は、以下の通りである。

第24条の4の2　（確認書の提出）

　第24条第1項の規定による有価証券報告書を提出しなければならない会社のうち、第24条第1項第1号に掲げる有価証券の発行者である会社その他の政令で定めるものは、内閣府令で定めるところにより、当該有価証券報告書の記載内容が金融商品取引法令に基づき適正であることを確認した旨を記載した確認書を当該有価証券報告書と併せて内閣総理大臣に提出しなければならない。

　この規定は、SOA第302条の「証明書（certification）」の提出に相当するものである。

第24条の4の4第1項　（適正性確保のための体制の評価）

　第24条第1項の規定による有価証券報告書を提出しなければならない会社のうち、第24条第1項第1号に掲げる有価証券の発行者である会社その他の政令で定めるものは、事業年度ごとに、当該会社の属する企業集団及び当該会社に係る財務計算に関する書類その他の情報の適正性を確保するために必要なものとして内閣府令で定める体制について、内閣府令で定めるところにより評価した報告書（以下「内部統制報告書」）を有価証券報告書と併せて内閣総理大臣に提出しなければならない。

第24条第１項第１号に掲げる有価証券の発行者である会社その他の政令で定めるものは、金融商品取引所に上場されている有価証券の発行会社及びその他の政令で定める会社を意味している。

　「財務計算に関する書類」とは、財務諸表を意味している。

　それに続く「その他の情報」とは、企業に関する情報（企業の概況、事業の状況、設備の状況、会社の状況、会社の株式事務の概要、会社の参考情報等）を意味している。

　上述の企業に関する情報とは、企業内容等の開示に関する内閣府令で規定された有価証券報告書第３号様式の記載事項である。

　財務計算に…定める体制は、企業会計審議会が2007年２月15日に公表した『財務報告に係る内部統制の評価及び監査の基準』に記載された、「財務報告に係る内部統制の体制」を意味している。

　この規定は、SOA第404条(a)項の「内部統制報告書」及び第302条の「開示統制報告書」に相当するものである。

第193条の２第２項（監査証明）

　　金融商品取引所に上場されている有価証券の発行会社その他の者で政令で定めるものが、第24条の４の４の規定に基づき提出する内部統制報告書には、その者と特別の利害関係のない公認会計士又は監査法人の監査証明を受けなければならない。…

　この規定は、SOA第404条(b)項の「証明報告書」に相当するものである。

　要するに、金融商品取引法が上場会社等の代表者に義務付けた事項は、以下の３つである。

第24条の４の２（確認書の提出）

　　有価証券報告書の記載内容が適正である旨の確認書を有価証券報告書に添えて提出すること。

第24条の４の４第１項（適正性確保のための体制の評価）

　　財務計算に関する書類その他の情報の適正性を確保するための体制の評価の結果を内部統制報告書に記載し、公認会計士又は監査法人の証明を受け、有価証券報告書に添えて提出すること。

第193条の2第2項（監査証明）
　内部統制報告書について、公認会計士又は監査法人の監査証明を取得すること。

補足：会社法は「**適正を確保**…」と表記し金商法は「**適正性を確保**…」と表記している。その理由は定かでないが、前者が「業務活動」についてであり後者が「業務活動の結果としての情報」についてであることから区別したのではないかと推測している。

　実施基準は、財務報告に係る内部統制の整備及び運用に際しての留意事項を次の通り明示している。

Ⅰ．内部統制の基本的枠組み　1．内部統制の定義（目的）(5) 4つの目的の関係

　内部統制の4つの目的である業務の有効性及び効率性、財務報告の信頼性、事業活動に関わる法令等の遵守及び資産の保全は、それぞれ固有の目的ではあるが、お互いに独立して存在するものではなく、相互に密接に関連している。

　金融商品取引法で導入された内部統制報告制度は、経営者による評価及び報告と監査人による監査を通じて財務報告に係る内部統制についての有効性を確保しようとするものであり、財務報告の信頼性以外の他の目的を達成するための内部統制の整備及び運用を直接的に求めるものではない。しかしながら、財務報告は、組織の業務全体に係る財務情報を集約したものであり、組織の業務全体と密接不可分の関係にある。したがって、経営者が財務報告に係る内部統制を有効かつ効率的に構築しようとする場合には、目的相互間の関連性を理解した上で、内部統制を整備し、運用することが望まれる。

　これは、「金融庁管轄の内部報告制度は、財務報告に係る内部統制の有効性を確保しようとするものであり、法務省管轄の全般的内部統制についてのものではないが、財務報告に係る内部統制の整備は全般的内部統制の整備と密接不可分の関係にあるので、全般的内部統制を整備及び運用しなければ、財務報告に係る内部統制の整備及び運用も有効とならないこと」を示唆している。

第5節 米国と日本の内部統制報告制度の比較

Ⅰ SOAと金融商品取引法の違い

　J-SOX及び日本版SOX法とは、内部報告制度を意味するものであり、金融商品取引法を意味するものではない。

　SOAは、会計／監査業界、会社／経営責任者、証券アナリスト／証券業界の改革を目的に、監査に対する監視、監査人の独立性、会社／経営責任者の責任、証券アナリスト／格付機関の中立性、会社情報の開示、規制機関の義務、不正に対する罰則等の強化を規定した連邦法である。

　第1節
　　第1条　略称：目次
　　第2条　用語の定義
　　第3条　SEC規則及び施行
　第1款　公開企業会計監視委員会（PCAOB）
　　第101条　管理規定の設定
　　第102条　PCAOBへの登録
　　第103条　監査、品質管理、独立性基準及び規則
　　第104条　登録公認会計事務所の検査
　　第105条　調査及び懲戒手続
　　第106条　外国の公認会計事務所
　　第107条　SECによるPCAOBの監視
　　第108条　会計基準
　　第109条　財源
　第2款　監査人の独立性
　　第201条　監査人の業務範囲外のサービス（利益相反業務提供の禁止であり、内部監査のアウトソース業務も含む）
　　第202条　事前承認要件
　　第203条　監査パートナーの交替
　　第204条　監査委員会に対する監査人の報告

第205条　適合のための改正
第206条　利益相反
第207条　登録公認会計事務所の強制交替に関する調査
第208条　SECの権限
第209条　適切な州規制機関による検討

第3款　会社の義務

第301条　公開企業の監査委員会
第302条　財務報告に係る会社の義務
第303条　監査行為に対する不適切な影響
第304条　一定の賞与及び利益の没収
第305条　執行役及び取締役の禁止事項及び罰則
第306条　年金基金取引禁止期間中のインサイダー取引
第307条　弁護士の職業義務に関する規則
第308条　投資家のための公正基金

第4款　財務開示の強化

第401条　定期報告書における開示
第402条　利益相反規定の強化
第403条　経営者及び主要株主が関与する取引の開示
第404条　経営者による内部統制構造の評価
第405条　適用除外
第406条　CEOの倫理規定
第407条　監査委員会の財務専門家の開示
第408条　発行者による定期開示に関する審査の強化
第409条　発行者による即時開示

第5款　アナリストの利益相反

第501条　登録証券業協会及び全米の証券取引所による証券アナリストの取扱

第6款　SECの財源及び権限

第601条　支出の承認
第602条　SECへの出頭及び手続

第603条　連邦裁判所のペニー・ストック禁止権限
第604条　ブローカー及びディーラーの関係者の資格
第7款　調査及び報告
第701条　公認会計事務所の統合に関するGAOの調査及び報告
第702条　信用格付機関に関するSECの調査及び報告
第703条　違反者及び違反に関する調査及び報告
第704条　行政処分に関する調査及び報告
第705条　投資銀行に関する調査
第8款　会社不正及び違法行為の説明義務
第801条　略称（2002年会社不正及び違法行為の説明義務法）
第802条　文書の改竄に対する刑罰
第803条　証券詐欺に関する法律違反で生じた債務の免責否定
第804条　証券詐欺の出訴期限
第805条　司法妨害及び広範囲に亙る刑事違反行為に対する連邦量刑ガイドラインの見直し
第806条　不正行為の証拠を提出した公開会社の従業員の保護
第807条　公開会社の株主による詐欺に対する刑罰
第9款　事務労働者の犯罪に対する罰則の強化
第901条　略称（2002年事務労働者の犯罪に対する罰則強化法）
第902条　刑事違法行為の企図及び共謀
第903条　郵便及び電信詐欺に対する刑罰
第904条　1974年従業員退職所得保障法（ERISA法）違反に対する刑罰
第905条　特定の事務労働者の犯罪に対する量刑ガイドラインの改正
第906条　財務報告に係る会社の義務
第10款　会社の連邦所得税の還付
第1001条　CEOによる税務申告書への署名に関する上院の見解
第11款　会社不正説明義務
第1101条　略称（2002年会社不正説明義務）

第1102条　記録の改竄又はその他公的手続の妨害
第1103条　SECの一時凍結権限
第1104条　連邦量刑ガイドラインの改正
第1105条　執行役又は取締役としての職務執行を禁止するSECの権限
第1106条　1934年証券取引所法に基づく刑罰の強化
第1107条　情報提供者に対する報復

1　第302条と第906条の関係

　第302条と第906条は、条文見出しがともに「財務報告に係る企業の義務」と同一である上、第302条が「証明書（certification）」を要求し、第906条が「陳述書（statement）」を要求しているので、奇異に感じるかも知れないが、両者は以下の点において異なる。

　SECが所管する第302条が要求している事項は、財務報告のレビュー、開示すべき情報の適正表示、内部統制（但し、本章第2節Ⅳで既述した通り、SEC最終規則で「開示統制及び手続」に変更された）の設計、有効性の評価、結果の開示を実施したことを記載した証明書である。

　法務省が所管する第906条が要求している事項は、財務報告が正確であることを記載した陳述書である。

2　第906条と第1106条の関係

　罰則が第906条だけでなく第1106条にも規定されているのが奇異に感じるかも知れないが、両者は以下の点において異なる。

　第906条が法務省が所管する刑法の罰則であるのに対し、第1106条はSECが所管する証券取引所法の罰則である。

3　金融商品取引法とは

　金融商品取引法は、適用法規及び所管官庁の一元化により、元本割れリスクのある金融商品への投資者を保護しかつ販売業者に対する規制を横断的に強化する目的で、証券取引法を基本に金融商品全般に関連する多数の法律を統合及び整理して改題した英国の2000年金融サービス及び市場法（Financial Services and Markets Act 2000：FSMA）と同種のものであり、米国にこのような法律はない。

Ⅱ 米国の内部統制報告制度の蹉跌

　経営者が自社に相応のものを決めるべきとの理由で経営者評価方法の規則をSECが規定しなかったため、期待ギャップの再発を懸念したPCAOBが、適正意見を付す要件として、経営者評価方法を監査基準で規定し、かつSOAが規定したインダイレクト・レポーティング（indirect reporting）に加えてダイレクト・レポーティング（direct reporting）も監査人に義務付けた。

　インダイレクト・レポーティングとは内部統制報告書が経営者評価の結果を適正に表示しているかどうかを監査人が監査して報告する方式であり、監査リスクが高いため、PCAOB監査基準は、内部統制報告書の監査に加えて、監査人自身が財務報告に係る内部統制を直接に監査して報告するダイレクト・レポーティングも義務付けたのである。

　このために、いわゆる三点セット（業務記述書、フロー・チャート、リスク・コントロール・マトリクス）の文書化作業に加えて大掛かりな監査という、膨大な時間及び多額の費用の負担を強いられた公開会社の不満が続出したのである。

Ⅲ 日本の内部統制基準の特徴

　金融庁の『財務報告に係る内部統制の評価及び監査の基準』は、機能不全に陥った米国の轍を踏まないように配慮し、企業の負担を軽減するため、次の６つを提案した。

① トップ・ダウン型リスク・アプローチの活用
② 重要な欠陥と不備の２区分による意見区分の簡素化
③ ダイレクト・レポーティングの不採用
④ 内部統制監査と財務諸表監査の一体的実施
⑤ 内部統制監査報告書と財務諸表監査報告書の一体的作成
⑥ 監査人と監査役及び内部監査人の連携

第3章
法定監査と内部監査の歴史

　第3章においては、法定監査（商法監査→会社法監査、証券取引法監査→金融商品取引法監査）と任意監査（内部監査）の歴史について解説する。
　第1節で、欧米諸国で法定監査を規定するに至る経緯とその歴史、日本における法定監査の歴史等について解説する。
　第2節で、米国と日本における内部監査の歴史、日本における内部監査の先行研究の文献に記載された内部監査の目的、種類、形態、手法、対象等を掲載する。

第1節 法定監査の歴史

Ⅰ 複式簿記の確立

　13世紀にジェノヴァやヴェネツィアで債権・債務の備忘録として形成された複式簿記は、ルカ・パチョーリ（Luca Pacioli）が1494年11月にヴェネツィアで刊行した『算術、幾何、比及び比例総覧（Summa de arthmetica, geometria, poroportioni et proportionalita、通称：スムマ、又はスンマ）』の翻訳本によって、ネーデルラント、神聖ローマ帝国、フランス、イングランド等に伝搬された。

　同書で紹介された損益計算は口別であり、期間損益計算は、16世紀にフィレンツェにおいて完成した。アラビア数字の表記による複式簿記が欧州各国で共通の簿記法として定着したのは18世紀の後半であった。

Ⅱ 株式会社の設立

　防腐及び防臭効果に優れた香辛料は鳥獣肉の保存及び調理に不可欠のものであり、ネーデルラントは、ポルトガルを通じて香辛料を入手していたが、スペインからの独立戦争中の1581年にスペインとの同君連合となったため、自力調達をする必要に迫られ、海上貿易に乗り出した。

　1590年代末に、航海の都度出資を募り終了時に清算をして解散する当座企業（current company）が15もの船団を派遣し過当競争の弊害が生じたため、連邦議会の決議により、1602年3月20日に6つの支部（Kamers）から成る「聯合東インド会社（De Vereenighde Oostindische Compagne：VOC）」が組織された。

　ネーデルラントの聯合東インド会社は、出資の長期固定化と出資者の有限責任制を採用した点において世界初の近代的株式会社（joint - stock company）であり、継続企業（going concern）の先駆であった。

　イングランドの「東インド会社（East India Company：EIC）」は、1601年1月10日（ユリウス暦では1600年12月31日）に設立の当座企業であり、1657年に株式会社に改組され、1662年に有限責任制となった。

この会社は、実は、1601年設立のロンドン東インド会社（旧会社）、1698年設立のイングリッシュ東インド会社（新会社）、1709年に2社を統合した統合東インド会社、という3つの会社の総称であり、1621年に会計処理についての内部監査が行なわれていたとの記録がある。

Ⅲ　証券詐欺事件

　英国で1844年登記法（Registration Act of 1844）が制定されるまで年次会計報告への監査証明添付義務がなかったため、1600年代後半に証券詐欺を目的とした株式会社が欧州各国で多数設立された。それらの殆どは短期間に消滅した泡沫会社（bubble companies）であった。

　欧州各国で証券詐欺が横行し、株式会社制度は危機に瀕したが、その代表格は、1720年にフランスで発生したJohn Lawによるミシシッピー会社（Compagnie du Mississippi）及び同年に英国で発生したJohn Bluntによる南海貿易会社（The South Sea Trading Company）という営業実体のないpaper companiesによる詐欺事件であった。

　このときに、勅許会計士のCharles Snellが、南海貿易会社の保有するSawbridge Companyの帳簿の調査をして、その結果を『ソウブリッジ商会の帳簿についての所見』（Observations made upon Examining the Books of Sawbridge and Company）と題する報告書に纏めた。これが公式に認められた世界初の会計監査報告書であったと言われている。

　英国では、1720年泡沫会社禁止法（Bubble Act）の制定で105年間に亙って株式会社の設立が禁止された。

Ⅳ　欧米諸国における法定監査の歴史

1　英国

　1844年株式会社登記法（Registration Act, 1844）は、従来の特許主義から準則主義に変更して会社の設立を容易にした最初の一般法であり、一般出資者の保護を目的に、取締役に対して会計帳簿の作成、完全かつ公正な（full and fair）貸借対照表の監査人（auditor、日本の監査役とは異なる）への提出及び監査報告書の株主への提出を義務付けた。

1845年会社条項総括法（Companies Clauses Consolidation Act, 1845）は、監査人に対して、株式の所有を要件とし、会社と利害関係にある職に就くことを禁止し、会社の費用による会計士への業務の委嘱を認め、取締役に対して、完全かつ真実な（full and true）貸借対照表及び損益計算書の作成並びに監査人への提出を義務付けた。

1855年有限責任法（Limited Liability Act, 1855）は、初めて株主の有限責任を認めた。

1856年株式会社法（Joint Stock Companies Act, 1856）は、監査人監査を本文から外して従来の強制から任意に変更し、附属定款としての附則B表に記載した。監査人の資格については、株主でなくともよいと規定した。この結果、勅許会計士が監査人となる道が開かれた。

本法は、監査人の義務として、貸借対照表が帳簿記録及び証憑書類と一致するか否かを検査すること、貸借対照表が本法の要求している詳細事項を含み完全かつ公正（full and fair）であり、会社の財務状態の真実かつ正確な概観（true and correct view：TCV）を表示するよう適切に作成されているか否かを監査報告書に記載すること等を規定した。

1879年会社法（Companies Act, 1879）は、金融会社について強制監査を義務付けた。

1900年会社法（Companies Act, 1900）は、金融会社以外の会社についても強制監査を復活し、証券発行者に情報開示を義務付けた。

1908年会社総括法（Companies Consolidation Act, 1908）は、毎年1回の年次報告書の作成及び会社登記所への提出を義務付けた。

1929年会社法（Companies Act, 1929）は、取締役に対して、貸借対照表並びに損益計算書の作成及び定時総会への提出を義務付け、貸借対照表の形式及び内容について規定し、監査報告書を一般公開とした。当時は、多数の会社において、会計士が監査人として選任される状況となっていた。

1948年会社法（Companies Act, 1948）は、監査人の資格を英国で設立されかつ通商省の承認を得た職業会計士団体の会員又は外国で同等資格を持つ者に限定した。

1967年会社法（Companies Act, 1967）は、計算書類（貸借対照表、損益計算書及びグループ計算書）が会計帳簿又は年次報告書と一致しているか否かを監査人が検査して会社登記所へ提出することを総ての登録会社に義務付けた。

　1854年10月にThe Edinburgh Society of AccountantsがScotlandのEdinburghで設立され、世界初の会計士協会となり、その総ての会員が自動的に世界初の勅許会計士（Chartered Accountant）となった。

2　フランス

　1807年9月20日付法律（Code de commerce、株式会社に関する世界初の一般法、通称：ナポレオン商法典）は、合名会社（société en nom collectif）、株式合資会社、（société en commandite par actions）、株式会社（société anonyme）という3種類の会社形態を規定した。

　本法は、債権、債務、商取引、収支を記載した日記帳の記載と動産、不動産、債権、債務の財産目録の作成を総ての商人に義務付けた。

　1800年代に株式合資会社の業務執行役（directeurs）による不祥事が多発したため、株式合資会社に関する1856年7月17日付法律（Loi du 17 juillet 1856 sur les sociétés en commandite par actions）を制定し、株式合資会社に5名以上から成る監督役会（conseil de surveillance）の設置を義務付け、会社の帳簿、金庫、財産目録、資産等の検証及び総会への報告書の提出を、監督役会に義務付けた。

　有限責任会社に関する1863年5月23日付法律（Loi du 23 mai 1863 sur les sociétés à responsabilité limitée）は資本金2百万フラン以下の有限責任会社に限って準則主義による設立を認可し、株主総会における監査人（commissaire）の選任を義務付け、監査人には、会社の状況、貸借対照表、計算書類に関する監査報告の作成及び年次総会への提出を義務付けた。

　会社に関する1867年7月24日付法律（Loi du 24 juillet 1867 s sur les sociétés）は、株式会社に関する規定を従来の特許主義から準則主義に変更して設立を容易にし、年次総会での1名以上の会計監査人の選任を義務付けた。

1927年5月22日付大統領令（Décret-loi）で職業会計士の国家資格について規定し、1931年3月1日付大統領令（Décret-loi）で職業簿記係の免許について規定した。

　形骸化した監査人監査を強化して小株主を保護するため、1935年8月8日付、1935年10月30日付、1936年6月29日付、1937年8月31日付の大統領令が公布された。

　商事会社に関する1966年7月24日付法律第66-537号（Loi no 66-537 du 24 juillet 1966 sur les commerciales）は、会社の機関として従来の取締役会（conseil d'administration）及び取締役（administrateur）に加えてドイツの監督役会（Aufsichtsrat）及び執行役会（Vorstand）と同様の監督役会（conseil de surveillance）と執行役会（directoire）を導入し、旧型又は新型の何れを採用するかは会社の定款で定めることを規定した。

　併せて、会計監査をする人の呼称を、従来の**監査人**（commissaire）から**会計監査人**（commissaire aux comptes）に改称した。

　会計監査人に関係する規定事項の概要は、次の通りである。
- 控訴院の名簿に記載された監査人の中から1名以上の会計監査人を株主総会で選任するよう義務付け、法人の選任も認めた。
- 任期を従来の3年から6年に延長した。
- 会計監査人に以下の職務を課した。
  - 会社の年次計算書類（財産目録、一般経営計算書、損益計算書、貸借対照表、成果計算書等）の正規性（régularité）及び誠実性（sincérité）の証明
  - 会社の帳簿及び資産の検証
  - 取締役会又は監督役会から提出を受けた株主に送付する計算書類及び財務状態に関する情報の誠実性の検証
  - 株主間で平等が尊重されたことの確認
  - 不正を認識した場合の検事宛告発

監督役会に関係する規定事項の概要は、次の通りである。
- 監督役会は取締役会の業務執行を常時監督する。

- ○ 業務執行が法令及び定款に適合しているか否かの評価
  - ○ 業務執行が利益計上において妥当であるか否かの評価
- 監督役会は、いつでも、適当と判断する検査及び監督の実施並びに任務遂行に必要な書類の閲覧ができる。
- 監督役会は、営業年度終了後3か月以内に取締役会から事業報告、損益計算書及び貸借対照表の提出を受けて検査及び監督を行ない、株主総会に意見書を提出する。
- 監督役会は3名以上12名以下の構成員により組織される。
- 監督役会の構成員は株主総会で選任され、任期は6年以下とする。
- 監督役会の構成員は取締役会の構成員を兼ねることができない。
- 監督役会は会計監査人から以下の事項について報告を受ける。
  - ○ 会計監査人が行なった監査、検査、各種の調査
  - ○ 会計監査人が変更を加えるべきと認める計算書類の項目
  - ○ 会計監査人が発見した不適正及び不正確な事項
  - ○ 前営業年度と比較した当該営業年度の成果についての上記の評価及び訂正から導かれる結論

　本法の施行令として、1967年3月23日付大統領令と1969年8月12日付大統領令が公布された。1967年大統領令で、会計監査人の資格と登録の詳細が、自然人と専門職民事会社形態の法人（会計監査人会社：société des commissaires aux comptes）に分けて規定された。

　フランスにおいては、会計監査人の職業組織として、会計監査人地方協会と会計監査人全国協会があるが、後者は、1971年から会計監査人の独立性並びに任務遂行の指針及び注意に関する勧告を開始し、1980年に「職務の遂行に関する勧告」として集大成し、1987年に「職務の遂行に関する基準」として再編した。

　フランスには、他に、1945年9月19日付命令（Ordonnance）で認められたフランス公認会計士協会及び勅許会計士協会があったが、後者については1973年1月1日以降の登録を認めなかった。職業会計士の資格として、監査業務を職務とする専門会計士と会計業務を職務とする認可会計士があったが、1994年に後者が前者に吸収された。

3 ドイツ

　ドイツで初の株式会社に関する法律は、1838年11月3日付鉄道会社法（Gesetz über die Eisenbahn-Unternehmungen vom 3. November 1838）である。本法は、国王の認可を要するものであった。

　株式会社に関するドイツ初の一般法は、1843年11月9日付株式会社に関するプロイセン法（Gesetz über die Aktiengesellschaften vom 9. November 1838）であり、以下の事項を規定した。
- 株式会社は国王の許可の下に設立し得る。
- 取締役達（Direktoren、単数はDirektor）が会社を代表する。
- 取締役会（Direktion）が会社を運営管理する。
- 取締役会は帳簿を記載し貸借対照表を毎年作成する。
- 基礎資本が半分以下に減少した場合は政府が帳簿等を監査する。

　1852年6月8日付商務、内務及び農業大臣の命令でこの監査権を行使する取締役会（Verwaltungsrat）の設置及び会社の帳簿、計算書、記録等に対する恒常的監査権を規定した。

　ドイツ連邦全体にとって初の統一法となった1861年6月24日付一般ドイツ商法典（Allgemeines Deutsches Handelsgesetzbuch vom 24. Juni 1861、略称：ADHGB）は、以下の事項を規定した。
- 原則的に国王許可の下に設立し得る。但し、各邦の法律で、許可を不要と規定し得る。
- 執行役会（Vorstand）を唯一の会社代表者とする。
- 株式会社の場合は、業務の執行を監視（überwachen、英語ではoversight）する監督役（Aufsichts）を設置し得る。
- 株式合資会社の場合は、監督役会（Aufsichtsrath）を設置する。
  補足：当時はAufsichtsratにhを付けてAufsichtsrathと表記した。
- 監督役会は、業務執行、貸借対照表、年次計算書等を監査する。

　1870年6月11日付で一般ドイツ商法典が改正され、株式会社及び株式合資会社についての株式法（Aktiengesetz：AktG）が挿入された。

　第1改正株式法（Erste Aktiennovelle）と呼ばれる本法は、株式会社の設立にドイツで初めての準則主義を採用し、以下の事項を規定した。

- 3名の構成員（Aufsichtsratsmitglied）から成る監督役会を設置する。
- 執行役会構成員と監督役会構成員は兼任し得る。
- 監督役会は株式会社の総ての部門の業務執行を監督する。

1871年から1873年にかけて会社設立詐欺並びに泡沫会社の濫立及びそれらの倒産等による被害が続発したため、1870年の第1改正株式法を改正する、1884年7月18日付株式合資会社及び株式会社に関する法律（Gesetz, betreffend die Kommanditgesellschaften auf Aktien und die Aktiengesellschaften vom 18. Juli 1884）が制定された。

第2改正株式法（Zweite Aktiennovelle）と呼ばれる本法は、株主及び債権者の保護を目的に、以下の事項を規定した。
- 定款の変更、増資、貸借対照表の承認を株式総会の決議とする。
- 株式総会監督役を3名以上選任する。
- 執行役会構成員と監督役会構成員の兼任を禁止する。
- 執行役会及び監督役会が会社の貸借対照表及び損益計算書等を監査して株主総会に提出する。
- 執行役会又は監督役会の構成員が会社と利害関係にある場合は外部監査人（besondere Revisoren）を選任しなければならない。

1892年4月20日付有限会社法（Gesetz betreffend die Gesellschaften mit beschränkter Haftung vom 20. April 1892：GmbH）で、世界初の有限会社形態が創出された。本法は、連邦独自の小規模少人数の会社の創出を目的としたものであり、監督役会の設置を規定しなかった。

1896年6月22日付証券取引法（Wertpapierhandelsgesetz vom 22. Juni 1896：WpHG）は、ドイツで初めての証券取引法である。

1897年5月10日に一般ドイツ商法典が改正された。改正法は、監査の強化を目的に、以下の事項を規定した。
- 業務執行に対する監督役会の監督義務
- 監督役会の専門的補佐として会計監査業務を担当する外部監査人の監査権及び報酬
- 配当の制限
- 固定性配列法による貸借対照表の作成

- 正規の簿記の原則（Grundsätze ordnungsmäßiger Buchführung：GoB）

銀行の支払停止及び保険会社の倒産を契機に、1931年9月19日付連邦大統領令（Verordnung des Reichspräsidenten）により、株式会社及び株式合資会社に関する規定（第2編の第3章及び第4章）を一般ドイツ商法典から切り離し、株式法として単行法化した。

ナチスの政権下で1937年1月31日に1931年株式法が全面改正された。改正法は、株主及び債権者の保護を目的に、以下の事項を規定した。
- 執行役会に対する指揮権の付与（＝株主総会の権限の縮小）
- 監督役会に対する業務執行権限の委託の禁止
- 監督役会に対する執行役の選解任権の付与
- 決算監査人（Abschlußprüfer）による年度決算書監査の実施
- 執行役、監督役、株主の合意がある場合は実施不要

1937年改正株式法で決算監査が強制に変更され、ここに、経済監査士（Wirtschaftsprüfer）、経済監査会社（Wirtschaftsprüfungsgesellschaft）、信託会社（Treuhandgesellschaft）の職業的地位が明確になった。

第2次大戦後の西ドイツで、1951年5月21日付モンタン共同決定法、1956年8月7日付モンタン共同決定法の補足法、1952年10月1日付経営組織法、1976年5月4日付労働者共同決定法が制定され、基本的に株主及び労働者の双方を代表する同数の監督役の選出が義務付けられた。

1961年7月24日付経営監査士法（Gesetz, über eine Berufsordnung der Wirstschaftsprüfer（Wirstschaftsprüferordnung）vom 18. Juli 1884）で、決算監査を担当する経営監査士の権利義務、禁止業務、職業責任保険、職業裁判制度について詳細に規定した。

西ドイツで1965年9月6日に改正された**株式法**は、会社の資金調達の促進を目的に、株主総会の権限を強化し、以下の事項を規定した。
- 株主に対する執行役会の情報公開義務
- 監督役会に対する執行役の報告義務
- 監督役会の執行役選解任権
- 執行役会の一定の業務に対する監督役会の同意権

- 監督役会による管理業務の執行及び執行役会に対する指示の禁止
- 決算監査人による年度決算書の監査の対象、範囲、手続、報告

4 米国

シンジケートから投資候補先の財務状態及び収益性等のデュー・デリジェンスを依頼された英国の勅許会計士が、1888年末から1889年初にかけて渡米した。米国の企業家は、短期間に手際よく調査して報告書に取り纏めた彼らの実力に驚き、会計実務の指導を依頼したので、彼らの多数が業務終了後も米国に残り、Deloitte／Price Waterhouse & Co.／Dever／Griffiths & Co.／Arthur Young等の会計事務所（Accounting Firms）を1890年から1894年にかけて開設した。

後に活動拠点を米国に移した英国の会計事務所のWilliam Deloitteが1845年、Samuel Price and Edwin Waterhouseが1849年、William Cooperが1854年、William Peatが1867年に開業している。

今日のBig 4の中で唯一のかつ米国人が設立した最初の会計事務所は、合併によって今日のDeloitte & Toucheの一部となっているHaskins & Sellsであり、1895年に開業している。

英国の勅許会計士によって米国の公会計士（Public Acccuntants）に伝えられた英国の近代的な会計技術及び監査技術並びに理論及び実務は米国における独立監査の模範とされた。

米国では、1887年に31名の職業会計士によって米国公会計士協会（American Association of Public Accountants: AAPA）が設立され、1916年に米国会計士協会（American Institute of Accountants: AIA）として再編された。AIAは、1921年設立の米国公認会計士協会（American Society of CPAs: ASC）と1938年に合併し、1957年に米国公認会計士協会（American Institute of Certified Public Accountants: AICPA）と改称されて現在に至っている。

1896年4月17日に、ニュー・ヨーク州で、米国初の公認会計士法（An Act to Regulate the Profession of Public Accountants）が制定された。

本法は、州の会計審議会が管轄する試験の合格者に公認会計士という名称の使用を許可した。

その後、各州で同様の法律が制定された。ロード・アイランド州及びマサチューセッツ州が、1910年に州法の規定で、米国初の公認会計士による監査を貯蓄銀行に義務付けた。

　米国で最初の証券法として1911年3月10日に制定されたカンザス法（Kansas, Session Laws）は、証券の発行について、州銀行局長による許可制とし、会計帳簿の作成及び半年毎の報告書の提出等を登録会社に義務付けた。

　その後、各州で同様の法律が制定されたが、この種の法律は、放って置くと青空まで売ると言われた青空商人に対処するためのものであり、一般にブルー・スカイ・ロー（blue sky law）と呼んでいる。

　1911年に、株主保護を目的に、ノース・カロライナ法（An Act for the auditing of books of corporations）で、「株主の25％以上の要求がある場合、当該会社の役員は資格を有する独立会計士に会社の総ての帳簿を監査させなければならない」と規定した。

　1914年9月26日に、大企業の不公正な取引慣行を禁止するため、連邦取引委員会法（Federal Trade Commission Act of 1914）が制定され、連邦取引委員会（Federal Trade Commission：FTC）が設置された。

　米国会計士協会（American Institute of Accountants：AIA）は、連邦準備委員会（Federal Reserve Board：FRB）の要請により、1916年に、短期借入をする会社が銀行に提出する貸借対照表を監査する際の手順書『貸借対照表監査の覚書』を作成した。

　FRBは、これを承認し、『統一会計』と改題して1917年に公表した。AIAは、『貸借対照表作成の承認された方法』と改題して1918年に公表した。この手順書は、資産及び負債の検証、損益の全般的な吟味、付随する会計の基本的重要事項の吟味による試査等を監査人に明示した。

　1927年に、株主の保護を目的に、オハイオ法（General Code）で、「損益計算書及び貸借対照表が真実かつ正確であり会社の財務状態を公正に表示している旨を記載した社長、副社長、財務担当役員、同補佐、独立会計士、会計士事務所の何れかの証明書を当該財務諸表に添付しなければならない」と規定した。

AIAは、1929年に改訂版『財務諸表の検証』を公表し、「監査人は、内部牽制の有効性を確かめるために付随的に会計システムの基本的重要事項を吟味する」と変更した。

　英国の精細監査は、1910年代に米国で、銀行が貸付の際の信用判断のための貸借対照表監査へと発展し、1929年10月24日のBlack Thursday（ニュー・ヨーク証券取引所：NYSEにおける株価の大暴落）を教訓に制定された1933年証券法及び1934年証券取引所法の規定により投資者保護のための財務諸表監査（financial statement audit）へと発展した。

　1929年の株価暴落が契機となって一般投資者の保護が叫ばれ、NYSE理事長Richard Whitneyが、1933年1月6日に以下を骨子とする取引所の新方針を発表した。

- 1933年7月1日以降上場を申請する会社は、申請時及び毎決算期に最新事業年度の貸借対照表、損益計算書、剰余金計算書にこれらの正確性を証明する公共会計士（public accountant）の監査報告書を添付して提出すること
- 監査範囲には総ての子会社を含み『財務諸表の検証』で明示された水準以下であってはならないこと
- 株主宛年次報告書にも同様の監査報告書を添付すること

　米国連邦政府は、証券市場の信頼を回復し、ニュー・ディール政策の推進に必要な投資を誘発するため、1933年5月27日に1933年証券法（An Act to provide full and fair disclosure of the character of securities sold in interstate and foreign commerce and through the mails, and to prevent frauds in the sale thereof, and for other purposes、略称：Securities Act of 1933）を制定し、証券の詐欺的発行の防止と一般投資者の保護を目的に、以下の事項を有価証券発行会社に義務付けた。

- スケジュールAに定める情報を登録届出書に記載して、FTCに届け出ること
- 証券購入者に目論見書を交付すること
- 財務諸表に独立公共会計士（independent public accountant）又は公認会計士（certified accountant）の監査証明を添付すること

ここに、米国の会計監査及び財務情報の開示が制度化された。

米国連邦政府は、1934年6月6日に、発行済の証券について規定する**1934年証券取引所法**（An Act to provide for the regulation of securities exchange and of over-the-counter markets operating in interstate and foreign commerce and through the mails, to prevent inequitable and unfair practices on such exchanges and markets, and for other purposes、略称：Securities Exchange Act of 1934）を制定し、以下の事項を有価証券発行会社に義務付けた。

- 全米の証券取引所に上場を申請する会社及び上場済の会社は、この法律によって設置される証券取引委員会（Securities and Exchange Commission：SEC）に登録すること
- SECに年次報告書及び四半期報告書を提出すること
- 年次報告書及び四半期報告書に独立公共会計士の監査証明書を添付すること

これが、世界初の今日的財務諸表監査の法定化である。

監査人は株主と契約関係にないため、軽過失責任を株主に追及されることはないと考えられていたが、1933年証券法はこれを認めた。

1933年証券法及び1934年証券取引所法の制定によりSEC登録会社が公表する財務情報が豊富となったが、会計実践及び監査実践の不統一が問題となった。そこで、AIAは、1936年に『財務諸表の検証』の改訂版『独立公共会計士による財務諸表の検査』を公表し、独立公共会計士の監査手続及び監査報告書についての指針を明示した。

ところが、1938年11月にMckesson & Robbins社における総資産の20％を超える売掛金と棚卸資産の架空計上が発覚し、SECによって、一般に実施されている監査手続では経営者による不正を発見できない、内部牽制及び統制システムの吟味が必要であると指摘された。

AIAは、1939年6月に最初の**監査手続書**（Statements on Auditing Procedure：SAP）『監査手続の拡張』を公表し、売掛金の確認及び棚卸資産の実地棚卸への立会を通常の監査手続とし、かつ監査報告書の監査区分の雛型を修正した。

SECは、1941年2月にRegulation S-XのRule 2-02を改正し、監査報告書の記載事項を次の通り明示した。
- 監査範囲について、合理的に理解できるように記載する。監査人が一般に認められた正規の監査手続を省略する場合は、その手続及び省略理由を記載する。
- 通常の状況下で適用が可能な一般に認められた監査基準に準拠して監査を実施したかどうかを記載する。
- 特定の状況下で監査人が必要と認識した監査手続を省略して監査を実施したかどうかを記載する。

そのため、AIAは、1941年2月にSAP No.5『監査人の証明に関するSECの改正規則』を公表し、SAP No.1で明示した監査報告書の雛型に「我々の監査は、通常の状況下で適用可能な一般に認められた監査基準に準拠して実施され、かつ必要と認めた総ての監査手続を含んでいる」という文言を追加した。

更に、AIAは、1947年に『監査基準試案—その一般に認められた意義及び範囲』を作成し、1948年10月にSAP No.24『短文形式の監査人の報告書又は証明書の改訂』として公表し、監査報告書の標準的な形式を確立した。

一般に認められた監査基準は存在していなかったため、SECが、会計原則についての意見を公表することを目的に、1937年4月に、会計連続通牒（Accounting Series Releases：ASR）第1号を発行した。

AIAは、1938年9月に会計手続委員会（Committee on Accounting Procedure：CAP）を設置し、一般に認められた会計原則の設定を検討したが、最終的に直面する会計上の問題についての基準を示す会計研究公報（Accounting Research Bulletin：ARB）を作成することになり、同月に第1号を公表した。

AICPAは、1959年9月に、ARBに代えて会計原則審議会（Accounting Principles Board：APB）を設置し、1973年6月の財務会計基準審議会（Financial Accounting Standards Board：FASB）の設置まで、31のAPB意見書（Opinion of the Accounting Principles Board）を公表した。

AICPAが1960年9月に公表したSAP No.30『財務諸表監査における独立監査人の義務と職業』は、監査人の義務について明示した。
- 財務諸表は横領等の不正及び意図的虚偽の表示によって歪められているかも知れないが、通常の監査はそれらの発見を目的とするものでも、計画するものでも、保証するものでもない。監査人の責任は一般に認められた監査基準に準拠していなかった場合に生じる。
- 不正の防止及び発見は、適切な内部会計統制の確立及び維持に依拠している。会計記録及び資料の試査による内部会計統制システムの有効性の評価に基づいて監査手続を選択及び適用する監査実務は、適切な監査の実施に十分であると一般に証明されている。

AICPAは、一般に認められた監査基準の指針を示すため、1972年に監査手続委員会を監査基準執行委員会（Auditing Standards Executive Committee）に改組し、監査手続書に代えて監査基準書（Statements on Auditing Standards：SAS）を公表することにした。1972年11月に公表したSAS No.1『監査基準及び手続総覧』は、No.1からNo.54までのSAPを体系的に分類して再編したものである。

1960年代後半から企業倒産が続発し、種々の粉飾が判明した。1977年3月に内部告発から発覚したEquity Funding社グループの100人以上の共謀とコンピュータを使用した190百万ドルの粉飾という大規模な詐欺事件は、10年に亘って発見されなかった

1973年5月、ウォーターゲート事件の調査の過程で、米国を代表する17社がニクソン大統領に違法な政治献金をしていた事実並びに600社が国内外で政治献金、賄賂、リベート等の不正支払及び会計記録の改竄をしていた事実が判明した。

多数の粉飾事件の発覚により監査人及び会計事務所が被害者から損害賠償を請求される訴訟が続発し、会計基準及び監査基準の設定に対するSECの介入を危惧したAICPAは、1974年1月、**監査人の責任に関する委員会**（通称：コーエン委員会）を設置した。同委員会は、1978年6月、財務諸表監査に関する重要課題の検討結果と勧告を取り纏めた報告書を公表した。

AICPAは、1977年9月、この勧告に基づき監査品質のコントロールを図るため、3年に1度のピア・レビュー（peer review）制度を設定した。
　AICPAは、1977年1月にSAS No.16『誤謬又は不正の摘発に関する独立監査人の責任』及びSAS No.17『クライアントによる違法行為』を公表した。クライアント（client）とは、依頼人、顧客等を意味する。
　米国連邦政府は、海外における不正支払を禁止するため、1977年12月9日に1977年海外不正行為防止法（Foreign Corrupt Practice Act of 1977：FCPA）を制定し、1934年証券取引所法を適用される総ての公開会社及び役員に対して外国の政府、公務員、政党職員等への贈賄行為を禁止するとともに、第102条において、SAP No.54で明示された妥当な内部会計統制システムの確立及び維持を義務付けた。尚、本法は、内部会計統制システムの確立及び維持について監査委員会を活用することも要求している。
　NYSEは、1977年2月、総ての国内上場会社に対して、1978年からの上場及び上場継続の条件として、経営者から独立した取締役で構成する監査委員会を設置して維持することを義務付けた。
　NASD（全米証券業協会）も、1977年11月、取締役の中の2名以上を独立取締役とするよう義務付け、1987年6月、半数以上を独立取締役で構成する監査委員会を設置するよう義務付けた。
　SECは、1978年12月、スケジュール14Aにアイテム6(d)を新設し、総ての登録会社に対して、指名委員会、報酬委員会、監査委員会を設置している場合、各委員を明示し、各委員会の前年度の開催回数及びその果たした機能を簡潔に記載することを義務付けた。
　AMEX（アメリカン証券取引所）は、1980年10月、取締役2名以上を独立取締役とすること及び独立取締役だけで構成する監査委員会を設置することを推奨した。その後、1991年10月、推奨から義務に改訂した。
　AICPAは、1980年8月にSAS No.31『証拠資料』を公表し、被監査会社の財務諸表の適正性について監査意見を表明するための監査要点となるアサーション（経営者の主張）を、5つに分類して明示した。この詳細については第5章第3節Ⅷを参照されたい。

第3章　法定監査と内部監査の歴史

AICPAが1981年6月に公表したSAS No.39「**監査サンプリング**」は、監査リスク・モデルの原形を次の数式で明示した。

　UR ＝ ICR × APR × TDR
- UR ＝ Ultimate Risk（究極的リスク）
- ICR ＝ Internal Control Risk（内部統制リスク）
- APR ＝ Analytical Procedures Risk（分析的手続リスク）
- TDR ＝ Tests of Details Risk（項目テスト・リスク）

　その後、AICPAは、1983年12月にSAS No.47『監査の実施における**監査リスクと重要性**』を公表し、SAS No.39で明示した用語及び概念を変更して、次の数式を明示した。監査リスク・ベースの監査については<u>第5章第5節Ⅱ</u>を参照されたい。

　AR ＝ IR × CR × DR
- AR ＝ Audit Risk（監査リスク）
- IR ＝ Inherent Risk（固有リスク）
- CR ＝ Control Risk（統制リスク）
- DR ＝ Detection Risk（発見リスク）

　AICPAは、1987年10月のトレッドウェイ委員会の勧告に応えて、1988年4月に9つのSASを公表した。
- No.53『誤謬及び不正の発見及び報告に関する監査人の責任』
- No.54『被監査会社による違法行為』
- No.55『財務諸表監査における内部統制構造の考察』
- No.56『分析的手続』
- No.57『会計上の見積に対する監査』
- No.58『監査した財務諸表に関する報告』
- No.59『継続企業としての存続能力に関する監査人の考察』
- No.60『監査中に発見した内部統制構造に関する事項の通知』
- No.61『監査委員会への通知』

　上掲の9つのSASは、被監査会社の内部統制と経営者の誠実性に依拠していた従来の画一的監査手法を改め、重要な統制リスクを評価する、監査リスク・ベースの監査手法を基本に設定したものである。

V 日本における法定監査の歴史

　ドイツ人法学者Karl Friedrich Hermann Roeslerが1884年1月に答申した草案が日本商法の源流である。監査役の職務に関する草案の条文を以下に掲載するが、業務執行機関を意味する「Directoren」とその監査機関を意味する「Aufsichtsrath（Aufsichtsratではない）」が「頭取」と「取締役」に訳されているので、前者を「取締役」、後者を「監査役」と読み替えて戴きたい。

　第5款　頭取（ヂレクトル）及ヒ取締役（アウフジヒツラート）

　第219条　總會は業務着手の1ヶ月前に株主中より頭取3名以上を選挙すべし又頭取は同役中より業務担当者1名又は数名を選定するを得べし其他会社を代理する者及び役員を選定することは会社の便宜に任ず

　第224条　頭取の任期は3ヶ年に越ゆ可からず但し復選するは妨なし

　第227条　頭取は其職掌義務を尽すと否と又申合規則及び会社の決議を確守すると否とに就き会社に対して責任を有する者とす

　第231条　取締役は左の件を担当すべし

　一　頭取及び発起人の業務取扱、及び殊に会社の創起設立上に於て法律に背戻したる所なきか否、又業務取扱の申合規則の条件及び会社の決議に適合するか否を監視し且総て其取扱上の錯誤を検覈する事

　二　決算帳、比較表及び利足利益の配当案を検査して之を株主總會に報告する事

　三　会社の利害上に於て必要又は有益と認むるときは總會を開く事

　第234条　取締役員は何時にても会社業務の景況を審査し会社の商業帳簿及び其他の書類を展閲し会社会計の実況を検査するの権利あるものとす

　Roeslerは、本条文について、「本条は取締役の主任を示す者とす其主任は取引を為すに存ずして頭取の業務上付き法律又は申合規則に循うか否又株主及び債主の便益に適するや否を監督するにあり…」と説明している。

　上記草案を基に作成された商法（明治23年法律第32号）が1890年4月26日に公布された。頭取は取締役に、取締役は監査役に変更された。

第５款　取締役及び監査役

第185條　總會は株主中に於て３人より少なからざる取締役を３个年内の時期を以て選定す但其時期満了の後再選するは妨なし

　　取締役は同役中より主として業務を取扱う可き専務取締役を置くことを得然れども其責任は他の取締役と同一なり

第188條　取締役は其職分上の責務を尽すこと及び定款並に会社の決議を遵守することに付き会社に対して自己に其責任を負う

第191條　總會は株主中に於て３人より少なからざる監査役を２个年内の時期を以て選定す但其時期満了の後再選するは妨なし

第192條　監査役の職分は左の如し

第１　取締役の業務施行が法律、命令、定款及び總會の決議に適合するや否やを監視し且総て其業務施行上の過怠及び不整を検出すること

第２　計算書、財産目録、貸借対照表、事業報告書、利息又は配当金の分配案を検査し此事に関し株主總會に報告を為すこと

第３　会社の為めに必要又は有益と認むるときは總會を招集すること

第193條　監査役は何時にても会社の業務の実況を尋問し会社の帳簿及び其他の書類を展閲し会社の金匣及び其全財産の現況を検査する権利あり

　この法律は1891年１月１日に施行される予定であったが、フランス人法学者Gustave Emile Boissonade de Fontarabieがフランスの民法（Code Civil français）を範に1880年に答申した民法草案との間に重複、矛盾、不調和が存在したために施行期限が一旦延長され、1893年の一部改正を経て、1893年７月１日に会社、手形、小切手、破産の部分が施行され、1898年７月１日に残りの部分が施行された。

　その際に改正及び一部削除された条文は、次の通りである。

第191條　總會は株主中に於て２人以上の監査役を２个年内の時期を以て選定す但其時期満了の後再選するは妨なし

第192條　監査役の職分は左の如し

第１　取締役の業務執行が法律、命令、定款及び總會の決議に適合するや否やを監視すること

日本人の法学者が取り纏めた商法を破産の部を除き全部改正する法律（明治32年法律第48号）が、1899年3月9日に帝国議会で制定され、6月16日に施行された。明治23年商法は旧商法という呼称で区別された。

　旧商法では取締役と監査役が同じ款で規定されていたが、それぞれの性質と職務が異なるとの理由で、別々の款に規定された。

第2款　取締役
第164條　取締役は株主總會に於て株主中より之を選任す
第165條　取締役は3人以上たることを要す
第166條　取締役の任期は3年を超ゆることを得ず但其任期満了の後之を再選することを妨げず
第169條　会社の業務執行は定款に別段の定なきときは取締役の過半数を以て之を決す支配人の選任及び解任亦同じ
第170條　取締役は各自会社を代表す
第176條　取締役は監査役の承認を得たるときに限り自己又は第三者の爲めに会社と取引を爲すことを得
第177條　取締役が法令又は定款に反する行為を爲したるときは株主總會の決議に依りたる場合と雖も第三者に対して損害賠償の責を免るることを得ず…

第3款　監査役
第180條　監査役の任期は之を1年とす但其任期満了の後之を再選することを妨げず
第181條　監査役は何時にても取締役に対して營業の報告を求め又は会社の業務及び会社財産の状況を調査することを得
第183條　監査役は取締役が株主總會に提出せんとする書類を調査し株主總會に其意見を報告することを要す

　1907年（明治40年）に日本初の本格的会計事務所として森田会計調査所が大阪で開業し、1921年（大正10年）に日本初の会計士団体として日本会計士会が設立された。

　1911年5月2日の商法改正（明治44年法律73号）で会社と取締役及び監査役の間の委任関係とその連帯責任制が規定された。

第164條　取締役は株主總會に於て株主中より之を選任す
　会社と取締役との間の関係は委任に關する規定に従う
第165條　取締役は３人以上たることを要す
第166條　取締役の任期は３年を超ゆることを得ず但其任期満了の後之を再選することを妨げず
第169條　会社の業務執行は定款に別段の定なきときは取締役の過半数を以て之を決す支配人の選任及び解任亦同じ
第170條　取締役は各自会社を代表す
第176條　取締役は監査役の承認を得たるときに限り自己又は第三者の為めに会社と取引を為すことを得
第177條　取締役が其任務を怠りたるときは其取締役は會社に對し連帯して損害賠償の責に任ず…
第180條　監査役の任期は２年を超ゆることを得ず
第181條　監査役は何時にても取締役に対して營業の報告を求め又は会社の業務及び会社財産の状況を調査することを得
第183條　監査役は取締役が株主總會に提出せんとする書類を調査し株主總會に其意見を報告することを要す
第186條　監査役が會社又は第三者に對して損害賠償の責に任ずべき場合に於て取締役も亦其責に任ずべきときは其監査役及び取締役は之を連帯債務者とす
第189條　第164條（一部省略）の規定は監査役に之を準用す

1938年４月５日の商法改正（昭和13年法律第72号）で、株主の中から取締役を選任するとしていた資格に関する規定を除いた。

第254條　取締役は株主總會に於て之を選任す
　會社と取締役との間の關係は委任に關する規定に従う
第255條　取締役は３人以上たることを要す
第256條　監査役の任期は３年を超ゆることを得ず…
第260條　會社の業務執行は定款に別段の定なきときは取締役の過半数を以て之を決す支配人の選任及解任亦同じ
第261條　取締役は各自會社を代表す…

第262條　社長、副社長、專務取締役、常務取締役其の他會社を代表する權限を有するものと認むべき名稱を附したる取締役の爲したる行爲に付ては會社は其の者が代表權を有せざる場合と雖も善意の第三者に對して其の責に任ず

第265條　取締役は監査役の承認を得たるときに限り自己又は第三者の爲に會社と取引を爲すことを得…

第266條　取締役が其の任務を怠りたるときは其の取締役に會社に對し連帶して損害賠償の責に任ず…

第273條　監査役の任期は2年を超ゆることを得ず

第274條　監査役は何時にても取締役に對して營業の報告を求め又は總會の業務及財産の狀況を調査することを得

第275條　監査役は取締役が株主總會に提出せんとする書類を調査し株主總會に其の意見を報告することを要す

駐日英国公使McDonaldの日本政府への提起で1909年（明治42年）に発覚した大日本製糖の会計不正事件を契機に適格な監査委員会制度及び公認会計士制度の整備が必要と認識され、1914年（大正3年）の第31回帝国議会に最初の会計士法案が提案されたが、会計士の役割が広く認知されていなかったために廃案となった。

日露戦争中の泡沫会社の濫立、戦後不況下の多数の会社の破綻（特に大日本製糖会社の汚職、粉飾、破綻）により、商法規定の不備、欠陥、解釈上の疑義等が顕在化した。併せて、監査役監査の不備が指摘され、英国の1900年会社法に倣って公許計算人（勅許会計士）を監査役にするべきとか、会計士制度を導入するべき等の議論が展開され、株主資格も問題があるとされた。商法は1911年に大改正されたが、監査役に関する部分は任期の1年延長と取締役との連帯義務の規定に止まり、監査役は実効を上げることもなく閑散役と揶揄された。

会計士制度導入案は大正期に会計士法立法運動へと発展し、1927年に計理士法（昭和2年9月10日法律第31号）として成立したが、会計学を修習した大学及び専門学校の卒業生に無試験で計理士の資格を付与したために社会的信頼を得られず、業務も任意監査に止まった。

状況は太平洋戦争後の占領軍総司令部（GHQ）の指令によって一変し、集中排除のための財閥及び大会社の解体、放出株式の大量消化、証券の民主化、復興資金獲得のための外国資本の導入に伴ない、米国の1933年証券法及び1934年証券取引所法を和訳した俄か作りの**証券取引法（昭和22年3月28日法律第22号）**が1947年に制定されたが、種々の不備があり証券取引委員会条項しか施行されず、1948年にその全部を改正する法律（昭和23年4月13日法律第25号：新証券取引法）が制定された。

　改正法で、財務諸表に対する公認会計士監査の実施を意図した、次の条文が新設された。

> **第193条**　証券取引委員会は、この法律の規定により提出される貸借対照表、損益計算書その他の財務計算に関する書類は計理士の監査証明を受けたものでなければならない旨を証券取引委員会規則で定めることができる。

　本法は、金融商品取引法に改題されるまで続く法律の源流であるが、前掲の通り、公認会計士監査を強制するものではなかった。その理由は実施可能な体制が整備されていなかったからである。

　そこで先ず、1948年にニュー・ヨーク州の公認会計士法を手本とする**公認会計士法（昭和23年7月6日法律第103号）**が制定され、併せて、計理士法が廃止された。

　1949年9月に第1回の特別公認会計士試験が実施され、1950年10月にその合格者によって、日本会計士協会が設立された。同協会は、1953年4月に社団法人となり、1966年12月に、改正公認会計士法に基づいて、現在の特殊法人日本公認会計士協会となった。

　次に、1950年の証券取引法の一部が改正され（昭和25年3月29日法律第31号）、上場会社等が公表する財務諸表等に対する公認会計士監査を義務付ける第193条の2が追加された。

> **第193条**　この法律の規定により提出される貸借対照表、損益計算書その他の財務計算に関する書類は、大蔵大臣が一般に公正妥当であると認められるところに従って大蔵省令で定める用語、様式及び作成方法により、これを作成しなければならない。

第193条の2　証券取引所に上場されている株式の発行会社その他の者で証券取引委員会規則で定めるものが、この法律の規定により提出する貸借対照表、損益計算書その他の財務計算に関する書類には、その者と特別の利害関係のない公認会計士の監査証明を受けなければならない。

本法に関連し、1950年に、SECのRegulation S-Xの諸規定を参考に財務諸表等の具体的表示方法を示した**財務諸表等の用語、様式及び作成方法に関する規則**（昭和25年取引委員会規則第18号、通称：**財務諸表等規則**）が制定され、翌1951年に、公認会計士による財務諸表の監査証明制度を具体化するために、**財務書類の監査証明に関する規則**（昭和26年取引委員会規則第4号、通称：**監査証明規則**）が制定された。

ところが、日本で作成されている財務諸表は各社各様かつ資本市場に対する開示制度としての理念が欠如しているとの理由で、前年12月に、GHQから企業会計原則の設定を指示されていた。そのため、経済安定本部企業会計制度対策調査会で検討が為され、1949年7月8日に『**企業会計原則**』及び『**財務諸表準則**』が中間報告として公表された。

1950年に企業会計制度対策調査会から改組された経済安定本部企業会計基準審議会で監査基準の検討が進められ、1950年7月14日に『**監査基準（一般基準、監査実施基準、監査報告基準）**』と『**監査実施準則**』が中間報告として公表された。

公認会計士による法定監査の拠り所となる企業会計原則が公表され、かつ監査基準で、被監査会社の公表する財務諸表が会計原則に準拠して作成され企業の財政状態及び経営成績を適正に表示するか否かにつき、監査人が職業的専門家としての意見を表明するのが財務諸表監査の目的（核心）であることが明確となった。

こうして実施する側の体制が整ったので、初の公認会計士による法定監査が、1951年7月1日から、以下の段階を踏んで実施された。

　　初度監査　：銀行、信託会社、保険会社を除く、資本金1億円以上の
　　　　　　　　上場会社に対する内部牽制組織の整備と運用状況の検査
　　第2次監査：会計制度の運用状況の検査
　　第3次監査：内部監査の充実度の検査

第4次監査：第3次監査まで終えている会社に対しては、財務諸表の重要な5項目の監査（正常監査）、初めて監査を受ける会社に対しては、第3次までの検査（基礎監査）

第5次監査：正規の財務諸表監査

ついに1957年1月1日以降正規の監査が実施される段となり、従来の関係規則、会計原則、監査基準等が全部改められたが、これらについて記述する前に商法の大改正について触れて置かなければならない。米国法制度に倣って取締役会及び代表取締役が新設されたからである。

1950年5月の商法の一部改正（昭和25年5月10日法律第167号）で、取締役及び監査役に関する規定が次の通り改正された。

第254條　取締役は株主總會に於て之を選任す

2　會社は定款を以てするも取締役が株主たることを要すべき旨を定むることを得ず

3　會社と取締役との間の關係は委任に關する規定に従う

第254條　取締役は法令及定款の定竝に總會の決議を順守し會社の為忠實に其の職務を遂行する義務を負う

第255條　取締役は3人以上たることを要す

第256條　監査役の任期は2年を超ゆることを得ず…

第260條　會社の業務執行は取締役會之を決す支配人の選任及解任亦同じ

第260條の2　取締役會の決議は取締役の過半数出席し其の取締役の過半數を以て之を為す但し定款を以て此の要件を加重することを妨げず…

第260條の3　取締役會の議事に付ては議事録を作ることを要す

第261條　會社は取締役會の決議を以て會社を代表すべき取締役を定むることを要す

2　前項の場合に於ては數人の代表取締役が共同して會社を代表すべきことことを定むることを得

第262條　社長、副社長、專務取締役、常務取締役其の他會社を代表する權限を有するものと認むべき名稱を附したる取締役の為したる行為に付ては會社は其の者が代表權を有せざる場合と雖も善意の第三者に對して其の責に任ず

第264條　取締役が自己又は第三者の為に會社の營業の部類に屬する取引を爲すには株主總會に於て其の取引に付重要なる事實を開示し其の認許を受くることを要す…

第265條　取締役が會社の製品其の他の財産を讓受け會社に對し自己の製品其の他の財産を讓渡し會社より金錢の貸付を受け其の他自己又は第三者の為に會社と取引を爲すには取締役會の承認を受くることを要す

第266條　取締役が其の任務を怠りたるときは其の取締役に會社に對し連帯して損害賠償の責に任ず…

第273條　監査役の任期は1年を超ゆることを得ず

第274條　監査役は何時にても会計の帳簿及書類の閲覧若に謄寫を爲し又は取締役に對し會計に關する報告を求むることを得

2　監査役は其の職務を行う為特に必要あるときは會社の業務及財産の状況を調査することを得

第275條　監査役は取締役が株主總會に提出せんとする會計に關する書類を調査し株主總會に其の意見を報告することを要す

監査役は、任期が短縮され、職務も計算書類の調査に限定された。

1952年の講和条約の発効後は、大蔵省が証券行政の主管者となった。これに伴ない、証券取引委員会が廃止され、大蔵大臣の諮問機関として証券取引審議会が設置された。企業会計基準審議会も廃止され、同様の機関として企業会計審議会が設置された。

企業会計審議会が、正規の監査への移行に備えて、『監査基準』及び『監査実施準則』の改訂並びに『監査報告準則』の設定を行ない、1956年12月25日に中間報告として公表した（第2章第3節Ⅱを参照）。

1963年から1972年にかけて続発した山陽特殊製鋼等大会社の粉飾及び倒産によって公認会計士の監査水準の低さが問題となり、1950年の商法改正で調査権を計算書類に限定したことも監査役の監査が無機能化した一因と指摘され、監査役に対する業務監査権の再付与及び会計監査人による計算書類の調査の強化等、商法の改正が検討された。

先ず、1966年に公認会計士法が改正され、公認会計士が共同して設立する米国の会計事務所に相当する監査法人の設立が認められた。

1967年1月に日本初の監査法人が誕生したが、依然として会社の粉飾決算を摘発できなかったため、大蔵省が業界指導に乗り出し、後の監査法人トーマツの母体となった等末・青木監査法人が誕生した。

　1974年4月5日の商法改正（昭和49年法律第21号）で、取締役と監査役の任期を1年延長し、監査役に業務監査権を付与した。従来の用語は「調査」であり、「監査」という用語は商法において初出であった。

第260条　会社の業務執行は取締役会之を決す支店の設置、移転及廃止並に支配人の選任及解任亦同じ

第260条の3　監査役は取締役会に出席し意見を述ぶることを得

第260条の4　取締役会の議事に付ては議事録を作ることを要す

第261条　会社は取締役会の決議を以て会社を代表すべき取締役を定むることを要す

2　前項の場合に於ては数人の代表取締役が共同して会社を代表すべきことを定むることを得

第262条　社長、副社長、専務取締役、常務取締役其の他会社を代表する権限を有するものと認むべき名称を附したる取締役の為したる行為に付ては会社は其の者が代表権を有せざる場合と雖も善意の第三者に対して其の責に任ず

第273条　監査役の任期は就任後2年内の最終の決算期に関する定時総会の終結の時迄とす

第274条　監査役は取締役の職務の執行を監査す

2　監査役は何時にても取締役に対し営業の報告を求め又は会社の業務及財産の状況を調査することを得

第274条の2　取締役は会社に著しき損害を及ぼす虞ある事実を発見したるときは直に監査役に之を報告することを要す

注意：更に、第274条の3でいわゆる子会社調査権を付与しているが、条文が長すぎるので割愛した。

第275条　監査役は取締役が株主総会に提出せんとする議案及書類を調査し法令若は定款に違反し又は著しく不当なる事項ありと認むるときは株主総会に其の意見を報告することを要す

第275条の2　取締役が會社の目的の範囲内在らざる行為其の他法令又は定款に違反する行為を為し之に因り会社に著しき損害を生ずる虞ある場合に於ては監査役は取締役に対し其の行為止むべきことを請求することを得

第275条の3　監査役は取締役が株主総会に於て監査役の選任又は解任に付意見を述ぶることを得

監査役は、任期が短縮され、職務も計算書類の調査に限定された。

併せて、「株式会社の監査等に関する商法の特例に関する法律（昭和49年4月2日法律第22号、通称：商法特例法）」が制定された。

商法特例法は、資本金によって株式会社を商法上の大会社と小会社に区分し、大会社に対して監査役の業務監査及び会計監査人（公認会計士又は監査法人）の会計監査を受けることを義務付け、小会社の監査役の監査権を会計監査に限定した。

補足：本法は株式会社を資本金5億円以上と1億円以下に区分し両者についての特例を定めたものであるが、一般には、大会社、中会社（条文には明記されていない資本金1億円超5億円未満の会社）、小会社という通称で区別された。

第1条　この法律は、資本の額が5億円以上の株式会社及び資本の額が1億円以下の株式会社における監査等に関し商法（明治32年法律第48号）の特例を定めるものとする。

第2条　資本の額が5億円以上の株式会社は、商法第281条第1項第1号、第2号及び第4号に掲げる書類並びにその附属明細書について、監査役の監査のほか、会計監査人の監査を受けなければならない。

第3条　会計監査人は、監査役の過半数の同意を得て、取締役会の決議をもつて選任する。

第4条　会計監査人は、公認会計士（外国公認会計士を含む）又は監査法人でなければならない。

第7条　会計監査人は、何時でも、会社の会計の帳簿及び書類の閲覧若しくは謄写をし、又は取締役に対して会計に関する報告を求めることができる。

2　会計監査人は、その職務を行なうため必要があるときは、会社の業務及び財産の状況を調査することができる。

3　会計監査人は、その職務を行なうため必要があるときは、子会社に対して会計に関する報告を求めることができる。

第8条　会計監査人がその職務を行なうに際して取締役の職務遂行に関し不正の行為又は法令若しくは定款に違反する重大な事実があることを発見したときは、その会計監査人は、これを監査役に報告しなければならない。

第22条　資本の額が1億円以下の株式会社の監査役は、取締役が株主総会に提出しようとする会計に関する書類を調査し、株主総会に意見を報告しなければならない。

2　監査役は、何時でも会計の帳簿及び書類の閲覧若しくは謄写をし、又は取締役に対して会計に関する報告を求めることができる。

3　監査役は、その職務を行うため必要があるときは、会社の業務及び財産の状況を調査することができる。

こうして、証券取引法と商法特例法という2つの異なる法律に基づく公認会計士による財務諸表等の監査と商法特例法に基づく会計監査人による計算書類等の監査という2種類の会計監査が規定された。

1974年5月17日に監査役の使命の昂揚、資質向上、監査機能の発揮を推進するための事業活動を目的に、㈳日本監査役協会が設立された。

㈳日本監査役協会は、2011年9月1日から、公益社団法人に移行した。

同年6月24日に企業会計審議会から『連結財務諸表の制度化に関する意見書：連結財務諸表原則・同注解』が公表されたのを受け、1976年に**連結財務諸表等の用語、様式及び作成方法に関する規則**（昭和51年10月30日大蔵省令第28号、通称：連結財務諸表等規則）が制定された。

翌年4月からの連結財務諸表監査の実施に備えて、1976年7月13日に『監査実施準則』及び『監査報告準則』が改訂された。

更に、1974年の商法改正以降大部分の会社が1年決算に移行して半期報告書の重要性が増大したため、1977年8月30日に『中間財務諸表作成基準』及び『中間財務諸表監査基準』が公表された。

1981年6月9日の改正（昭和56年法律第74号）で、取締役会監督権と監査役調査権が強化された（参考までに、改正部分に下線を付す）。

商法

第260条　取締役会は会社の業務執行を決し取締役の職務の執行を<u>監督す</u>

第260条の3　監査役は取締役会に出席し意見を述ぶることを得

<u>2　監査役は取締役が会社の目的の範囲内に在らざる行為其の他法令若は定款に違反する行為を為し又は為す虞ありと認むるときは取締役会に之を報告することを要す</u>

第274条　監査役は取締役の職務の執行を監査す

2　監査役は何時にても取締役及支配人其の他の<u>使用人</u>に対し営業の報告を求め又は会社の業務及財産の状況を調査することを得

第274条の3　<u>親会社の監査役は其の職務を行ふ為必要あるときは子会社に対し営業の報告を求むることを得</u>

商法特例法

第1条　この法律は、資本の額が5億円以上又は負債の合計金額が200億円以上の株式会社及び資本の額が1億円以下の株式会社における監査等に関し商法（明治32年法律第48号）の特例を定めるものとする。

第2条　次の各号の一に該当する株式会社は、商法第281条第1項<u>の書類</u>について、監査役の監査のほか<u>会計監査人の監査</u>を受けなければならない。

<u>一　資本の額が5億円以上であること。</u>

<u>二　最終の貸借対照表の負債の部に計上した金額の合計額が200億円以上であること。</u>

第3条　会計監査人は、<u>株主総会</u>において選任する。

2　取締役は、会計監査人の選任に関する議案を<u>株主総会に提出するには、監査役の過半数の同意を得なければならない。</u>

第5条の2　会計監査人の任期は、就任後1年以内の最終の決算期に関する定時総会の終結の時までとする。

第6条の3　会計監査人は、会計監査人の選任、不再任又は解任について、株主総会に出席して意見を述べることができる。

第18条　会社にあつては、<u>監査役</u>は、2人以上でなければならない。

2 　会社は、監査役の互選をもつて常勤の監査役を定めなければならない。

1993年6月14日の改正（平成5年法律第62号）で、監査役の任期延長、増員、監査役会と社外監査役の設置等が義務づけられた（参考までに、改正部分に下線を付す）。

商法
　第273条　監査役の任期は就任後3年内の最終の決算期に関する定時総会の終結の時迄とす

商法特例法
　第3条　会計監査人は、株主総会において選任する。
　第18条　会社にあつては、監査役は、3人以上で、そのうち1人以上は、その就任の前5年間会社又はその子会社の取締役又は支配人その他の使用人でなかつた者でなければならない。
　第18条の2　会社にあつては、監査役の全員で監査役会を組織する。
　2　監査役会は、この法律に定める権限を有するほか、その決議をもつて、監査の方針、会社の業務及び財産の状況の調査の方法その他の監査役の職務の執行に関する事項を定めることができる。ただし、監査役の権限の行使を妨げることはできない。
　第18条の3　監査役会の決議は、監査役の過半数をもつて行う。…

2001年12月12日の改正（平成13年法律第149号）では、監査役につき、任期延長、取締役会への出席、意見陳述、その半数を社外監査役とすること等が義務付けられた（参考までに、改正部分に下線を付す）。

商法
　第260条の3　監査役は取締役会に出席することを要す此の場合に於て必要ありと認むるときは意見を述ぶることを要す
　第273条　監査役の任期は就任後4年内の最終の決算期に関する定時総会の終結の時迄とす

商法特例法
　第18条　会社にあつては、監査役は、3人以上で、そのうち半数以上は、その就任前に会社又はその子会社の取締役又は支配人その他の使用人となつたことがない者でなければならない。

2002年5月29日の改正（平成14年法律第44号）で、委員会等設置会社、連結計算書類の監査等の制度が導入された（改正部分に下線を付す）。

商法特例法
第1条の2　この法律において「大会社」とは、次の各号のいずれかに該当する株式会社をいう。
　一　資本の額が5億円以上であること。
　二　最終の貸借対照表の負債の部に計上した金額の合計額が200億円以上であること。
2　この法律において「小会社」とは、資本の額が1億円以下の株式会社をいう。
3　この法律において「委員会等設置会社」とは、次の各号のいずれかに該当する株式会社であつて、…の定款の定めがあるものをいう。
　一　大会社
　二　第2条第2項の定款の定めがある株式会社（「みなし大会社」）
4　この法律において「連結子会社」とは、他の株式会社により経営を支配されているものとして法務省令で定める会社その他の団体をいう。
第2条　大会社は、…商法第281条第1項の書類について、監査役の監査のほか、会計監査人の監査を受けなければならない。
第18条　大会社にあつては、監査役は、3人以上で、そのうち半数以上は、その就任前に大会社又はその子会社の取締役、執行役又は支配人その他の使用人となつたことがない者でなければならない。
4　大会社の監査役は、その連結子会社の取締役、執行役又は支配人その他の使用人を兼ねることができない。
第19条の2
3　前項の承認を受けた連結計算書類は、第1項の決算期に関する定時総会の開催前に、法務省令で定めるところにより、監査役及び会計監査人の監査を受けなければならない。
第19条の3　監査役は、連結計算書類に関する職務を行うため必要があるときは、連結子会社に対して会計に関する報告を求め、又は連結子会社の業務及び財産の状況を調査することができる。

第21条の5　委員会等設置会社には、次の機関を置かなければならない。
　一　指名委員会
　二　監査委員会
　三　報酬委員会
　四　1人又は数人の執行役
2　委員会等設置会社には、監査役を置くことができない。…
第21条の6　取締役の任期は、就任後1年以内の最終の決算期に関する定時総会の終結の時までとする。
2　取締役は、委員会等設置会社の業務を執行することができない。
第21条の7　取締役会は、次に掲げる事項その他委員会等設置会社の業務を決定し、取締役及び執行役の職務の執行を監督する。
　一　経営の基本方針
　二　監査委員会の職務の遂行のために必要なものとして法務省令で定める事項
　三　執行役が数人ある場合における執行役の職務の分掌及び指揮命令関係その他の執行役の相互の関係に関する事項
2　取締役会は、委員会等設置会社の業務の決定を取締役に委任することができない。…
第21条の10　監査委員会が指名する監査委員は、いつでも、他の取締役、執行役及び支配人その他の使用人に対してその職務の執行に関する事項の報告を求め、又は委員会等設置会社の業務及び財産の状況を調査することができる。
2　監査委員会が指名する監査委員は、監査委員会の権限を行使するために必要があるときは、子会社若しくは連結子会社に対して営業の報告を求め、又は子会社若しくは連結子会社の業務及び財産の状況を調査することができる。…
4　監査委員は、執行役が委員会等設置会社の目的の範囲外の行為その他法令若しくは定款に違反する行為をし、又はこれらの行為をするおそれがあると認めるときは、取締役会において、その旨を報告しなければならない。

2003年6月6日に、公認会計士監査制度の信頼性確保を目的に、公認会計士法が改正され（平成15年法律第67号）、職責の明確化、独立性の強化、監視体制の充実と強化、監査法人制度の見直し等が図られた。

　2005年6月29日に、会社の設立、組織、運営、管理を規定する会社法（平成17年法律第86号）が成立した。本法制定の経緯、目的等については<u>第4章付録3</u>を、内部統制については<u>第2章第3節</u>を、監査については<u>第4章第4節及び第5節</u>を参照されたい。

　2007年6月27日に、外部監査の信頼性確保を目的に、公認会計士法が改正され（平成19年法律第99号）、監査法人の品質管理、ガバナンス、ディスクロージャー、監査人の独立性及び地位の強化が図られた。

Ⅵ　公認会計士の監査基準等の歴史

(1) 1950年7月14日

　日本の「監査基準」は、一橋大学の岩田巌教授他が、AIAが1947年に公表した「監査基準試案」に範をとって作成し、1950年7月に経済安定本部企業会計基準審議会が、日本で独自に設定した「監査実施準則」とともに、中間報告として公表した。

(2) 1956年12月25日

　正規の財務諸表監査の実施に備え「監査基準」と「監査実施準則」が改訂され、新たに「監査報告準則」が設定された。「監査基準の設定に関する意見書」の冒頭には、次のように記載されていた。

　　監査基準は、監査実務の中に慣習として発達したもののなかから、一般に公正妥当と認められたところを帰納要約した原則であって、職業的監査人は、財務諸表の監査を行うに当り、法令によって強制されなくとも、常にこれを遵守しなければならない。

　　監査基準は、監査一般基準、監査実施基準及び監査報告基準の三種に区分する。監査一般基準は、監査人の適格性の条件及び監査人が業務上守るべき規範を明らかにする原則であり、監査実施基準は、監査手続の選択適用を規制する原則であり、監査報告基準は、監査報告書の記載要件を規律する原則である。

(3) 1965年9月30日
　大会社の粉飾と倒産が発生し、「監査実施準則」の全文を改訂した。
(4) 1966年4月26日
　「監査実施準則」に続き「監査基準」と「監査報告準則」を改訂した。
(5) 1976年7月13日
　「連結財務諸表監査」の実施に備えて「監査実施準則」と「監査報告準則」を改訂した。
(6) 1983年2月14日
　企業会計原則の一部修正に伴ない、後発事象に係る監査手続を「監査実施準則」に追加した。
(7) 1989年5月11日
　財務諸表に重要な影響を及ぼす不正行為の発生可能性に対処するため相対的に危険性の高い財務諸表項目に係る監査手続を充実強化することとし、「監査実施準則」を改訂した。
(8) 1991年12月26日
　監査水準の向上を図り監査制度に対する社会的信頼性を確保するため「監査基準」、「監査実施準則」、「監査報告準則」を全般的に改訂した。
(9) 1998年6月16日
　「キャッシュ・フロー計算書」が証券取引法上の財務諸表に加えられたため「連結キャッシュ・フロー計算書」を公認会計士による監査対象とするため「監査基準」「監査実施準則」「監査報告準則」を改訂した。
(10) 2002年1月25日
　企業が公表する財務情報の信頼性確保についての社会の期待と関心の高まりにこたえるため、大々的な改訂を行なった。
　① 「監査実施準則」と「監査報告準則」を廃止した。
　② 監査基準の枠組の区分を一般基準、実施基準、報告基準とした。
　③ 監査の目的が経営者の作成した財務諸表に対して監査人が意見を表明することにあることを明示した上で、財務諸表の作成に対する経営者の責任と当該財務諸表の適正表示に関する意見表明に対する監査人の責任との区別（二重責任の原則）を明示した。

④　リスク・アプローチに基づく監査の仕組をより一層明確にした。
⑤　「内部統制とは、企業の財務報告の信頼性を確保し、事業経営の有効性と効率性を高め、事業経営に関わる法規の遵守を促すことを目的として企業内部に設けられ、運用される仕組」と明示した。
⑥　継続企業の前提に関する検討と開示を監査人に義務付けた。

(11) 2005年10月28日
　事業上のリスク等を重視したリスク・アプローチの導入、重要な虚偽表示のリスクの評価、財務諸表全体と財務諸表項目の2つのレベルでの評価、特別な検討を必要とするリスクへの対応、経営者が提示する財務諸表項目と監査要点の関係の明確化が求められた。

(12) 2009年4月9日
　継続企業の前提に関する重要な不確実性が認められるか否かの確認と継続企業の前提に関する重要な不確実性が認められるときの財務諸表の記載に関しての意見の表明を監査人に求めた。

(13) 2010年3月26日
　監査報告書の「記載区分」と「記載内容」を国際監査基準に合わせて改訂した。

(14) 2013年3月26日
　重要な虚偽の表示の原因となる不正に対応するため、①意見の表明に関する審査を受けなくてもよい場合の規定、②監査役との連携を求める規定の設定による「監査基準」の改訂と「監査における不正リスク対応基準」の設定を行なった。

(15) 2014年2月18日
　一般目的の適正性の監査とは異なる「特別目的の財務諸表の準拠性に関する意見表明」の位置付を明確にした。

(16) 2018年7月5日
　監査報告書における「監査上の主要な検討事項」の記載を規定した。

(17) 2019年9月3日
　監査人による監査に関する説明及び情報提供の充実を図るため、監査報告書への「監査上の主要な検討事項」の記載等について規定した。

Ⅶ 日本監査役協会の基準等の歴史

　1974年の商法改正と商法特例法制定による監査役の職務権限の拡大を契機に、1975年3月25日に『**監査役監査基準**』を制定した。

　監査役に今日的に期待されている役割と責務を明確にし、その具体的行動指針を示すべく、2004年2月12日に『**監査役監査基準**』を改定し、監査役の基本責務を明示した。

　委員会設置会社制度に対応するため、2005年9月28日に『**監査委員会監査基準**』を制定した。

　監査役監査基準第21条第7項に基づき、2007年4月5日に『**内部統制システムに係る監査の実施基準**』を制定した。

　監査委員会監査基準第20条第6項に基づき、2008年2月4日に『**内部統制システムに係る監査委員会監査の実施基準**』を制定した。

　2015年5月の会社法改正とコーポレートガバナンス・コードの制定に対応するため、2015年7月23日に『**監査役監査基準**』と『**内部統制システムに係る監査の実施基準**』を改定した。

　監査等委員会設置会社制度に対応するため、2015年9月29日に『**監査等委員会監査等基準**』を制定した。

　監査等委員会監査基準第25条第7項に基づき、『**内部統制システムに係る監査等委員会監査の実施基準**』（2015年9月29日）を制定した。

第2節 内部監査の歴史

I 米国における内部監査の歴史

1 近代的内部監査の端緒

　近代的内部監査を最初に採用したのは、広範囲に点在する膨大な資産及び日々の入金等を管区長及び駅長が適切に管理している保証を必要としたPennsylvania Railroad CompanyのJohn Edgar Thomson社長であり、同社が1852年11月23日に発行した「鉄道管理のための組織（The Organization for Conducting the Business of the Road）」に、建設、輸送、内部監査、財務の4部門が掲載されている。

　Thomson社長は、1857年2月にcontroller & internal auditorを責任者とする会計部を新設し、その下に2人の監査人補と数人の上級事務職を配置して、treasurerを責任者とする財務部の業務の一部を分担させるとともに、総ての収入及び支出について伝票と記録書類の保管状況、責任者の署名の有無、伝票と証憑の突合による処理の適切性等の点検並びに監査結果の報告を実施させた。

　Thomson社長は、現業組織と管理組織によるライン＝スタッフ体制の創始者としてかつ革新的経営の実践者として高名である。

　19世紀後半には、鉄道各社が広範囲の内部監査プログラムを作成し、発券代理店の経営者の説明義務（accountability）の遂行状況を評価するために、巡回監査人が各地を訪問し、資産及び報告システム等について実地監査を実施した。

　かつてBig 8と呼ばれた米国の大手会計事務所の1つに1895年に開設されたHaskins & Sellsがあった。Haskins & Sellsは、既にDeloitte Toucheに吸収されてしまったが、Big 8の中で米国人が初めて開設した会計事務所であり、その名称はその共同創始者であったCharles Waldo HaskinsとElijah Watt Sellsの苗字を冠したものである。

　HaskinsはLawrence & Galveston鉄道の経理部長兼内部監査部長を、SellsはBuffalo鉄道の財務部長兼内部監査部長を経験していた。

1941年11月11日に、内部監査人の専門職意識及び教育等を促進するため、ニュー・ヨークにおいて内部監査人協会（The Institute of Internal Auditors: IIA）が設立された。現在はフロリダ州に本部をおいている。

　IIAは1947年7月に『内部監査人の職務に関する意見書（Statement of Responsibilities of Internal Auditors：意見書と略称)』を公表した。

　この題名は、1981年に『内部監査の職務に関する意見書（Statement of Responsibilities of Internal Auditing)』に変更された。

2　IIAの内部監査の本質と定義

　1947年から1990年までに公表された内部監査の本質（nature）及び1999年の理事会で承認された内部監査の定義（definition）を筆者訳で以下に掲載する。定義に続く注釈も、筆者によるものである。

(1) 1947年の本質『意見書』

　　内部監査とは、経営者に対する防衛的かつ建設的貢献の基礎として会計、財務、その他業務の吟味のための組織体内の独立的評価活動である。内部監査は、他の統制手段の有効性を測定し、評価することによって機能する統制の一形態である。内部監査は、基本的に会計及び財務的事項を取り扱うが、業務的性質の事項も当然に取り扱う。

　　この本質は、内部監査とは、先ず経営者に対するサービスとしての独立的評価活動であると位置付け、次に会計、財務、その他の業務に対するコントロールの有効性を評価することによって機能する別種のコントロールであるとしている。

　　第2章第1節Ⅱで既述した通り、AIAの『監査基準試案』は「内部監査は内部統制システムの重要な一要素である」と定義しているが、これは以下の考え方に拠るものであり、第2章第3節XIで掲載したモニタリングの表と対比して視て戴きたい。

内部統制	(1)	1次統制	上位者による下位者の直接統制
	(2)	2次統制	管理部による(1)の間接統制
	(3)	3次統制	監査部による(1)と(2)の間接統制

つまり、当時は、内部監査とはcontrol of controlsであると考えられており、前掲の定義を言い換えると、「内部監査は、会計、財務、その他の業務に対する1次統制と2次統制の有効性を評価することによって機能する3次統制である」ということになる。

(2) 1957年の本質『意見書』

内部監査とは、経営者への貢献の基礎として会計、財務、その他の業務の吟味のための、組織体内の独立的評価活動である。内部監査は、他の統制手段の有効性を測定及び評価することによって機能する経営管理統制である。

これは、内部監査が1次統制及び2次統制の有効性を評価する管理統制（managerial control）であることを明確にした。

(3) 1971年の本質『意見書』

内部監査とは、経営者への貢献として諸業務の吟味のための、組織体内の独立的評価活動である。内部監査は、他の統制手段の有効性を測定及び評価することによって機能する経営管理統制である。

これは、会計、財務、その他の業務を「諸業務」に変更しており、業務監査に重点を移したものと思われる。

(4) 1978年の本質『基準』

IIAは1978年に『内部監査の専門職的実施の基準（Standards for the Responsibilities of Internal Auditing：基準と略称）』を公表した。

『基準』は、内部監査の本質を次のように述べた。

内部監査とは、組織体に対する貢献として組織活動を検査及び評価するために組織体内に設置された独立的評価機能である。内部監査の目標は、その義務を効果的に解除するよう組織体の構成員を支援することである。この目標のために、内部監査は、吟味した活動に関する分析、評価、提案、助言、情報を組織体構成員に提供する。

これは、1971年までの経営者への貢献（service）から組織体への貢献に変更した。

「その義務」とは、第4章第1節Ⅱで解説する、受託者の説明義務を指すと思われる。

IIAは、1981年に『基準』に合わせて『意見書』を改訂した。
(5) 1981年の本質『意見書』
　内部監査とは、組織体に対する貢献として組織体内に設置された、独立的評価機能である。内部監査は、他の統制の適切性及び有効性を検査及び評価することによって機能する統制である。

　ここでは、次の改訂が行なわれた。
- <u>評価活動から評価機能</u>に変更
- <u>経営者への貢献から組織体への貢献</u>に変更
- <u>諸業務の吟味を削除</u>
- <u>経営管理（managerial control）から統制（control）</u>に変更

参考：前述の『内部監査人の職務…』から『内部監査の職務…』への『意見書』の題名変更はこのときに行なわれた。

(6) 1990年の本質『意見書』
　内部監査とは、組織体に対する貢献としてその活動を検査及び評価するために組織体内に設置された独立的評価機能である。内部監査の目標は、組織体内の人々が職務を有効に遂行するのを支援することにある。この目的のため、内部監査人は、検討した活動について分析、評価、勧告、助言、情報を組織体内の人々に提供する。

　これは、1978年の『基準』に合わせて、内部監査の目標は組織体の構成員の支援であるとし、<u>統制</u>を削除した。これは、内部監査はcontrol of controlsではないと認めたものであろう。

(7) 1996年の本質『基準』
　内部監査は、組織体に適用される法律及び規則の遵守を確実にするために会社の活動を検査及び評価する、独立的評価機能である。内部監査は、改善重視の客観的助言の提供により、企業活動の信頼性及び合理性をも確実にする。内部監査は、組織体の独自判断で実施されるものであるから、柔軟でありかつ組織体の要請があれば直ぐに監査を実施する準備をして置く必要がある。

　これは、コンプライアンスと改善重視の客観的助言の重要性を強調した。

(8) 1999年の定義

内部監査は、組織体業務に価値を付加し改善するために設計された独立的、客観的なアシュアランス及びコンサルティング活動である。内部監査は、リスク・マネジメント、コントロール及びガバナンス・プロセスの有効性を評価して改善するための、体系的かつ規律正しい手法の適用により、組織体がその目標を達成するのを支援する。

これが内部監査の定義であり、<u>第4章第6節Ⅰ</u>で詳説する。

3 ソイヤーの内部監査の定義

IIAが2002年9月に出版した「ソイヤーの内部監査（Sawyer's Internal Auditing）」が新規に考案した現代的内部監査の定義は、次の通りである。

Internal auditing is a systematic, objective appraisal by internal auditors of the diverse operations and controls within an organization to determine whether

(1) financial and operating information is accurate and reliable;
(2) risks to the enterprise are identified and minimized;
(3) external regulations and acceptable internal policies and procedures are followed;
(4) satisfactory operating criteria are met;
(5) resources are used efficiently and economically; and
(6) the organization's objectives are efficiently achieved

all for the purpose of consulting with management and for assisting members of the organization in the effective discharge of their governance responsibilities.

内部監査は、以下を判定するための、内部監査人による組織体内部の様々な業務及びコントロールについての、体系的、客観的評価である。

(1) 財務及び業務の情報が、正確であり、信頼できるか、
(2) 企業に対するリスクが、特定され、最小化されているか、
(3) 外部の規則、妥当な内部の方針及び手続は遵守されているか、
(4) 満足できる業務規準となっているか、
(5) 経営資源が効率的かつ経済的に使用されているか、

(6) 組織体の目標は効率的に達成されているか

　これらは、経営者に助言するためのもの及びガバナンス義務を有効に遂行する組織体の職員を支援するためのものである。(筆者訳)

4　『PPF』

　IIAは、1999年6月に、倫理綱領、基準、実践要綱、その他で構成した内部監査の『専門職的実施のフレームワーク（Professional Practice Framework: PPF）』を公表した。

5　『国際基準』

　IIAは、『基準』を世界に普及させるために『内部監査の専門職的実施の国際基準（International Standards for the Responsibilities of Internal Auditing：基準と略称）』を2004年1月に公表した。国際基準には、解釈指針と実施準則が付され、末尾に用語一覧が付されている。

- 人的基準：内部監査を実施する組織及び個人特性の基準
- 実施基準：内部監査業務及びその実施状況の測定の質的評価基準
  - 解釈指針：基準の要求事項の用語や概念を明確にするための指針
  - 実施準則：assurance（A）とconsulting（C）に対する要求事項

6　『IPPF』

　IIAは、2009年1月にPPFを国際版に改編した『専門職的実施の国際フレームワーク（International Professional Practice Framework: IPPF）』を公表した。

　『PPF』と『IPPF』の構成項目を比較すると、次の通りとなる。

PPF	IPPF
内部監査の定義	内部監査の定義
倫理綱要	倫理綱要
基準	基準
実践要綱	実践要綱
	ポジション・ペーパー
実務資料	プラクティス・ガイド

7 『IPPF』の改訂

IIAは、2015年1月にIPPFの改訂版を公表、7月から適用を開始した。これは、次の項目で構成されている。

内部監査の使命	
必須のガイダンス	基本原則
	定義
	倫理綱要
	基準
推奨されるガイダンス	実践ガイダンス
	補足的ガイダンス

8 『国際基準』の改訂

IIAは、上掲のIPPFの内容を反映させるための『内部監査の専門職的実施の国際基準』の改訂を行なって2016年10月に公表、2017年1月から適用を開始した。

Ⅱ　IIAと日本内部監査協会の公表文書

1　IIAの公表文書

これまでにIIAから公表された主要文書を公表順に列挙すると、次の通りである。（和文は日本内部監査協会訳）

1．1947年　Statement of Responsibilities of Internal Auditors
　　　　　　（内部監査人の義務に関する意見書）
2．1968年　Code of Ethics
　　　　　　（倫理要綱）
3．1978年　Standards for the Responsibilities of Internal Auditing
　　　　　　（内部監査の専門職的実施の基準）
4．1981年　Statement of Responsibilities of Internal Auditing
　　　　　　（内部監査の義務に関する意見書）…1の題名変更

5．1984年　Statement on Internal Auditing Standards
　　　　　（内部監査基準書）
6．2001年　Practice Advisories
　　　　　（実践要綱）
7．2004年　International Standards for the Responsibilities of Internal Auditing
　　　　　（内部監査の専門職的実施の国際基準）
8．1999年　Professional Practices Framework
　　　　　（専門職的実施のフレームワーク）
9．2008年　Revised Standards
　　　　　改訂（内部監査の専門職的実施の国際基準）
10．2009年　International Professional Practices Framework
　　　　　（専門職的実施の国際フレームワーク）
11．2012年　Revised Standards
　　　　　改訂（内部監査の専門職的実施の国際基準）
12．2015年　Revised IPPF
　　　　　改訂（専門職的実施の国際フレームワーク）
13．2016年　Revised Standards2改訂
　　　　　改訂（内部監査の専門職的実施の国際基準）

2　日本内部監査協会の公表文書

　日本内部監査協会から公表された主要文書は、次の通りである。
1．1960年　「内部監査基準」
2．1962年　「業務監査指針（中間報告）」
3．1977年　改訂「内部監査基準」
4．1982年　「標準的内部監査制度の実践要綱」
5．1996年　改訂「内部監査基準」
6．1996年　「内部監査基準実践要綱」
7．2004年　改訂「内部監査基準」
8．2006年　改訂「内部監査基準実践要綱」
9．2014年　改訂「内部監査基準」

Ⅲ 日本における内部監査の歴史

　1918年に三菱合資会社（持株会社）が内部監査に係る内規を制定し、社長の特命を受けた経理課長が分系会社に対する監査を開始した。住友及び三井等の財閥会社も同時期に同種の内部監査を開始している。

　旧三菱商事㈱は1932年（昭和7年）に本社調査役による経営者型内部監査及び各部場所（本店各部及び各支店等）が実施する内部監査（厳密には自己監査）を開始したが、GHQの命令で1947年に解体された。

　1954年に合同して新三菱商事㈱となり、1957年（昭和32年）から内部監査及び自己監査（2005年4月に自己点検と改称）を再開した。

　1944年に川崎重工業㈱の神馬新七郎監査部長が『経営組織の能率化と内部監査制度』（山海堂）を刊行しておられる。因みに、青木茂男教授はその著『近代内部監査』（中央経済社、1959年）の付録「内部監査文献目録（457頁）」で、「本書は戦前における内部監査制度についての最も纏った唯一の文献といえよう。」と記述しておられる。

　先の大戦で原材料、生産設備、労働力の有効活用と能率向上を目的に陸海軍による軍需工場に対する外部監査（会計監督）が実施されたため、被監査会社はその受入体制の整備のために内部監査組織を設置した。

　軍需品工場に対する外部監査に対応する内部監査制度の促進のために陸軍省が1942年4月15日付で作成した『工場内部監査制度ノ参考』に示された内部監査の目的と種類は、以下の通りである。

　第一章　總説
　一　本参考ノ利用
　　　本参考ハ工場に於テ實施スル内部監査ノ大綱ヲ示ス
　　　本参考ハ内部監査ニ關スル基本的事項ヲ示セルモノテルヲ以テ工場ニ於テ之ヲ實施スルニ當タリテハ業種經營規模等ノ實情ニ應シ適當ナル補正ヲ加フルモノトス
　二　内部監査ノ目的
　　　内部監査トハ經營内部ノ一定ノ責任者ニヨリテ施行セラルル自己監査ヲ謂フ

工場ニ於ケル内部監査制度ハ當時自己監査ノ方法ニ依リ会計上ノ
　　不正錯誤ヲ豫防シ經營ノ組織、業績ニ對スル自己批判ヲ遂行シ以テ
　　經營ノ改善ニ資スルト共ニ外部監査ニ協力スルヲ目的トス
　三　内部監査ノ種類
　　内部監査ハ監査ノ對象及手續ニ依リ之ヲ左ノ如ク分カツ
　　　1　組織監査（労務監査、人事監査、制度監査）
　　　2　能率監査（財務能率監査、経営能率監査、原価能率監査）
　　　3　經理監査（財務監査、原価監査）
　　組織監査ハ經營目的ニ對スル經營組織ノ適否ヲ、能率監査ハ經營
　　数字資料ノ分析ニ依リ經營ノ經濟性ヲ、經理監査ハ會計記録ノ成否
　　ヲ監査スルモノニシテ三者ハ相互ニ有機的關聯ヲ有シ相俟シテ内部
　　監査制度ヲ構成スルモノトス

　日本において内部監査が飛躍的に普及したのは、1951年7月から実施
された証券取引法に基づく公認会計士による外部監査の受入のために、
内部監査組織を設置する必要に迫られたためであった。

　通商産業省産業合理化審議会が1951年7月に公表した『企業における
内部統制の大綱』及び1953年2月に公表した『内部統制の実施に関する
手続要領』で内部統制の整備及び確立並びに内部監査の活用の重要性が
示された。特に、法定監査（公認会計士監査、外部監査）の受入体制の
整備としての内部監査の実施が推奨された。

　『監査基準』（中間試案）でも、「監査を実施するには企業の側にその
受入体制が整備されていなければならない。整然たる会計組織を備えて
正確な会計記録を作成するとともに、内部牽制組織を設けて不正過失の
発見防止に努め…内部監査組織に自ら経常的に監査を行って会計記録の
信頼性を確保すること」と述べており、これらがきっかけとなり、内部
監査組織を設置する会社が徐々に増えていった。

　1957年10月に、監査に関する精度の高い研究及び調査活動を展開する
目的で日本内部監査人協会が設立された。同協会は、1958年1月に**日本
内部監査協会**に改名され、IIAと提携し、内部監査と監査役監査の理論・
実務に関する知識の普及及び発展に努めている。

更に、1960年の『内部監査基準』、1982年の『標準的内部監査制度の実践要綱』の公表、書籍の出版、各種講習会及び大会の開催を行ない、2007年7月に社団法人と成り、2013年4月に一般社団法人と成った。

Ⅳ 主要文献に学ぶ内部監査の考察

日本における内部監査の概念の変遷と実務の状況は先行研究を紐解くことによって知ることができるので、主要な記述を以下に掲載する。

1 内部監査に関する文献
(1) 古川榮一他著『現代内部監査』春秋社、1954年

内部監査（internal auditing）は、最近10カ年ほどで急速の発達を見るにいたった企業における経営管理の一方法である。それは会計監査からの発達であるが、今日では広く経営管理のための有効な方法として役立てられている。それは企業における内部統制組織（internal control system）の支柱的役割を有するものとして、重視されるようになってきた。…

内部監査はアメリカの企業においていちじるしい発展を示していることは周知の通りであるが、1940年にはこの問題について1冊の単行本も発行されてはいない。…最初の著書として知られているのは、1941年1月に発行されたブリンクの『内部監査論』である。しかし、それが一般の関心を得られるようになったのは、同年に「内部監査人協会」が、アメリカ主要会社の内部監査人によって設立せられ、この重要な会社機能に関する経験・実務および研究が問題とされるにいたってからであるといわれている。

アメリカの企業においては、実際には内部監査は相当古くから実施されていたことは事実であるが、飛躍的発展を示すようになったのは、今次の戦時中から戦後にかけてであって、1940年以来であるといわれるのである。…内部監査は会計記録の不整・虚偽または誤謬に対する発見および予防の方法たる会計監査から発展してきたものであるが、現在ではその領域を超えて、経営管理の重要な一手段としての役割が高く評価されるようになってきたということができる。

わが国においても、早くから内部監査を実施してきているし、その必要が認められていたが、それは一部の企業であって一般的には普及していなかった。…今次の戦争中に、この制度の重要性が各方面から強く認識されるようになり、昭和17年には日本経済連盟によって設置された内部監査小委員会から「内部監査制度に関する意見書」が提出されている。さらに陸軍当局では、軍需品工場に対する会計監督制度の実施に伴って、会計監督庁の行う外部監査に対応して、各工場においても内部監査制度を導入することを強力に慫慂したのである。このことから「工場内部監査制度の参考」を通じて、内部監査の実施に必要な要領を示しており、この制度に対して一般の関心を惹くようにと務めていた。

　しかしこの内部監査制度はわが国の企業では、その多くは失敗に終わっている。…内部監査は企業が自主的立場から行う自発的な監査であるために、その必要性と重要性が経営当事者によって十分に認識され、企業内部においてそれに対する協力体制が出来上がらないかぎりは、…その実施はきわめて困難とならざるを得ないのである。…しかるに戦後には企業自体としてその必要性を痛感するにいたるような新しい事情が発生してきている。そのために、各企業でも内部監査を急速に実施するようになったし、各企業の内部監査人を中心とする内部監査研究会なる研究団体が設立されることになった。…（5～7頁）

　…ブリンクは、…アメリカにおける内部監査の発展を招来した理由を次の4つに帰している。
(1)　会社規模の拡大に伴って経営者が新しい管理手段を必要とした。
(2)　会社の利潤が低下した。
(3)　政府の統制強化によって各種多数の報告書の提出が必要となった。
(4)　企業の社会性が増大した。…（8頁）

　戦後のわが国企業にとって内部監査の実施が必要になった特殊の条件としてつぎの3つをあげることができるであろう。
(1)　公認会計士による法定監査への対応（受入体制整備）が必要となった。

(2) 改正商法によって取締役会による（業務監査的）監督が必要となった。
　(3) 産業合理化のためにその体制整備が必要となった。（9〜16頁）
　備考：上掲の9〜16頁の(1)〜(3)の部分は、筆者が要約した。
(2) 近澤弘治著『外部監査と内部監査』税務経理協会、1956年
　　アメリカにおいていつごろからこの制度が発達したものであるかは明瞭ではないが、Thurstonによれば、Monroe Kirkmanが1877年に内部監査に関する著書を出し、Reginald Arthur Davenportが1912年に鉄道業の内部監査人の業務及び方法に関する著書を出し、…（261頁）
　　わが国では、一部の識者などによって早くから内部監査に関する研究が行われ、貴重な文献が発表せられており、また、銀行においては、明治9年の国立銀行条例施行当時から、大蔵省の役人による銀行検査に対処すべく、支店人による支店内部の検査及び本店検査員による支店の検査が相当厳重に行われており、このような内部監査は、昭和2年の財界擾乱後における銀行合同によって各地方の金融機関が一大銀行組織に進展し各地に多くの支店を有するようになって以来、益々その必要性が増大してきたということであり、またその他の民間会社においても、すでに大正6年から15年に至るまでの間において監査課などの内部監査部門を常置し、あるいは、内部監査人を任命して会社内の監査を実施しているところがあった。（279〜280頁）
(3) 檜田信男著『監査要論』白桃書房、1966年
監査の性質
　(1) 監査は執行責任者によるアカウンタビリティ解除の信頼性の程度を確かめるために行なわれる
　(2) 監査は、申し開きをする当事者とは独立の第三者によって行なわれる
　(3) 監査は原則として事後的に行なわれる
　(4) 監査は諸業務の実情を検討し、その証拠づけの正確性、真実性、妥当性を確かめる
　(5) 検討の結果を関係者に伝達する

要するに、監査とは、執行責任者によるアカウンタビリティ解除の信頼性の程度を確かめるため、独立の第三者が、事後的に、諸業務の実情を検討し、その証拠づけの正確性、真実性、妥当性を確かめ、その結果を関係者に伝達することである。（4〜13頁）

内部監査の特質
監査方法──内部監査は独立的評定活動である
組織条件──内部監査は経営組織内部の一定の担当者によって行なわれる監査である
対象領域──内部監査の対象は、会計の領域のみに限定されず、財務その他の業務諸活動をも同等に対象とする
機能条件──内部監査は経営者に役立つことを目的とする
機能方法──内部監査は他の管理の有効性を測定し、評価することによって機能する（277〜286頁）

会計監査と業務監査
　…会計活動に関連する監査を会計監査といい、財務活動およびその他の業務諸活動に関連する監査を業務監査という。（299頁）

内部監査における監査要点
　内部監査においては、…①組織・制度が妥当か否か、②方針、計画、手続は遵守されているか否か、③会社の財産が保全されているか否か、④会計その他の資料は正確かどうか、⑤実施活動は能率的か否かを各監査対象について確かめる。（327頁）

(4) 青木茂男著『現代の内部監査（全訂版）』中央経済社、1981年
　…ドイツのクルップ社では1875年頃、すでに内部監査に当たるものを行なっていたといわれるが、サーストンによればアメリカにおける内部監査の起源は明らかではない。しかしおそらく鉄道業等は最初に内部監査の必要を感じかつそれを実施した事業といえよう。要するに地域的にその活動領域が広いことにより、それの統制が必要であった。
　…その主たる目的は保全機能におかれ、事業の諸資産についての虚偽や損失からの保護におかれた。しかも…会計監査を主としたものであった。…

…わが国における内部監査の…古いものは明治および大正年代から行なってきた会社もあったわけであって、この実施形態としては大体次のいずれかによるものであった。（40～41頁）
(1)　持株会社における本社検査役による監査…財閥会社
(2)　商法上の監査役による内部監査
(3)　内部監査選任部門による内部監査
(4)　他の仕事と兼任である内部監査担当者による監査
(5)　随時編成による非常置の内部監査…
　インターナル・チェックの諸目的のうち、最も中心的目的として考えられているものは次の２点である。
(1)　誤謬の防止および発見
(2)　虚偽の防止および発見
　…さらに次のような結果をもたらすものであるとされる。
(3)　事務や業務の実施の能率化
(4)　無駄や浪費のチェック
　インターナル・チェックのためには、次のような仕組がもたれる。
(1)　取引の処理について、２人以上の分担担当者の手をへて完結するように仕組み、一方のみでは仕事の処理が完結しえないようにする。
(2)　同一事項の取引記録を必ず２カ所以上で行なって、相互間でチェックできるようにする仕組（46頁）
　…内部監査は、このようなインターナル・チェックの組織、手続が有効に運営されているかどうか、その組織、手続が妥当かどうかを検閲・評定するものであって、インターナル・チェックがラインの活動のなかに組み入れられているのにたいして、内部監査はスタッフの立場をもつものである。…
　…内部監査は会計監査の領域にとどまるとはいえ内部統制の一環として制度監査的な感覚が導入されるにいたったのであり、また内部牽制組織との関係において機能することにより、しだいに業務監査にまで入ってゆく基盤が築かれたのである。この点は現代内部監査への基礎を形成したものとして重視せねばならないと思う。（48頁）

さてこのように内部監査の発展段階の第2段階のものをもたらしかつそれを助長した要因の一つとして、われわれは公認会計士による会社財務諸表の強制監査制度の影響が大であったことを認識せねばならない。（49頁）

　…サーストンはアメリカ内部監査人協会設立の年である1941年以降をもって現代的内部監査の成立の時期としている。

　…ブリンクは内部監査の発展は、一般の会計の場合と同様に、事業のおかれた環境および状況の産物であり、これらの諸条件が結合して会計資料の利用の必要を促進し、それへの依存性を高め、かくして会計資料の検証と分析を必要ならしめ、このための特別の手段、技術として内部監査が発展したとしている。（55頁）

　備考：本書は『近代内部監査』中央経済社（1959年）の改題版であり、引用の冒頭部分の記載は、本書で追加されたものである。

(5) 久保田音二郎著『現代内部監査』千倉書房、1974年

(1) 19世紀末葉から20世紀10年代にかけての会社の中に内部監査が萌芽的な形で見られたが、そのころの監査の狙いは従業員が行った会計記録と取引活動に誤謬脱漏などの善意の誤りや虚偽不正などの悪意の誤りがないかどうかを調べることであった。

(2) 20世紀10年代の後半からは、信用目的のために会計士による貸借対照表監査が外部監査の問題になってきたが、このとき被監査側で内部監査を行っていると外部監査のほうは試査ですむから、これが1つの有力な契機となって内部監査が会計監査に偏した問題を取り上げるように変わってきた。たまたまこれに続く30年代になって、SECの監督による財務諸表監査がクローズ・アップしてきたので、内部監査はそれとの提携という意味合いで会計監査を行うものだと思い込まれるほどになり、「会計監査」としての内部監査の生成をみるに至った。

(3) 戦後の経済社会における会社の業務活動が複雑化してきたので、…業務上の手違いばかりでなく、進んで業務面での経営能率を増進するために、改善の余地がないかを監査するように推移してきた。

(4) 60年代になると、内部監査としての「経営監査」が台頭しようとする傾向が見られる。再び会計監査と業務監査とが経営監査という名称で新しく統合され、2つの内部監査の領域が新しい1つの形で実施されようとしている。

(6) 久保田音二郎監修、津田秀雄訳『内部監査 ― 西独における理論と実際』中央経済社、1972年、本書は、Wilhelm Ballmann著『Leitfaden der Internen Revision』(1967年刊)の邦訳版である。

日本の読者のために

すでに約100年前のドイツの大企業において、内部監査の問題がいかに現代的な関心を寄せられ、理解されたかについて、…エッセンのアルフレート・クルップ(Alfred Krupp)が1875年1月17日付で発した「内部監査室設置要項」がこれを明らかにしている。この「要項」は、現代的にいえば「内部監査部業務取扱規程」であるが、これは、いささか古めかしいドイツ語で次のように規定している。

「内部監査の目的は、現金収支計算、流動資産および固定資産の受払計算、借入金管理などの検証をすることにより、全般的な経営管理業務の全項目についてコントロールを行なうことである。」(3頁)

初期資本主義とそれ以前の時代、企業経営者は間違いなく監督していくために、自らの手でその経営を運営していた。しかし、アウグスブルクのフッガー家は、彼らの国外支店の監督をすでに自己の使用人に行なわしめ、彼に監督という任務を委任していた。

…いまや、企業はきわめて膨大かつ複雑となっている。…企業経営者は、コントロールと内部監査の業務、つまり事実確認と原因分析の業務に関連する個人的な自身の手による調査と細目についての協力を前提とするであろう権限の領域を、片手間にせよほとんど遂行することはできない。…

…こうした理由から、元来は経営者に属している監督職能の委任ないし委譲が、他の人々に、スタッフ部門に、従業員たる部下に、あるいは自由職業家として活動している第三者に、または外部の専門家に申し出られるのである。(6〜7頁)

備考：フッガー家の国外支店の監査及び監督の委任とは、14世紀末の話である。

内部監査の限界

　内部監査の領域は、通常一企業の全領域を、必要ならば一企業領域をこえて、企業家（コンツェルン）に属する企業の全領域を包含するということである。

　…コンツェルン内部の従属企業は、その経営者（支配人）を含めて上位会社の内部監査という経営的監督に従属するのである。（7頁）

内部監査概念の内包

　"Revision"（内部監査）は、ドイツ語としては、外来語である。多くの外来語と同じく、言葉通りに外来語をドイツ語に翻訳する場合には、明瞭とならない概念内包を、外来語はドイツ語にもたらしたのである。われわれは、"Revision"に代るドイツ語として、以前から"Prüfung"という語を選んできたが、しかし、この語にもかなり拡張した内包、つまり、経営者的監督の一部分としての"Revision"のために形成されてきた概念内包を加えなければならない。そのことが、個々の文献あるいは論稿の中で行なわれているかどうか、すなわち、そこでは"Revision"を意味しているのか、"Prüfung"のつもりなのか、あるいはさらに別のことをいっているのかということにより、相互にすれ違った議論をしているのではないかということが問題となる。例えば、"Revision"を"Prüfung"（強制監査）と同一視してはならないし、また、"Revision"ないし"Prüfung"をその技術と混同してはならない。このために、われわれは、賢明にも、"Pflichtprüfung"、"Betriebsprüfung"、"Preisprüfung"といったものに"Prüfung"という語を堅持し、その語を法律的基礎にもとづく監査に留保しているのである。

　一般に、自主内部監査（Interne Revision）という語のもとでは、企業機関が理解されるべきである。それは、同一企業の他の部課にたいして一定の経営者的監督職能を行使するものであり、委託内部監査（Externe Revision）と異なって、当該企業の一員、すなわち、従業員により行なわれるものである。（12頁）

内部監査とコントロールの相違

　内部監査（Revision）とコントロール（Kontrolle）の本質的な相違は、その職能の執行が独立性をもつか従属性をもつかというメルクマールにある。内部監査職能は、内部監査の基盤とされているあ̇ら̇ゆ̇る̇監査の場の経営管理者（Leiter）から、少なくとも内部監査の基盤とされている直̇接̇の̇監査の場の経営管理者から、懲戒権的にも指令権的にも独立している内部監査人によってのみ執行されることができる。他方、コントロール職能は、コントロールすることになっている場の経営管理者に懲戒権的にも指令権的にも従属している従業員によって執行される。（81頁）

"Internal Control"の意義とそのドイツ語訳の困難性

　…この"Internal Control"という概念にたいして簡潔で、しかも概念内包を十分に表わすドイツ語を見出すことはきわめて困難である。多くの側面からのドイツ語訳のための試みは、部分的には、全くの失敗であったと思われる。例えば、ノイベルト（Neubert）も述べているように、"Interne Kontrollgefüge"（"Internal Control System"の直訳である）という語は何ら正しい内容を示さず、まして十分な概念規定を全く行なっていない。さらに"Internes Überwachungssystem"（Überwachungにinternという形容詞を冠している点において）というドイツ語訳はなおさら奇妙だと考えられる。"Internal Control"の意味には、確実に全般的なシステム、つまり監督という経営者の基本職能をそれ相当に取り扱うシステムが了解される。（87頁）

内部監査とコントロールの概念の定義

　…ここで最も関心を向けられる二つの直接的な監督手段、すなわちコントロール＝内部牽制（Kontrolle＝internal check）と内部監査（Revision＝auditing）をいかに定義すべきであろうか。…

　コントロール／内部牽制は、常規的な業務活動過程若しくは…完全自動的・電子的な、あるいは個々の業務領域の責任者ないし部下による、システム内に組み込まれているか、もしくは個別的に整序させられた常設的もしくは一時的な直接の監督であり保全措置である。

内部監査は、経営者の下におかれた企業全般の、もしくはコンツェルンのスタッフの領域ないしは個々の業務部門領域のすべてにわたって、その経営者の下におかれた職位とその管理者から独立した者により、経営者から委譲され、支持され、監督されて、常規的業務活動過程にとらわれずに確認し、測定し、原因分析的に評定して経営者に報告し、勧告する経営者的監査である。

　自主内部監査（Interne Revision）＝スタッフ職能に基づく雇用契約
　委託内部監査（Externe Revision）＝自由職業基盤に基づく請負契約
　たとえ、「外部の専門家」の導入が、法律的には請負契約に基礎をおいており、従業員の場合のように雇用契約に基礎をおいていないとしても、客観的にみれば、外部の専門家の導入は従業員の活動と異ならない。それもまた経営者による委任だからである。（89～92頁）

2　経営監査及び能率監査に関する文献
(1) 西野嘉一郎著『能率監査の理論と実際』山海堂、1944年

　西野博士は、経営監査と能率監査の概念について、次の通り記述しておられる。

　経営監査といふ言葉は最近の造語であつて、独逸語のビルトシャフト・プリュフンク（Wirtschftsprüfung）或はベトリーブス・プリュフング（Betriebsprüfung）の訳語より生まれて来たものと思はれる。経営監査をその目的によつて分類すれば次の如くである。

(1)　国民経済的見地より行ふ経営監査
(2)　私経済的見地より行ふ経営監査

　而して国民経済的見地より行ふ経営監査とは所謂強制経営監査を指すのであつて、その任務とする処は公共的福祉増進である。…（13～14頁）

　次に第二の私経済的見地より行ふ経営監査であるが、これは企業家の見地による経営監査で、その目的とするところは、企業家に自己の経営している企業が現在如何なる状態にあるか、又将来如何なる方向に向かひつつあるか、換言すれば、経営管理の目標を示し、経営活動の経済性向上に資せんとするにある。

陸軍「参考」の定義によれば「能率監査とは経営分析及び経営比較の方法による経営の経済性に関する監査をいひ、数字的に把握し得る経営活動の結果を批判的に吟味し、経営上避け得べき欠陥の所在を指摘し、経営能率向上の資料を提供する目的とする」といふのである。…（18頁）

　その方法としては経営分析並に経営比較が用ひられる。しかもその比較は数字的に比較し得る経営活動の因果的把握を目的とする経営比較であるが故に、古川榮一教授は「能率監査は経営経済性の因果的把握を目的とする経営比較である」と述べてをられる。併し私見によれば、能率監査は経営比較の一部でなくして、監査の手段方法として経営比較を用ひるに過ぎない。そこに本質的な相違点がある。

　何れにせよ、同教授の述べられる如く「能率監査は比較分析の方法によつて経営経済性の発現を推進し、または阻害している原因を数字的に明らかならしめることを目的とする。かくてこれは経理の面から生産拡充の有効なる手段たらんとする。従つて能率監査の対象となるものは、数字的に把握され得る経営活動の全分野である」。

　而して陸軍「参考」に従へば、監査対象の点から能率監査は
(1)　財務能率監査、(2)　経営能率監査、(3)　原価能率監査
と区別される。（19〜20頁）

(2)　西野嘉一郎著『経営監査』ダイヤモンド社、1948年
　　次に第二の私経済的見地より行ふ経営監査であるが、乞は本書に於いて述べんとする企業家の見地による経営監査で、その目的とする処は経営組織の検査、経営性及び企業に対する合目的性の指導、財政金繰り政策一般、貸借対照表政策、決算政策、販売政策に対する顧問的暗示は勿論のこと、一定の事例問題に対して暗示をかやうに与へるだけでなく其の結末に至るまで指導担任する。（8頁）

(3)　可児島俊雄著『経営監査論』同文舘出版、1970年
　　経営監査の意義および重要性は、①近代的な経営管理の発展段階における管理方式の展開過程、そして②企業会計制度および監査制度の展開過程から考察することで、理解することができる。…（2頁）

…計画・実施・批判にわたって管理の不備な原因を摘出し、その改善に向くことが必要となり、この意味から、経営業務管理の批判検討によって、企業経営の財産保全と経営能率の向上を旨とする経営監査が重要となってきたのである。つまり、経営管理のうちで、管理思考および管理統制機能から、会計機能および監査機能への流れを跡づけることにより、管理機能と監査機能との有機的結合のうえに経営監査が築城されてきたのである。…（3頁）

　…会計機能は、いわゆる管理会計の問題意識により理解されてきた。ところが、企業経営における管理会計制度の意義は、逆に会計の管理機能の遂行いかんによって決まるものであり、この管理機能の経営要請への適応に関して批判・評定を行なうことが、管理会計の機能的限界領域における内部監査の機能となったのである。（4頁）

　経営監査機能の発展基盤は、まず診断機能の展開過程において理解することができる。企業診断機能の発展過程は、これを大別して、次のような三つの時代に区分することができるであろう。

　第1期　1860年頃-1919年
　　　　　診断機能の生成過程…技術的診断の時代
　第2期　1920年-1939年
　　　　　診断機能の成立過程…部分的診断の時代
　第3期　1940年-1969年
　　　　　診断機能の発展過程…総合的・経営的診断の時代（8頁）

　アメリカにおいて、19世紀末葉から20世紀初頭にかけて保全目的の監査機能が分化し、企業経営の内部的要請から、いわゆる内面的監査（inside auditing）が展開された。…

　つづいて1910年代および20年代には内部牽制組織の不備を補強するという意味で、検視的機能の内部監査が指摘される。この時代はちょうど、予算統制を中心にして、経営の管理的思考も一段と高唱された頃であり、管理会計の研究がきわめて重要になった時代である。これは内部監査の生成形態として特徴づけられ、取引および記録上に発生した誤謬脱漏、虚偽不正の摘発を第一目的にする。…（45頁）

次の1930年代は、一方に標準原価計算を中心にして、管理会計がさらに発展したのであるが、他方には、有価証券法・証券取引所法などにより、財務会計の発展とともに、法定監査（statutory audit）が制定されたときであり、一つの新しい外部監査がまさに制度化されたときである。したがって、…財務諸表の基礎資料に関する会計監査を主軸にして、法定監査の受入体制の整備という意義が認められたときであり、いわば会計監査的機能を果たすべき内部監査の類型である。つまり内部監査の成立形態として特色づけられるものである。…

　内部監査は、次の1940年代には、従来の会計監査のみでなく、それに付して経営業務活動にまでわたる監査が必要とされた。ここに管理的機能をもった内部監査の類型が指摘されて、業務監査や能率監査（operating audit or operational auditing）などといわれた。

　内部監査は、さらに1950年代に入って、その経営管理目的および管理機能を展開し、いわゆる近代的内部監査として、会計や業務の監査から、さらに包括的に経営管理活動全般にわたる監査機能が重要視され、ここに経営監査（management audit or managerial auditing）という監査類型を築き上げてきた。…（46～49頁）

　…基本的には内部監査の機能として、
(1)　正確性および真実性の検証を通じてみられる検視的機能
(2)　合法性および遵守性の検証を通じてみられる保全的機能
(3)　合理法性および合目的性の検証と業績評価を通じてみられる管理的機能

を理解した。特に近代的な内部監査の機能としては、この経営業務管理的機能が最も要請され、内部監査の新しい概念として、ブリンクが指摘するように、経営管理監査（managerial auditing）や業務監査（operating auditing）が提唱され、その機能的発展形態として、経営監査（management audit）の主張となった。これこそまさに近代的な内部監査の本質とするところであり、その特徴でもある。つまり経営管理と監査機能との目的的統合の所産として、内部監査機能を理解したものである。（50頁）

第3章　法定監査と内部監査の歴史

(4)　友杉芳正著『内部監査の論理』中央経済社、1992年

マネジメント・オウディット

　マネジメント・オウディット（managerial audit）は、経営監査に相当するのか、業務監査に相当するのか、それとも両者を統一したものであるのかなどといった問題については明確さを欠いている。…

　まず、マネジメント・オウディットはスペシャル・スタッフの立場においてではなく、ゼネラル・スタッフの立場においてそのスタッフ機能を遂行し、そこでは各種の統制手段の妥当性と有効性の独立的評価活動であるという二重統制機能を果たすとされてきた。統制の統制（control of controls）といわれる間接統制は、個別的・断片的に行われるのではなく、総合的・有機的に行われなければならない。それは総合管理・全般管理の観点から取り上げられるべきものである。…

　…そこで重要なことは…それが経営者・経営管理者への奉仕を意味するのか、経営・経営管理への奉仕を意味するのかという点である。

　前者の観点に立つものには2つの流れがある。その1つは、マネジメント・コンサルタントがサービス提供の用具としてマネジメント・オウディットを考え、それは企業経営全体をよりよくするために、種々の方針、組織、業務方法、財務手続、人員配置、物的設備などに関する状態の検討および欠陥の診断を勧告する形において、経営者を援助する監査である。他の1つは、アメリカ内部監査人協会（IIA）によって発表された一連の意見書をはじめ、その他広く内部監査として取り上げられているオペレイショナル・オウディット（operational audit）やマネジメント・オウディットなどにみられるものであり、それらは経営者のための監査である。

　後者の観点に立つものは、経営の独立した評価・評定を主眼とするものであり、アメリカ経営者協会（AIM）はマネジメント・オウディットを経営の全般的業績をシステマティックに検査し、分析し、評価するための手段と考え、チャーチルとサイアートは経営機能の遂行に関して公認会計士が意見の表明（a statement of opinion）を行う監査として捉えている。…

マネジメント・オウディット（management audit）はマネジメント志向監査（management-oriented audit）、マネジメント・タイプ監査（management-type audit）などともいわれる多義的用語であり、①内部監査人が経営レベルの監査を対象に、②経営コンサルタントが問題領域を限定し説明するための組織的評価を対象に、③公認会計士が経営助言活動のためのマネジメント・アドバイザリー・サービスを対象に、④公認会計士が利害関係者のために経営の独立的説明を対象にそれぞれ使用される。しかし、コンサルタント業務やマネジメント・アドバイザリー・サービスは監査とは区別されるべきものである。

　マネジメント・オウディットは「audit for management」を意味する場合、「audit of management」を意味する場合、「appraisal of management」を意味する場合もある。

　まず、内部監査人によるマネジメント・オウディットに経営自体を評価することではなく、経営システムの能率性を評価することである。内部監査人は内部統制システムの継続的効果性を確実にするのに関与するので、経営評定が含まれる。それは経営の質の評定ではなく、経営システムの質の評定である。

　…マネジメント・オウディットは経営機能の業績の改善、計画目的・社会目的・従業員啓発の達成を通して、組織の収益性の改善および他の組織目的の達成の増加の目的のために、内部監査人によって行われる経営のすべてのレベルの活動について将来志向の、独立した、システマティックな評価、評定である。

　つぎに、マネジメント・オウディットはコンサルタントによって行われる場合がある。「財務→制度→経営→社会」の４段階があるので、監査も「財務監査→システム思考監査→経営監査→社会監査」と捉えられる。…マネジメント・オウディットは外部レビューであるが、…外部の独立した人間によって行われる組織構造、経営実践と方法についてのシステマティックな、包括的、建設的な検査と評定である。…

　さらに、マネジメント・オウディットは「経営の評定」であるとするものがある。

マネジメント・オウディットは内部監査（internal audit）、外部監査（external audit）、外来的監査（extrinsic audit）の3つのタイプに区別できる。…

　最後に、公認会計士による投資家の意思決定のために有用な情報を提供するマネジメント・オウディットはオブ・マネジメントの監査として、①経営方法・経営手段に重点、②経営能力・経営業績に重点、③経営方法・経営手段と経営能力・経営業績の両方に重点、④経営状態の表示・経営情報にそれぞれ重点をおくアプローチがある。

　以上、マネジメント・オウディットといっても種々のものがあるが、内部監査としてのマネジメント・オウディットは、①法定監査と区別するために経営者によって確立された監査機能を意味する場合、②取締役会レベルの活動の監査を意味する場合、③方針決定・意思決定に経営能率性の監査評定を意味する場合、に分類することができる。

　内部監査としてのマネジメント・オウディットは、経営者職能とみなされるものの分化に位置づけられる点からして、経営者の目となり耳となり、経営者の分身となる立場におかれ、経営全体の計画・統制・評定を行い、助言・勧告を果たすものである。…マネジメント・オウディットの基本原理としては、批判性と指導性とに集約されるとする立場が往々にしてよく見受けられるものの、批判性は指導性の1つの手段・用具にしかすぎず、指導性こそが基本原理であるという立場を明確にしておく必要がある。…（101～106頁）

　アメリカにおいては、1960年代に入ってから、フィナンシャル・オウディット（financial audit）、アカウンティング・オウディット（accounting audit）やオペレイショナル・オウディットという監査以外に、新しくマネジメント・オウディットという監査形態が頻繁に文献にみられるようになり、現在はそれが経営内において広く利用されているのが普通である。…

　マネジメント・オウディットを理解する際、オペレイショナル・オウディットとの関係においてそれを把握するアプローチをとることができ、現在のところ、3つの理解の仕方があるといえよう。

第1は、両者は全く同一の内容のものであり、たんに用語上の相違でしかないとする理解方法（同一説）

　第2は、両者はそれぞれ区別されるべき独自の監査領域をもっているとする理解方法（独立説）

　第3は、マネジメント・オウディットはオペレイショナル・オウディットを完全に包摂し、統合しているとする理解方法（統合説）…

　ケイトンは、…マネジメント・オウディットという監査が最近いわれだしているものの、それはオペレイショナル・オウディット（業務監査）またはファンクショナル・オウディット（機能別監査）という用語とは内容的に同じものを指しており、用語上は同義語であると言明している。そして、この監査は会社の組織機構の包括的検査、つまりその構成要素（components）、方針と目的、財務統制（financial control）、業務の等式、人的および物質的資源の管理（stewardship）の包括的検査を意味するものとしている。

　リッグも、マネジメント・オウディットはいわゆるオペレイショナル・オウディットのことであり、同一の内容の者であると主張しているのである。それは、フィナンシャル・オウディットとは完全に質的な相違をもつものであることを指摘し、そこでは高度の検討、検閲、評定を行うにあたって、部門（department）よりむしろ経営活動（activity）に焦点を合わせるアプローチを採用している。これは機能別監査と相通ずるものである。…

　ノーベックらの著書において、operational or management auditという表現が随所にみられ、この監査は業務手続や内部統制の効果性を評価する新しいコントロールとして捉えている。これも、両者が同一のものを指示しているとみなければならない。…

　結局、この種の内部監査は、オペレイショナル・コントロールズの分析に注意を注ぎ、原価引下げの領域を指摘し、潜在的な業務改良点を提案し、業務に重大な影響を及ぼす種々の領域において機能的責任の遂行の分析を正確に行うことなどによって、経営業務を改良するため経営者に有用かつ建設的な機能を果たすのである。（103～110頁）

第3章　法定監査と内部監査の歴史

また内部監査は経営組織的接近と経営計算的接近の二面にわたって理解する方が適当であり、そのうち経営組織的接近によるものとして、経営管理（management）は管理活動（administration）と執行活動（operation）とを含んでおり、前者は管理監査（administrating audit）として、後者は業務監査（operating audit）として発展し、これら両者を経営管理監査（management audit）として捉えることも可能である。ともあれ、マネジメント・オウディットは内部監査の体系の中でいかなる地位を占めるものであるかが明確になったわけである。…同一説は、内容的にはみるべきものがある。独立説と統合節とについては、マネジメントを狭義に解するか広義に解するかという点に関連していることがわかる。結局、マネジメント・オウディットはマネジメント論によって左右されることになる。…（112～113頁）

　経営監査は経営内容の意味理解によって種々の監査が考えられる。経営組織を管理組織と作業組織に分けるとき、それはマネジメントとオペレイションの面に結び付ける２分法の場合、管理組織監査やマネジメント監査が経営監査に相当するので、経営者と管理者が含まれる。また、マネジメントをマネジメント・ディシジョンとマネジメント・ファンクションに分けるとき、マネジメント・ディシジョン監査が経営監査に相当するので、管理者レベルが除かれ、経営者レベルが監査対象となる。３分法の場合、管理組織をそれぞれ狭義の経営組織と管理組織に分割し、狭義の経営組織、狭義の管理組織、作業組織をもって経営組織と認識するので、狭義の経営がアドミニストレーション、狭義の管理組織がマネジメントに結び付き、アドミニストレーション監査が経営監査に相当するため、経営レベルの監査となる。反対に、アドミニストレーションとマネジメントは全く逆に考える説では、マネジメント監査が経営監査に相当する。さらに管理組織と作業組織を含めたものを経営組織と考える場合、経営組織監査つまり経営体監査が経営監査に相当するので、経営評価と関連する。それゆえ、経営組織をどのように理解するかによって経営監査はいろいろな内容をもつ監査となる。（115～116頁）

3　内部監査の分類

(1) 陸軍省経理局監査課『工場内部監査制度ノ参考』(1942年)
　(1)　組織監査…労務監査、人事監査、制度監査
　(2)　能率監査…財務能率監査、経営能率監査、原価能率監査
　(3)　経理監査…財務監査、原価監査

(2) 西野嘉一郎著『能率監査の理論と実際』山海堂、1944年
　(1)　財務能率監査
　(2)　経営能率監査
　(3)　原価能率監査
　(4)　生産能率監査

(3) 西野嘉一郎著『経営監査』ダイヤモンド社、1948年
　(1)　経営財産の監査…固定資産監査、流動資産監査
　(2)　経営活動の監査…企業収益監査、損益計算書分析

(4) 通商産業省企業局『内部統制の実務に関する手続要領』(1953年)
　(1)　会計監査…予算手続・会計手続の監査、現物・帳簿の監査、財務諸表の監査
　(2)　制度監査…会計報告書以外の報告書の監査、報告書の利用状況の監査、規程・制度の監査、特命事項の監査

(5) 青木茂男著『アメリカに於ける内部監査制度』同文館、1948年
　(1)　会計監査
　(2)　経営監査

(6) 青木茂男著『内部監査の理論と実際』中央経済社、1953年
　(1)　会計監査
　(2)　制度監査
　(3)　業務監査

(7) 青木茂男著『内部監査論』中央経済社、1956年
　(1)　会計監査…会計制度監査、会計処理監査…合法性、能率性
　(2)　業務監査…業務組織制度監査、業務活動監査…合法性、能率性

(8) 青木茂男著『近代内部監査』中央経済社、1959年、『現代の内部監査』(改題版) 中央経済社、1970年、1976年、1981年

(1)　組織・制度監査…妥当性の監査
　(2)　運営監査…有効性の監査→準拠性の監査
　備考：青木教授は、後者の93～95頁で、以下も記載しておられる。
① 松本雅男教授（内部監査研究会、昭和30年度第5回第1部会議事録）
内部監査の体系
　(1)　経理監査…制度監査、運営監査…（合法性、能率性）
　(2)　業務監査…制度監査、運営監査…（合法性、能率性）
内部監査の実際上の体系
　(1)　経理監査…原価計算監査、財務計算監査
　(2)　業務監査…現金監査、購買監査、製造監査、販売監査、一般管理監査
② 江村稔教授（「内部監査」、松本雅男篇『管理会計』掲載）
　(1)　合法性監査…会計記録・諸計数・手続・制度の監査
　(2)　能率制監査…会計記録・諸計数・手続・制度の監査
(9)　古川榮一他著『現代内部監査』春秋社、1954年
　(1)　会計監査…貸借対照表監査、損益計算書監査、原価計算監査
　(2)　経営管理監査（制度監査）…管理組織監査、管理方法監査
　(3)　経営活動監査（能率監査）…生産監査、業務監査、財務監査
(10)　近澤弘治著『外部監査と内部監査』税務経理協会、1956年
　(1)　会計監査
　(2)　経営監査
(11)　久保田音二郎著『内部監査』ダイヤモンド社、1957年
　(1)　生成形態…摘発的監査
　(2)　成立形態…予防的監査
　(3)　発展形態…能率的監査
(12)　山桝忠恕著『近代監査論』千倉書房、1971年
　(1)　所有者的内部監査
　(2)　経営者的内部監査
　備考：山桝教授は、旧来の内部監査と近代内部監査の区別の目当を、本書の293頁で次のように記述しておられる。

それが所有者的内部監査であるのか、それとも経営者的内部監査であるのか、という点にこそ旧来の内部監査と近代的内部監査とを区別するさいの最大のメルクマールを見出すべきであろう。…敢えて極限するならば、…所有者的内部監査は、内部監査の原型としてよりもむしろ…外部監査の原型として取り扱うべき性格のものであり、…。

(13) 可児島俊雄著『経営監査論』同文舘出版、1970年
　(1) 客体からみた監査類型…経営管理監査（管理組織監査、管理方法監査）、経営活動監査（生産能率監査、業務能率監査、財務能率監査）
　(2) 主体からみた監査類型
　(3) 目的からみた監査類型…（経営執行活動自体の経済性・能率性・妥当性の監査、経営執行活動の管理基準・手続への準拠性の監査、経営執行活動の監査を通しての管理基準・手続の改善助言機能）

(14) 可児島俊雄著『現代企業の監査』中央経済社、1990年
　(1) 主体的要因（組織的・制度的条件整備）
　(2) 客体的要因（対象・領域的条件整備）
　(3) 目的的要因（機能・役割的条件整備）
　(4) 法律的要因（準拠・遵守的条件整備）
　(5) 情報的要因（EDP・コンピュータ的条件整備）

(15) 友杉芳正著『内部監査の論理』中央経済社、1992年
　友杉教授は、28～31頁で、関係諸団体の区分を記述しておられる。

① 日本能率協会…経営能率監査
　(1) 経営管理監査…管理組織監査、管理方法務監査
　(2) 経営活動監査…生産能率監査、業務能率監査、財務能率監査
② 企業経営協会（内部監査一般基準）
　(1) 企業活動監査
　(2) 組織・制度監査
③ 日本内部監査協会（業務監査指針）
　(1) 組織監査
　(2) 制度監査
　(3) 業務監査

参考：
　先行研究文献の紹介という本項の括りからは外れるが、一般社団法人日本内部監査協会顧問の檜田信男教授が、その論文「**内部監査の回顧と展望**」において、戦後の半世紀で実施組織体の数が10倍以上に増加したわが国における内部監査の考え方の変遷等について、そのことに影響を及ぼした①工場内部監査制度ノ参考、②監査基準、③内部統制の大綱、④IIAの国際基準との関連において解説し、かつ今後の方向を展望しておられる。
　本論文は、以下の4部から成り、ネットでの入手が可能であるから、内部監査の品質向上の参考として戴きたい。
　内部監査の回顧と展望(1)（LEC会計大学院紀要第5号、2009年3月19日）
　内部監査の回顧と展望(2)（LEC会計大学院紀要第6号、2009年12月25日）
　内部監査の回顧と展望(3)（LEC会計大学院紀要第8号、2011年3月30日）
　内部監査の回顧と展望(4)（LEC会計大学院紀要第9号、2011年12月30日）
　もう1つ推奨したい資料がある。それは、当時公認会計士・監査審査会会長を務めておられた友杉芳正教授が第46回内部監査推進全国大会で講演された「グローバル時代における内部監査の現状と課題」と題する講演録で、月刊『監査研究』2012年12月号に収録されているものである。
　友杉教授は、コーポレート・ガバナンスと監査の関係、監督と監査の概念差異、監査形態、監査と保証概念、アシュアランス・サービス及びコンサルティング・サービスとは何か、保証と診断の関係、監査の国際的動向、公的監視規制の形態、内部監査の展開等について講演しておられるが、中でも「内部監査の展開　5．内部監査の高揚策」において、自主的経営管理手段としての内部監査の質的向上に有用不可欠の、内部監査人として考慮すべき事項及び心掛けるべき事項を具体的かつわかりやすく解説しておられるので、是非参考として戴きたい。

第4章
三様監査

　第4章においては、監査人が理解しておくべき監査の語源、受委託関係と監査の機能、監査に関係する重要概念、日本独特の三様監査の目的、職務、機能、三様監査間の連係の重要性について解説する。

　本書が内部監査の実務書であるにも拘わらず外部監査について解説をする理由は、内部監査が会計監査の体系、手法、技術、手続等を参考にしてきたからである。

　監査役、監査委員会、監査等委員会の監査について解説する理由は、内部監査人が監査役のスタッフを兼務する会社が多数存在し、監査役監査と内部監査の目的、義務、手法等において混同及び混乱がみられるからである。

　第1節で、監査の語源が伝える監査の基本、受託職務及び説明義務に関連した監査の自発的生成の理由について解説する。

　第2節で、監査に関係する重要概念について解説する。

　第3節で、監査役監査が、イタリアを除き、日本特有のものであること、因って、三様監査も日本特有のものであることを解説する。

　第4節から第6節で、それぞれ監査役、監査委員会、監査等委員会の監査、外部監査、内部監査の概観、目的、職務、機能について解説する。

　第7節で、監査の独立性と客観性の確保の重要性、このための監査業務と非監査業務の同時提供回避の重要性について解説する。

　第8節で、三様監査の連係の意義と重要性、更に内部監査人の位置付けの重要性について解説する。

第1節 監査の語源とその自生理由

I 監査の語源とその意味

監査という用語は、1881年（明治14年）4月に制定された会計検査院章程で初めて使用されたが、翌年1月の改定で**検査**に変更されている。

第3條　官金及ヒ物品ノ出納官有財産管理ノ方ヲ監査ス…最初の条文

第4條　会計ノ帳簿及ヒ金銭物品ノ出納ヲ検査シ時宜ニ依リ事業ノ実況ヲ査閲スルヲ得…改定後の条文

監査役という用語は、1890年（明治23年）4月に制定された旧商法で初めて使用された。

第191条　總會は株主中に於て3人より少なからざる監査役を2个年内の時期を以て選定す但其時期満了の後再選するは妨なし

第192条　監査役の職分は左の如し

監査とは監督検査、監察検査、監察審査の略語と言われ、国語辞典で監督し検査することと説明されているが、監査は、監査役の職務を和訳した際の造語で、取締役の職務執行の随時監視と会計帳簿の事後検査を意味する監視検査の略語であり、監督検査の略語ではない。

監督は人事権を持ち指揮及び命令をすることであるのに対し、監査は独立性を保ち助言又は勧告をするだけであり、立場を全く異にする。

「監」は俯瞰して全体をよく捉えること、「査」は調べることであり、先ず山を見る、次に森を観る、そして木を視るという手順で、監査対象を絞り込み、よく調べて事実を把握及び確認することが重要である。

英語のauditと仏語のauditionの語源はラテン語の「**注意を払ってよく聴く**」という意味の名詞auditus（不定詞はaudire）であり、独語のRevisionと西語のrevisionの語源もラテン語の「**注意を払ってよく見る**」という意味の名詞revisus（不定詞はrevidere）である。

監査において重要なことは、相手の説明を注意深く聴き、それを立証する証拠資料を注意深く検証して事実を把握及び確認することであり、ラテン語のaudireとrevidereは、監査の本質と在り方を示している。

監査役の語源となったドイツ語「Aufsichtsrat」の「auf」は上から、「sicht」は見る、「auf sichtは」俯瞰する、「aufsicht」は監視（英語のoversight）を意味する。そこから転じて「Aufsicht(s)」は監督する人、「rat」は合議体を意味するので、本来の意味は「監督役会」である。

II 受託職務、説明義務、監査の自生理由

所有と経営の分離が始まった1920年代の米国で、専門経営者が株主の代理人として会社を経営する今日の株式会社の経営形態が形成された。

エージェンシー理論（agency theory）を用いかつ今日の株式会社に当てはめて経営者たる取締役の受託職務及び説明義務並びに会計監査の自発的生成の理由を説明すると、以下の通りである。

- 株主総会決議によって、依頼人である株主と代理人に選ばれた取締役の間に代理契約関係が成立する。
- 取締役は、株主との代理契約締結で株主から付与された権限を行使して受託資本を適切に管理運用する受託職務（Stewardship）とその結果を株主に説明、報告、証明する説明義務（Accountability）を負う。
- 取締役は自己利益の最大化を図って株主利益に反する場合もあるので、株主は、取締役が適切に職務を遂行しているか否かをモニタリングするため、職業監査人を雇って会社の財務の状況を収集させようとする。
- このモニタリング費用は株主が負担すべきであるが、株主はこれを取締役に支払う報酬から差し引こうとする。
- 取締役は、株主の性向を承知しているので、自己の行動を自制し、自発的に外部監査人と契約して財務報告について監査を受け、その報告書を株主に開示する。その理由は、自ら積極的に株主の要請に対応する方が、自己利益を確保できるからである。取締役が外部監査人による財務諸表監査を自発的に導入する理由がここにある。
- 監査人によって財務報告が適正に表示されていると確認され、株主総会で承認されたときに取締役の説明義務が解除される。
- 株主が、取締役の業務遂行結果（業績）に満足し、かつ株主総会で再任すれば、その新たな受託職務が始まる。

Ⅲ エージェンシー理論（agency theory）の概要

1. 某氏が本人（株主）に委託（委任）された会社経営（資産運用）の代理を受託（受任）し、両者の間に受委託関係が発生した。

2. 受委託関係に基づき、受託者には受託職務及び説明義務が課され、委託者は監視（モニター）権限を得た。

受託職務は、受託業務を適切に遂行する義務である。受託責任は誤訳であり、正しくは受託職務（受託者であるstewardの職務）である。

説明義務は、受託職務の遂行状況又は成果を説明又は報告する義務である。説明責任は誤訳であり、正しくは説明義務又は報告義務である。

この２つの義務は、対で課され、１つだけが課されることはない。

説明義務は、受託職務を適切に遂行したことを言葉と数字で証明する義務であり、代理経営者は財務報告によってこの義務を果たす。

3. 経営者は、財務報告について職業監査人の監査を受け、記載内容が適正であることを保証する旨の監査証明を株主に提出する。株主は、監査証明があれば、経営者が説明義務を果たしたと認め、財務報告の承認をもって経営者の説明義務を解除する。

会計監査は、株主による経営者の説明義務の解除に必要であるから、経営者によって活用された。これが監査の自発的生成の理由である。

会計は説明義務の発生から解除に至る過程を財務的側面から説明する手段として発展し、監査は会計の検証のために発展した。

stewardship（スチュワードシップ＝家令の職務）とは、英国貴族の館又は領地で領主の財産を代理管理したsteward＝家令に職務を表わす-shipを付けたものであり、家令が主人である領主から受託した職務（stewardのresponsibility）であるから、受託職務と意訳する。

accountability（アカウンタビリティ）とは、受委託関係の成立により受託職務とともに受託者に課される受託職務の遂行結果を委託者に説明又は報告する義務であるから、説明義務と和訳する。

Ⅳ 日本における受委託に関係する法律

会社法においては、株式会社と取締役等の法律関係を委任契約として捉え、次の通り規定している。

第330条（株式会社と役員等との関係）
株式会社と役員及び会計監査人との関係は、委任に関する規定に従う。

上述の「委任に関する規定」は民法（明治31年法律第89号）の規定を意味し、民法においては、以下の通り規定している。

第643条（委任）
委任は、当事者の一方が法律行為をすることを相手方に委託し、相手方がこれを承諾することによって、その効力を生ずる。

第644条（受任者の注意義務）
受任者は、委任の本旨に従い、善良な管理者の注意をもって、委任事務を処理する義務を負う。

第645条（受任者の報告義務）
受任者は、委任者の請求があるときは、いつでも委任事務の処理の状況を報告し、委任が終了した後は、遅滞なくその経過及び結果を報告しなければならない。

第643条は、いわゆる「受委託関係の成立」に関する規定である。
第644条の**委任事務**は、委任された仕事＝受託した業務を意味する。
第645条は、説明義務＝報告義務についての規定である。

日本では、取締役に対して、上掲の善管注意義務に加えて、会社法で忠実義務を課し、会社法及び判決で監視義務を課している。

会社法第355条（忠実義務）

　取締役は、法令及び定款並びに株主総会の決議を遵守し、株式会社のため忠実にその職務を行わなければならない。

最高裁判決（代表取締役の監視義務、1969年11月26日）

　株式会社の代表取締役が、他の代表取締役その他の者に会社業務の一切を任せきりにし、その業務執行になんら意を用いないで、ついにはそれらの者の不正行為ないし任務懈怠を看過するにいたるような場合には、みずからもまた悪意または重大な過失により任務を怠つたものと解すべきである。

最高裁判決（平取締役の監視義務、1973年5月22日）

　株式会社の取締役会は会社の業務執行につき監査する地位にあるから、取締役会を構成する取締役は、会社に対し、取締役会に上程された事柄についてだけ監視するにとどまらず、代表取締役の業務執行一般につき、これを監視し、必要があれば、取締役会を自ら招集し、あるいは招集することを求め、取締役会を通じて業務執行が適正に行なわれるようにする職務を有するものと解すべきである。

大阪地裁判決（取締役及び監査役の監視義務、2000年9月20日）

　大阪地裁の判決については第2章第3節Ⅵを参照されたい。

Ⅴ 「義務」と「責任」の違い

　義務とは、自己の立場に応じて当然にしなければならないこと（作為義務）及びしてはならないこと（不作為義務）を言い、責任とは、ある法律行為によって自己に課された義務を怠った場合に、自己の作為又は不作為に基づくその結果について、一定の制裁、負担、新たな義務等の不利益を負わされることを言う。

　辞書をひくと、責任とは、①立場上当然負わなければならない任務や義務、②自分の行為の結果について責や科の償いを負うこととあるが、①は、義務であるから、責任の解説として適切ではない。

　法的には、自己の作為又は不作為に基づき、その結果について一定の制裁、負担、新たな義務、その他の不利益を負わされることである。

法律上は、先ず法的義務があり、その義務が遂行されない場合に法的責任（責（せめ）：禁固又は懲役、科（とが）：罰金、償（つぐない）：損害賠償）が発生する。

以上の理由により、「accountability」を「説明責任」と和訳するのは誤りであり、正しい和訳は、「説明義務」である。

義務と責任の関係を容易に理解するのに適当な用語の使用例として、保険契約者の「告知義務」と国民の「納税義務」がある。

- 保険契約者は保険契約締結の際に重要事項（健康状態及び病歴）について真実を告知する義務を負っており、これを告知義務と言う。告知義務に違反した場合は、保険金の支払を受けられない。これが違反者に負わされる責任である。
- 国民は税金を納付する義務を負っており、これを納税義務と言う。納税義務に違反した場合は、10年以下の懲役若しくは1,000万円以下（脱税額が1,000万円超の場合は、その相当額以下）の罰金、又はその併科に処される。これが違反者に負わされる責任である。

この他に、公務員に課される「守秘義務」がある。

Ⅵ 「説明義務」と「情報開示」の違い

「説明義務（accountability＝account＋able＋ity）」は、受委託関係にある当事者間だけに存在している、受託者の委託者に対する説明義務であるから、受託者である経営者が当該義務を果たすべき相手は委託者である株主（stockholders又はshareholders）に限定される。

「情報開示（information disclosure）」とは、情報を明示することであり、自発的に行なうものと法規で強制されて行なうものがある。

「開示義務（disclosure obligation）」とは、経営者が法令及び社会の要請によって課された義務であり、経営者が当該義務を果たさなければならない相手は、監督機関、株主、債権者、投資者その他の利害関係者（stakeholders）である。

証券取引所は、更に、最新の会社情報を迅速、正確、公平に提供するよう、「上場有価証券の発行者の会社情報の適時開示（timely disclosure）等に関する規則」を定めている。

Ⅶ 「受託職務」と「受託者の義務」の違い

「受託職務（stewardship）」は、受託者の任務としての「受託業務を遂行する義務」である。これに対し、「受託者の義務」とは、委託者との信認関係（fiduciary relationship）に基づき、年金基金の運用者及び金融仲介業者（金融サービス業者）等の「受託者が負う義務」＝「受託者の義務（fiduciary duty）」である。

受託職務も受託者の義務も、委託者のために働く義務を意味する。

日本では、「fiduciary duty」を「受託者の義務」以外に「信任義務」又は「信認義務」と和訳しており、法学の分野では「信認義務」を使用している。

法律及び判例で取締役に課された義務は、以下の3つである。

① 善管注意義務
② 忠実義務
③ 監視義務

信託法（平成18年12月15日法律第108号）で信託行為の定めに従い、信託財産に属する財産の管理又は処分及びその他の信託の目的の達成のために必要な行為をすべき義務を負う者（同法に規定された受託者）に課された義務は、以下の8つである。

① 自己執行義務（第28条）（第三者への委託は、原則禁止であるが、例外を認めている）
② 善管注意義務（第29条）
③ 忠実義務（第30条）
④ 公平義務（第33条）
⑤ 分別管理義務（第34条）
⑥ 第三者の監督義務（第35条）
⑦ 報告義務（第36条）
⑧ 帳簿等の作成、報告、保存義務（第37条）

信託法で同法に規定された受託者に課された責任は、損失補填である（第40条）。

Ⅷ 受託職務と説明義務の汎用性

　受託者である代理経営者がその説明義務を果たすために作成する財務報告は、当該会社の経済活動の状況及び事象を数字及び言葉で表明する貸借対照表、損益計算書、キャッシュ・フロー計算書等の事業報告及び有価証券報告書を意味する。会計及び外部監査の分野では、これを経営者のassertion（アサーション）と呼び、経営者の主張と和訳されている。

　受託者の説明義務は、株主と取締役の間だけでなく、金銭貸借契約の締結による債権者と取締役の間、雇用契約の締結による雇用者と被雇用者の間においても適用される。更には、当事者間で契約書を取り交わさない税務署と納税者の間及び企業における上司と部下の間においても、裁量権限、遂行義務、報告義務に関する暗黙の契約として適用される。

　裁量権限は、業務の遂行に必要であるから、その範囲内に限定して、遂行義務を課される者だけに、付与されるものである。

　組織体は、受委託関係の連鎖で成り立っている。社内を例示すると、取締役（元請）⇒ 本部長（下請）⇒ 部長（孫請）⇒ 部下… である。

　受委託者間で交わされる権限、義務、責任に関する暗黙の契約とは、次のことを意味する。

- 権限を付与された者は、付与された権限を適切に行使する義務及び適切に行使したことを付与者に説明又は報告する義務を負う。
- 業務を委託された者は、委託された業務を適切に遂行する義務及び適切に遂行したことを委託者に説明又は報告する義務を負う。
- 部下に業務の遂行を再委託した上司及び業務の遂行に必要な権限を付与した上司は、部下を適切に管理監督して業務を遂行させる義務、権限を適切に行使させる義務、その職務によって自身の受託業務を適切に遂行したことを報告する義務を負う。
- 部下が業務を遂行しなかった場合、上司は自身でその義務を果たさなければならない。そうしなければ、受託責任を問われ、何らかの処分を受けることになる。
- ＊説明義務を果たしたと認められれば、受託職務が解除される。

第2節 監査に関係する重要概念

Ⅰ 真実かつ公正な概観

　真実かつ公正な概観（true and fair view: TFV）は英国の会計規範における上位概念であり、英国では、会計基準を適用することが真実かつ公正な概観を示す妨げとなると判断される場合、会計基準から離脱することが要求されている。

　英国の会計思考は「法令、規則、会計基準等を遵守すれば財務諸表の真実性は確保される」とする日本を含むFranco-German流の思考とは正反対のものであるが、EC理事会指令第7号に基づく法改正により、フランスとドイツでも真実かつ公正な概観が採用された。但し、ドイツでは、法規定からの離脱が認められていない。

　英国では、1844年株式会社登記法で会計帳簿に加えて完全かつ公正な（full and fair）貸借対照表の作成が義務付けられたが、1845年会社条項総括法で完全かつ真実な（full and true）に改められた。

　1856年株式会社法は、「貸借対照表が完全かつ公正（full and fair）であり、会社の財務状態の真実かつ正確な概観（a true and correct view: TCV）を表示するように適切に作成されているか否かを監査報告書に記載しなければならない」と規定して監査人の義務を明確化した。

　1931年に発生した郵船会社Royal Mailの社債発行目論見書の表示が詐欺かどうかの訴訟事件がきっかけで正確の含意が問題となり、1947年会社法で今日でも使用されている真実かつ公正な概観に修正された。

　従来の正確な概観から公正な概観に変更された新概念は、法的要求が計算書類の正確性から開示情報の公正性に変更されたものと一般に理解されており、それまでの株式会社に関する法律を改廃、整理、総括して制定された1948年会社法で詳細に規定されて、今日に至る英国会社法の最高規範かつ会社会計規範の基本となった。

　1948年会社法は、会社会計の根本理念として、真実かつ公正な概観の概念の導入とともに、法からの離脱規定を定めた。

更に、1985年会社総括法で、**真実かつ公正な概観**を提供する個別財務諸表の作成義務と会計規則の遵守義務を規定し、「規定の遵守がTFVの提供と矛盾する特別な状況にある場合、取締役はTFVを提供するために当該規定から離脱しなければならない。その場合、その理由及び影響を当該勘定の注記として記載しなければならない。」と規定した。

フランスでは、1966年商事会社法で年次計算書類の**正規性**（régularité）及び**誠実性**（sincérité）の証明を会計監査人に義務付けた。正規性及び誠実性は、適法性及び真実性を意味している。

EC理事会指令第7号の国内法化のために制定した1983年調和化法で「会社の年次計算書類は、**正規かつ誠実**でなければならず、かつ会社の財産、財務状況及び成果の**忠実な概観**（une image fidèle）を提供しなければならない。」と規定し、従来の年次計算書類の基本原則に忠実な概観を付加した。1985年調和化法では「会社の連結計算書類は、**正規性及び誠実性**を具備しかつ連結企業集団の財産、財務状況、成果について**忠実な概観**を提供しなければならない。」と規定した。

しかしながら、**忠実な概観**とは如何なるものかの明文規定がどの法律にもないため、会計実務は国家会計審議会が制定する一般的会計指針であるプラン・コンタブル・ジェネラル（Plan Comptable Général）に準拠して行なわれる。

ドイツでは、1897年の改正商法典第38条で、「総ての商人は、帳簿を作成し、かつ**正規の簿記の諸原則**（Grundsätze ordnungsmäßiger Buchführung：GoB）を遵守して、帳簿上に自己の商取引と財産状態を明瞭に記録する義務を負う。」と規定した。

EC理事会指令の国内法化措置として制定した1985年貸借対照表指令法に基づき改正された1985年改正商法典で「資本会社は、**正規の簿記の諸原則**を遵守して会社の財産、財務、成果の状態の**実質的関係に合致した写像**（ein den tatsächlichen Verhältnissen entsprechendes Bild）を伝達しなければならず、特別の事情によって年度決算書が**実質的関係に合致した写像**を伝達しない場合は、注記書類で追加的記述をしなければならない。」と規定した。

この実質的諸関係に合致した写像という新しい概念は英国の真実かつ公正な概観の概念を採択したEC理事会指令第4号及び第7号の国内法化措置で導入したものであるが、法規定からの離脱は認められていない。
　米国では、英国の真実かつ公正な概観（TFV）に相当する文言として公正に表示している（present fairly）を使用している。
　米国の財務諸表監査で使用される公正性（fairness）は、AIAに宛てたNYSE理事長の1933年1月6日付書簡で初めて公式に使用された。
　これは、「精細監査を実施していない監査人が発行する監査証明書（audit certificate）にpresent correctly（正確に表示している）という文言を記載するのは監査人の責任の観点から適切ではない」との判断を示したものであるが、AIAがこれを採用して標準形式としたので、監査実務においてpresent fairlyが徐々に定着した。
　日本では、1949年7月8日に公表された『企業会計原則』に真実かつ正確な概観を含む重要な原則が明記されている。
　『企業会計原則』は、黒澤清教授が中心となり、米国のSHM会計原則、ドイツ及び英国の会計理論を取り入れて纏められたものであり、『監査基準』を纏められた岩田巖教授が『会計原則と監査基準』（中央経済社、1955年）で解説しておられるので、当該部分を要約して付記する。

① **企業会計は、企業の財政状態及び経営成績に関して、真実な報告を提供するものでなければならない。**…いわゆる**真実性の原則**を表現したものであるが、財務諸表の真実性はもとより取引記録の正当性にも及ぶものである。

② **企業会計は、すべての取引について、正規の簿記の原則に従って、正確な会計帳簿を作成しなければならない。**…ドイツの株式法の**整然たる簿記の原理**の観念を取り入れたものであり、**正規の簿記の原則**は、過去の取引記録を基礎とすることを以て真実とすることである。

③ **資本取引と損益取引とを明瞭に区分し、特に資本剰余金と利益剰余金とを混同してはならない。**…いわゆる**資本と利益の区別の原則**に相当するものであるが、ここでは正味資産の変動を惹起する取引を**資本取引と損益取引**に区別することをいう。

④ 企業会計は、財務諸表によって利害関係者に対し必要な会計事実を明瞭に表示し、企業の状況に関する判断を誤らせないようにしなければならない。…いわゆる**明瞭性の原則**に相当する。貸借対照表明瞭性の原則よりも広い意味のもので、財務諸表全部に通ずる明瞭性であることはいうまでもないが、重要なことは会計処理の結果たる科目と価額のみならずその結果をうるにいたった会計処理の過程を明瞭に記載することである。それこそ、企業状況とか経理内容といわず、あえて「会計事実」という新語が用いられたのではなかろうか。

⑤ 企業会計は、その処理の原則及び手続を毎期継続して適用し、みだりにこれを変更してはならない。正当な理由によって、会計処理の原則又は手続に重要な変更を加えたときは、これを財務諸表に注記しなければならない。…いわゆる**継続性の原則**であるが、ここにいわゆる重要性の原則が頭を出していることは注意すべきである。

⑥ 企業の財政に不利な影響を及ぼす可能性がある場合には、これに備えて適当に健全な会計処理をしなければならない。…保守主義、安全性、慎重の原則をうたったものである。

⑦ 株主総会提出のため、信用目的のため、租税目的のため等種々の目的のために異なる形式の財務諸表を作成する必要がある場合、それらの内容は、信頼しうる会計記録に基づいて作成されたものであって、政策の考慮のために事実の真実な表示をゆがめてはならない。…**単一性の原則**に関するもので、形式と内容を区別して、形式には多様性を認め、内容には単一性を求めるごとくであるが、問題があるように思う。

日本では、法規定からの離脱が認められていない。

Ⅱ 継続企業の前提の検討

継続企業（going concern）とは、一般には「企業は、事業の終了の都度解散するのでなく、継続して存在するもの」という概念であるが、企業会計では「継続企業の前提でなければ、費用配分の原則に基づいて、有形固定資産の取得原価をその耐用期間における各事業年度に配分することができない」ことを意味する（第3章第1節Ⅱを参照）。

つまり、税務上10年償却を認められた固定資産の減価償却であっても「期末日から最低限１年以上継続企業として存続する能力がない場合は、全額を一括して償却しなければならない。例えば、10分の１相当の減価償却は虚偽表示になる」という意味である。
　継続企業の前提に関する監査人の検討とは、企業が将来に互って事業活動を継続するとの前提（継続企業の前提）に基づいて財務諸表を作成することが適切であるかどうかを監査の計画及び実施において検討すること並びに継続企業の前提に重要な疑義を抱かせる事象又は状況が存在すると判断した場合には、当該疑義に関して合理的な期間（決算日から１年間）について経営者が行なった評価、当該疑義を解消させるための対応及び経営計画の合理性を検討することを監査人に義務付けたものである。
　斯かる検討の必要性は、AICPAによって提起された。
　AICPAは、1981年３月に公表した監査基準書第34号『事業体の継続的存続に疑義が生じたときの監査人の考察（The Auditor's Consideration When a Question Arises About an Entity's Continued Existence）』において、企業の継続企業（ゴーイング・コンサーン、going concern）としての存続能力に関する初めての指針を示した。
　監査基準書第34号は、監査人に以下を要求し、継続企業としての存続能力についての消極的任務を課した。
- 被監査企業の存続について否定的情報を入手した場合に限って、当該企業の存続能力を考慮しなければならない。
- それが重要である場合は、条件付意見を記載しなければならない。

　AICPAは1988年４月に、不正及び違法行為の摘発、有効な監査の追及、外部利害関係者への通知の改善、内部関係者への通知の改善についての９つの監査基準書（第53号〜第61号）を同時に公表した。
　AICPAは、監査基準書第59号『継続企業としての存続能力に関する監査人の検討（The Auditor's Consideration of an Entity's Ability to Continue as a Going Concern）』で以下の事項を監査人に要求し、継続企業としての存続能力についての積極的任務を課した。

- 1989年1月1日以降の事業年度からの財務諸表監査で、被監査企業の合理的な期間（貸借対照表日以降1年を超えない期間）における継続企業としての存続能力に重要な疑義があると信じるときに、経営者の事業計画を入手して有効に実施される可能性を評価する。
- 存続について重要な疑義があると結論したときは、財務諸表において当該事実を開示することの適正性を判断し、監査報告書の説明区分で監査人の結論に至った状況及び限定付意見又は否定意見を記載しなければならない。

日本では、2002年1月25日に公表された監査基準で2003年3月期から、継続企業の前提に重要な疑義を抱かせる事象又は状況が存在するか否か（＝財務諸表の作成に当たって継続企業の前提が成立しているか否か）を検討するよう監査人に義務付けられ、2003年3月期から適用された。

同監査基準の解説を一部編集して掲載すると、以下の通りとなる。

(1) 継続企業の前提に対する対処

　企業が将来に亙って事業活動を継続するとの前提について監査人が検討することに対する社会の期待が存在する。背景には近年我が国で企業破綻の事例が相次ぎ、利害関係者の要望が強くなったことがある。米国等の主要国の監査基準及び国際監査基準（ISA）は、**継続企業の前提に関して監査人が検討を行うことを義務付けている**ことからも、改訂基準で導入することが適当と判断したものである。

(2) 監査上の判断の枠組み

　継続企業の前提に関わる監査基準のあり方としては監査人の責任はあくまでも**二重責任の原則**に裏付けられたものとしている。経営者は、財務諸表の作成に当たって継続企業の前提が成立しているかどうかを判断し、継続企業の前提に重要な疑義を抱かせる事象や状況について、適切な開示を行わなければならない。したがって、継続企業の前提に重要な疑義が認められる場合においても、監査人の責任は、企業の事業継続能力そのものを認定し、企業の存続を保証することにはなく、適切な開示が行われているか否かの判断、すなわち、会計処理や開示の適正性に関する意見表明の枠組みの中で対応することにある。

監査人による継続企業の前提に関する検討は、経営者による継続企業の前提に関する評価を踏まえて行われるものである。具体的には、継続企業の前提に重要な疑義を抱かせる事象や状況の有無、**合理的な期間**（少なくとも決算日から１年間）について経営者が行った評価、当該事象等を解消あるいは大幅に改善させるための経営者の対応及び経営計画について検討する。

　その結果、継続企業の前提に重要な疑義を抱かせる事象や状況が存在し、当該事象等の解消や大幅な改善に重要な不確実性が残るため、継続企業の前提に重要な疑義が認められる場合には、その疑義に関わる事項が財務諸表において適切に開示されていれば（他に除外すべき事項がない場合には）無限定適正意見を表明し、それらの開示が適切でなければ除外事項を付した限定付適正意見を表明するか又は不適正意見を表明する。なお、無限定適正意見を表明する場合には、監査報告書において、財務諸表が継続企業の前提に基づき作成されていることや当該重要な疑義の影響が財務諸表に反映されていないことなどを含め、当該重要な疑義に関する開示について情報を追記することになる。また、経営者が適切な評価を行わず、合理的な経営計画等が経営者から提示されない場合には、監査範囲の制約に相当することとなり、除外事項を付した限定付適正意見を表明するか又は意見を表明しない。ただし、事業の継続が困難であり継続企業の前提が成立していないことが一定の事実をもって明らかなときは不適正意見を表明することになる。これらは、基本的に国際的ないし主要国の監査基準に沿ったものである。要は、企業の事業継続能力に関わる情報の財務諸表における適切な開示を促すことが継続企業の前提に関わる監査基準の考え方である。

(3) 継続企業の前提に関わる開示

　継続企業の前提に影響を与える可能性がある事象や状況を余り広範に捉えると、その影響の重要度や発現時期が混淆し、却って投資判断に関する有用性を損なうとともに、監査人が対処できる限界を超えると考えられる。

したがって、公認会計士監査においては、相当程度具体的であってその影響が重要であると認められるような、重要な疑義を抱かせる事象又は状況についてのみ対処することとした。

継続企業の前提に重要な疑義を抱かせる事象や状況としては、企業の破綻の要因を一義的に定義することは困難であることから、財務指標の悪化の傾向、財政破綻の可能性等概括的な表現を用いている。より具体的に例示するとすれば、財務指標の悪化の傾向としては、売上の著しい減少、継続的な営業損失の発生や営業キャッシュ・フローのマイナス、債務超過等が挙げられる。財政破綻の可能性としては、重要な債務の不履行や返済の困難性、新たな資金調達が困難な状況、取引先からの与信の拒絶等が挙げられる。また、事業の継続に不可欠な重要な資産の毀損や権利の失効、重要な市場や取引先の喪失、巨額の損害賠償の履行、その他法令に基づく事業の制約等も考慮すべき事象や状況となると考えられる。いずれにせよ、このような事象や状況が存在する場合には、その旨、その内容、継続企業の前提に関する重要な疑義の存在、当該事象や状況に対する経営者の対応及び経営計画、当該重要な疑義の影響を財務諸表に反映しているか否か等について、財務諸表に注記を義務付けていくことが必要である。

継続企業の前提については、経営者に対しても、2002年10月18日付で改正された「財務諸表等の用語、様式及び作成方法に関する規則（財務諸表等規則）」及び「連結財務諸表の用語、様式及び作成方法に関する規則（連結財務諸表等規則）」並びに「財務諸表等規則の取扱に関する留意事項（財務諸表等規則ガイドライン）」により、注記の記載内容が明示された。

経営者は、2003年3月1日以後終了する事業年度及び連結会計年度に係る財務諸表及び連結財務諸表から、貸借対照表日において財政破綻の可能性その他会社が将来に亙り事業を継続するとの前提に重要な疑義を抱かせる事象又は状況が存在する場合には所要の注記を記載することを求められた。継続企業の前提に関する開示は、財務諸表だけでなく商法計算書類等においても同様に適用された。

しかしながら、継続的営業赤字及び債務超過等に該当すれば画一的に注記する結果となり、しかも投資家、金融機関、新聞紙が過剰反応する傾向が強くなったため、2009年4月9日に監査基準が改訂され、2009年3月決算に係る財務諸表の監査から実施されることとなった。
　企業内容等の開示に関する内閣府令（開示府令）、同ガイドライン、財務諸表等の用語、様式及び作成方法に関する規則（財務諸表等規則）、同ガイドライン、その他内閣府令も2009年4月20日付で国際財務報告基準（International Financial Reporting Standards; IFRS）に適合する内容に改正され、公布の日から適用（2009年3月末決算に係る財務諸表及び有価証券報告書等）されることとなった。
　監査基準においては、国際監査基準（International Standards on Auditing: ISA）との整合性を踏まえ、以下の改訂が行なわれた。
(1) 実施基準
　監査人は、継続企業の前提に重要な疑義を生じさせるような事象又は状況が存在すると判断した場合には、当該事象又は状況に関して合理的な期間について経営者が行なった評価及び対応策について検討した上で、なお継続企業の前提に関する重要な不確実性が認められるか否かを確かめなければならないとして、経営者が行なった継続企業の前提に関する評価の手順を監査人においても確認するものとされた。
(2) 報告基準
　意見の表明の適否の判断について、従来の「継続企業の前提に重要な疑義を抱かせる事象又は状況が存在している場合において経営者がその疑義を解消させるための合理的な経営計画等を提示しないとき」から、「継続企業の前提に重要な疑義を生じさせるような事象又は状況に関して経営者が評価及び対応策を示さないとき」に改訂し、重要な監査手続を実施できなかった場合に準じて意見の表明の適否を判断しなければならないとされた。
　財務諸表等規則及び同ガイドラインにおいては、国際会計基準（International Accounting Standards: IAS）における開示との整合性を踏まえ、以下の改訂が行なわれた。

継続企業の前提に関する注記（財務諸表等規則第8条の27）

　従来の「継続企業の前提に重要な疑義を抱かせる事象又は状況が存在する場合」から、「継続企業の前提に重要な疑義を生じさせるような事象又は状況が存在する場合であって、当該事象又は状況を解消し又は改善するための対応をしてもなお継続企業の前提に重要な不確実性が認められるとき」に継続企業の前提に関する注記を行なうことに改正された。

　注記事項については、以下の通り改正された。

(1) 従来
　① 当該事象又は状況が存在する旨及びその内容
　② 継続企業の前提に関する重要な疑義の存在
　③ 当該事象又は状況を解消又は大幅に改善するための経営者の対応及び経営計画
　④ 当該重要な疑義の影響を財務諸表に反映しているか否か

(2) 改正
　① 当該事象又は状況が存在する旨及びその内容
　② 当該事象又は状況を解消し、又は改善するための対応策
　③ 当該重要な不確実性が認められる旨及びその理由
　④ 当該重要な不確実性の影響を財務諸表に反映しているか否かの別

　財務諸表等規則の改正と併せて、企業内容等の開示に関する内閣府令（開示府令）及び同ガイドラインの改正も行なわれ、以下の事項の記載が求められた。

(1) 事業等のリスク

　提出会社が将来にわたって事業活動を継続するとの前提に重要な疑義を生じさせるような事象又は状況その他提出会社の経営に重要な影響を及ぼす事象（重要事象等）が存在する場合には、その旨及びその内容を記載する。

(2) 財政状態、経営成績及びキャッシュ・フローの状況の分析

　「事業等のリスク」において、重要事象等が存在する旨及びその内容を記載した場合には、当該重要事象等についての分析・検討内容及び当該重要事象等を解消し、又は改善するための対応策を具体的に記載する。

会社計算規則も、2009年3月27日付法務省令第7号により、財務諸表等規則と同様に改正され、4月1日に施行された。内部監査人は、継続企業の前提に関して、以下の事項を銘記して置く必要がある。
① 外部監査人が継続企業の前提に重要な不確実性が認められないかどうかを検討する目的は、財務諸表の適正性の判断にある。
② 自社及び傘下の企業集団各社が継続企業としての存続能力を確保するのに貢献し得るのが、実効を上げる内部監査である。
③ 実効を上げ経営に貢献する内部監査は、業務の有効性を重点的に検証する、現代の実践的内部監査でなければならない。

Ⅲ　二重責任の原則

　二重責任の原則とは、財務諸表の利用者に対し、その作成の責任者としての経営者とその適正性の証明者としての監査人が「二重の責任」を負うという、経営者と監査人の責任の所在及び限界を明確に示す重要な原則であり、1991年12月26日に改訂された監査基準で規定された。

　監査人は、適正な財務諸表を作成する責任は経営者にあること、財務諸表の作成に関する基本的な事項、経営者が採用した会計方針、経営者は監査の実施に必要な資料を全て提示したこと及び監査人が必要と判断した事項について、経営者から書面をもって確認しなければならない。

　上述の適正な財務諸表を作成及び公表する会計行為についての**経営者確認書**は金融商品取引法第24条の4の2で規定された**代表者確認書**とは異なるものであるから、注意を要する。

　後者は、有価証券報告書の記載内容が金融商品取引法に基づき適正であることを確認した旨を記載した、確認書である。

注意：「二重責任」という用語は「accountability」を「会計責任」と誤訳したことに発している。本来、その意味するところは「経営者は適正な財務諸表を作成する義務を負い、監査人は当該財務諸表が適正か否かの意見を表明する義務を負う」である。不適正な財務報告であったことが後日判明した場合、経営者が作成者としての責任を負い、監査人はそれを見落とした責任を負うことになる。

第3節 日本の三様監査

I 主要国の法定監査

　以下の欧米各国の株式会社に対する法定監査は証券取引法、会社法、商法に基づき公認会計士、勅許会計士、経営監査士が実施する会計監査又は財務諸表監査であり、業務監査に相当するものはない。
　米国：証券取引所法に基づく公開企業（SEC登録企業）の監査
　英国：金融サービス局上場規則に基づく上場会社及び会社法に基づく
　　　　株式会社等の監査（小規模会社を除く）
　仏国：商法に基づく株式会社等の監査（小規模会社を除く）
　独国：商法に基づく上場会社及び株式会社の監査（小規模会社を除く）
　日本の株式会社に対する法定監査には、会社法及び金融商品取引法という2種類の法律に基づく3種類があり、かつ監査役については、計算書類に対する会計監査及び取締の職務の執行に対する業務監査がある。

II 日本の三様監査

　日本では、監査役監査及び公認会計士監査（外部監査）に内部監査を加えた三者三様の監査形態を、三様監査と言う。
　かつては、三様監査の特徴について、以下のように表現していた。
　外部監査　：会社外部者による会社外部者（投資者）のための監査
　監査役監査：会社内部者による会社外部者（株主）のための監査
　内部監査　：会社内部者による会社内部者（経営者）のための監査
　しかしながら、社外監査役及び内部監査の外部委託（outsourcing）の出現により、外部監査以外は以下の通りに変化してしまった。
　外部監査　：会社外部者による会社外部者のための監査
　監査役監査：会社内部者及び外部者による会社外部者のための監査
　内部監査　：会社内部者又は外部者による会社内部者のための監査
　これに対し、イタリアを除く欧米各国の監査形態は、法定の外部監査及び任意の内部監査の2種類だけである。

Ⅲ　日本の監査役

「監査役」という言葉はRoeslerの商法草案（Entwurf eines Handels-Gesetzbuchs）の「Aufsichtsrat（当時はAufsichtsrath）」からの和訳であることからドイツと同様の機関であると誤解されているが、ドイツのAufsichtsratの職務は、Vorstandsmitglied（執行役会構成員）の選任、解任、監督、助言であり、日本の監査役の職務即ち取締役の職務執行の監査とは大きく異なる。

Aufsichtsratの英訳はSupervisory Boardであり、Vorstandの英訳はBoard of Officersであることと職務の内容から、筆者はAufsichtsratを「監督役会」と和訳し、Vorstandを「執行役会」と和訳している。

AufsichtsratとVorstandの位置付けは米国のBoard of DirectorsとBoard of Officersのそれと同様のものであるが、Aufsichtsratの権限はBoard of Officersと比較にならないほどに強大である。

日本の監査役制度は明治23年商法でドイツ連邦の1870年一般商法典の機関設計を参考にしたと言われているが、高田晴仁慶應義塾大学教授は「（Roeslerが商法草案で意図した日本の）「アウフジヒツラート」は、ドイツのような経営の支配者ではなく、（少数派の）株主のための経営の「監視役」である（「監査役の誕生」『月刊監査役』No.656、p.79、2016.7.25）、「監査」は株主代表による経営「監視」と「検査」の組合せによる造語であった（同、No.711, 2020.7.25）と述べておられる。

商法草案の作成者Roeslerは、日本の実情を勘案し、ドイツ型の監督役会と同様の機関ではなく、株主の中から選出した監査役3名乃至5名から成る監査役会としての取締役の業務執行の監視並びに会社計算書類等の検査及び必要な場合の株主総会の招集を職務とする機関即ち株主のための経営の「監視役」として規定した模様である。

筆者は、日本の監査役は他国にはない独特のものと理解していたが、高田教授は、1882年のイタリア商法で今日の日本の監査役会に類似した業務監査も行なう監査役会（collegio sindacale）の設置を規定している偶然性についても述べておられる（同上、No.695）。

第4節 監査役の監査、監査委員会の監査及び監督、監査等委員会の監査及び監督

I 監査役の監査の概観

監査役に関係する会社法の主要条文は、以下の通りである。

第327条　次に掲げる株式会社は、取締役会を置かなければならない。

2　取締役会設置会社は、監査役を置かなければならない。

3　会計監査人設置会社は、監査役を置かなければならない。

第328条　大会社は、監査役会及び会計監査人を置かなければならない。

第329条　役員及び会計監査人は、株主総会の決議によって選任する。

第330条　株式会社と役員…との関係は、委任に関する規定に従う。

第332条　取締役の任期は、選任後2年以内に終了する事業年度のうち最終のものに関する定時株主総会の終結の時までとする。

第335条

3　監査役会設置会社においては、監査役は、3人以上で、そのうち半数以上は、社外監査役でなければならない。

第336条　監査役の任期は、選任後4年以内に終了する事業年度のうち最終のものに関する定時株主総会の終結の時までとする。

第339条　役員及び会計監査人は、いつでも、株主総会の決議によって解任することができる。

第340条　監査役は、会計監査人が次のいずれかに該当するときは、その会計監査人を解任することができる。（一から三を省略）

第343条　取締役は、監査役がある場合において、監査役の選任に関する議案を株主総会に提出するには、監査役（監査役が2人以上ある場合にあっては、その過半数）の同意を得なければならない。

第344条　監査役設置会社においては、株主総会に提出する会計監査人の選任及び解任並びに会計監査人を再任しないことに関する議案の内容は、監査役が決定する。

第381条　監査役は、取締役の職務の執行を監査する。この場合において、監査役は、…監査報告を作成しなければならない。

2　監査役は、いつでも、取締役及び会計参与並びに支配人その他の使用人に対して事業の報告を求め、又は監査役設置会社の業務及び財産の状況の調査をすることができる。

3　監査役は、その職務を行うため必要があるときは、監査役設置会社の子会社に対して事業の報告を求め、又はその子会社の業務及び財産の状況の調査をすることができる。

第382条　監査役は、取締役が不正の行為をし、若しくは当該行為をするおそれがあると認めるとき、又は法令若しくは定款に違反する事実若しくは著しく不当な事実があると認めるときは、遅滞なく、その旨を取締役（会）に報告しなければならない。

第383条　監査役は、取締役会に出席し、必要があると認めるときは、意見を述べなければならない。

第384条　監査役は、取締役が株主総会に提出しようとする議案、書類その他法務省令で定めるものを調査しなければならない。…

第385条　監査役は、取締役が監査役設置会社の目的の範囲外の行為その他法令若しくは定款に違反する行為をし、又はこれらの行為をするおそれがある場合において、当該行為によって当該監査役設置会社に著しい損害が生ずるおそれがあるときは、当該取締役に対し、当該行為をやめることを請求することができる。

第387条

3　監査役は、株主総会において、監査役の報酬等について意見を述べることができる。

第390条　監査役会は、すべての監査役で組織する。

2　監査役会は、次に掲げる職務を行う。ただし、第3号の決定は、監査役の権限の行使を妨げることはできない。

　一　監査報告の作成
　二　常勤の監査役の選定及び解職
　三　監査の方針、監査役会設置会社の業務及び財産の状況の調査の方法その他の監査役の職務の執行に関する事項の決定

3　監査役会は、監査役の中から常勤の監査役を選定しなければならない。

第397条
2 監査役は、その職務を行うため必要があるときは、会計監査人に対し、その監査に関する報告を求めることができる。

第436条 監査役設置会社においては、前条第2項の計算書類及び事業報告並びにこれらの附属明細書は、法務省令で定めるところにより、監査役の監査を受けなければならない。

2 会計監査人設置会社においては、次の各号に掲げるものは、法務省令で定めるところにより、当該各号に定める者の監査を受けなければならない。
一 前条第2項の計算書類及びその附属明細書　監査役及び会計監査人
二 前条第2項の事業報告及びその附属明細書　監査役

Ⅱ　監査役の監査の目的と監査役の職務

1　監査役監査の目的

監査役監査の目的は、会社の監視機能としての監査役が、会社の経営機能である取締役の職務の執行を監査することによって、会社、株主、債権者の利益を保護することにある。

監査役は、その職務として、次の事項を監査する。
① 取締役の職務の執行が、法令、定款、株主総会決議、取締役会決議等に適合しているか。
② 取締役が、善管注意義務、忠実義務、監視義務を履行しているか。
③ 会社の計算関係書類等が、計算書類規則、企業会計原則等に則って適正に作成されているか。

上記の「善管注意義務、忠実義務、監視義務」の履行状況には、次の体制の整備及び運用が含まれる。
① 取締役の職務の執行が法令及び定款に適合することを確保するための体制の整備及び運用
② 会社の業務並びに当該株式会社及びその子会社から成る企業集団の業務の適正を確保するために必要なものとして法務省令（会社法施行規則）で定める体制の整備及び運用

③ 会社の所属する企業集団及び当該会社に係る財務計算に関する書類その他の情報の適正性を確保するために必要なものとして内閣府令で定める体制の整備及び運用

　監査役の業務監査は、取締役会等重要会議への出席、重要書類の閲覧及び内部通報の監査役への報告を通じて情報を収集し、かつその情報が適切か否かを見極め、内部統制システムの適切な構築及び運用の状況を監視することによって不祥事を未然に防止する「予防監査」である。

　会社法上の会計監査は、金融商品取引法上の財務諸表監査と異なり、定時株主総会の前に実施されかつ監査の結果が株主総会に反映される、「事前監査」である。

　「事前監査」と「予防監査」は混同されがちであるが、事前監査は会計監査の場合に使い、予防監査は業務監査の場合に使う。

　会計監査人設置会社の場合、監査役は、会計監査人が実施した会社の計算関係書類に対する会計監査の方法及び結果の相当性について判断をするだけであるから、監査役の会計監査は2次的なものとなる。

　監査役は、会社の取締役が金融商品取引法の適用を受ける職務についても、適時かつ適切に執行しているか否かを監査しなければならない。

2　監査役の職務

　公益社団法人日本監査役協会は、監査役の職務を「監査役の職責」と称して、監査役監査基準第2条で、次の通り規定している。

1. 監査役は、取締役会と協働して会社の監督機能の一翼を担い、株主の負託を受けた独立の機関として取締役の職務の執行を監査することにより、企業及び企業集団が様々なステークホルダーの利害に配慮するとともに、これらステークホルダーとの協働に努め、健全で持続的な成長と中長期的な企業価値の創出を実現し、社会的信頼に応える良質な企業統治体制を確立する責務を負っている。
2. 前項の責務を通じ、監査役は、会社の透明・公正な意思決定を担保するとともに、会社の迅速・果断な意思決定が可能となる環境整備に努め、自らの守備範囲を過度に狭く捉えることなく、取締役又は使用人に対し能動的・積極的な意見の表明に努める。

3．監査役は、取締役会その他重要な会議への出席、取締役、使用人及び会計監査人等から受領した報告内容の検証、会社の業務及び財産の状況に関する調査等を行い、取締役又は使用人に対する助言又は勧告等の意見の表明、取締役の行為の差止めなど、必要な措置を適時に講じなければならない。

(1) 監査役の予防監査

監査役の主な職務は、取締役の職務の執行が適法であるか否かの監査（業務監査）及び計算関係書類（計算書類及びその附属明細書並びに連結計算書類等の会社計算規則第2条第3項第3号に規定するもの）が適正に処理されているか否かの監査であり、基本的に事後に実施されるものであるが、著しく不当な事実があると認めるとき及び取締役の行為により会社に著しい損害が生じる恐れがあるときは、予防的監査を実施する。

(2) 監査役の適法性監査と妥当性監査

適法性監査とは取締役の職務の執行が法令及び定款に適合しているか否かの監査であり、妥当性監査とはそれが妥当か否かの監査である。

監査役の監査権限に関する商法上の規定が「監査役は取締役の職務の執行を監査す」（第274条第1項）だけであり、監査権限が適法性監査に留まるのか妥当性監査にも及ぶのかが不明確であったため種々の議論があったが、経営の意思決定と政策の判断は取締役会が行なうべきものであるから、監査役の監査権限は適法性監査に留まるとするのが、従来の通説であった。

現在は、会社法第382条（取締役への報告義務）、第384条（株主総会に対する報告義務）、第385条（監査役による取締役の行為の差止め）という規定を根拠に、適法性だけでなく妥当性も含まれると考えるのが適当であるとされているが、取締役の職務執行の妥当性の監査は容易にできるものではないので、妥当性の監査に当たっては、経営判断の原則に留意する必要があると言われている。

(3) 経営判断の原則

経営判断の原則（business judgment rule）とは、次のような、米国会社法上の概念である。

- 裁判所は、取締役が必要な情報を入手して検討の上、会社の利益になると信じて行なった場合は、その経営上の判断の当否について、踏み込まない。

日本では、1980年10月8日の福岡高裁判決及び1993年9月16日の東京地裁判決で、善管注意義務、忠実義務、監視義務違反がなかったことを理由に、被告の損害賠償責任を否定している。

東京地裁の判決の趣旨は、福岡高裁の判決を参考にしたものであり、要約すると次の通りである。

- 意思決定の前提となった事実認識に不注意な誤りがあった場合は、善管注意義務違反となる。
- 意思決定の過程が著しく不合理であったと認められる場合は、忠実義務違反となる。

要するに、取締役は、経営上の判断において違法行為及び違反行為がなければ、結果責任のみを問われることはないということである。

公益社団法人日本監査役協会は、取締役会の意思決定の監査について監査役監査基準第22条で、次の通り規定している。

1. 監査役は、取締役会決議その他において行われる取締役の意思決定に関して、善管注意義務、忠実義務等の法的義務の履行状況を、以下の観点から監視し検証しなければならない。
   一 事実認識に重要かつ不注意な誤りがないこと
   二 意思決定過程が合理的であること
   三 意思決定内容が法令又は定款に違反していないこと
   四 意思決定内容が通常の企業経営者として明らかに不合理ではないこと
   五 意思決定が取締役の利益又は第三者の利益でなく会社の利益を第一に考えてなされていること
2. 前項に関して必要があると認めたときは、監査役は、取締役に対し助言もしくは勧告をし、又は差止めの請求を行う。

監査役は、取締役の職務の執行について、善管注意義務、忠実義務、監視義務に違反していないかどうかの監査も実施しなければならない。

Ⅲ 監査役の監査の機能

監査役は、次の3つの機能を有している。

(1) 取締役の職務執行の監視機能

取締役の職務執行の監視機能は、会社業務の適法性を確保するために株主の監視権限をその代理人として行使する、本来的機能である。

このため、取締役会への報告義務（第382条）、取締役会への出席・意見陳述義務、取締役会招集の請求権・取締役会招集権（第383条）が監査役に付与されている。

(2) 会社の財産の保全機能

会社の財産の保全機能は、会社に著しい損害又は重大な事故等を招く惧れがある事実及び会社業務において著しく不当な事実を認めたときに取締役に対する取止め請求等の、必要な措置を講じる機能である。

このため、取締役の行為の差止め請求権（第385条）が監査役に付与されている。

(3) 株主に対する報告機能

株主に対する報告機能は、監査役としてその受託職務及び説明義務を果たすために、業務監査及び会計監査の方法及び結果等を監査報告書に記載して株主に報告する機能並びに取締役に法令又は定款等に違反する行為等があった場合にその旨を株主総会で報告する機能である。

このため、監査報告の作成義務（第381条第1項）と株主総会に対する報告義務（第384条）が監査役に課されている。

Ⅳ 監査役の監査の実効を上げる方法

監査役は、次の3つの目をもって監査を実施する必要がある。

① **法律の目**：取締役の職務の執行が法令及び定款に適合しているか
② **世間の目**：取締役の職務の執行が社会規範に適合しているか
③ **株主の目**：取締役の職務の執行が株主の負託に適合しているか
  - 役職員の不祥事及び違法行為によって会社の信用を失墜し、継続企業としての存続能力を喪失する惧れはないか

- リスク・マネジメントの失敗によって多額の損失を計上し、継続企業としての存続能力を喪失する惧れはないか
- 会社の財産が確実に保全され、配当を継続的に収受できるか

監査技術の1つである「ヒアリング」を「単に聞けばよい」と誤解し「子供の使い」となると、監査の実効は望むべくもない。

監査とは、自らの耳と目で証拠に当たり、事実の把握又は確認をした上で、その業務の適否又は良否を判断して、その結果を利用者に的確に伝達する業務である。又聞きと監査は根本的に異なるものである。

会社を人体に喩えると、頭が取締役、手足が使用人である。取締役の意図が人体の末端まで周知徹底されているか、取締役の監査役への説明通り手足が動いているか、資産が保全されているか、取締役が企図及び説明した通りの実績が上がっているか等を確かめるためには、使用人の業務執行の実態及び会計数値の調査による裏付をとる必要がある。

即ち、取締役の職務執行の監査においては、取締役の意図及び指示と使用人の業務執行の一致具合を確かめる反面調査並びに業務執行と表裏一体の関係にある会計数値を加工した「趨勢分析等」が必要である。

監査役が自らの職務を円滑に遂行するためには、取締役の「見張役」ではなく「見守役」であるとして臨むことである。

会社法第381条第1項の「監査役は取締役の職務の執行を監査する」という条文は、取締役が意図的又は不注意に及び作為的又は不作為的に、善管注意義務、忠実義務、監視義務に違反し会社に著しい損害を及ぼすことのないよう監視、牽制、助言をすることを意味しているが、これをもって「監査役の職務は取締役の職務執行を見張ることである」と解釈してはならない。

そのような解釈は取締役にとって目障りな存在と受け取られるので、取締役が善管注意義務、忠実義務、監視義務に違反してその責任を追及されることのないよう見守ることであるという姿勢で接するのがよい。

取締役は株主から会社の経営及び他の取締役の監督を委任された受任者であり、監査役は株主から取締役の監査及び会社財産の保全等を委任された受任者である。

取締役と監査役は、上下関係にも敵対関係にもなく、それぞれの立場から会社の健全かつ継続的発展を確実なものとする職務を負っている。

　株式会社を船舶にたとえると、代表取締役は船長であり監査役はその安全かつ経済的航海に有用な情報の提供者（海図、気象予報、レーダー、ナビゲーター）である。両者は、互いの立場を理解し、忌憚のない意見交換をすることが肝要である。

V　監査委員会創設の経緯

　日本では、2000年代に入っても、多数の取締役で取締役会を構成していたので、業務執行等の決定に膨大な時間を費やしていた。ビジネスのグローバル化により競争が激化する中で的確で迅速な会社の業務執行の決定を可能としかつ監査役の監視機能に対する外国投資家の不信を払拭するため、2003年4月1日に施行の商法特例法で米国のモニタリング・モデルに倣った「委員会等設置会社」制度が導入され、従来の「監査役（会）設置会社」制度との選択制となった。

　しかしながら、社外取締役による役員の選定及び報酬の決定に対する抵抗感、3委員会の設置には取締役の増員が必要等の誤解があり、東証上場の委員会等設置会社数は60社乃至70社前後で推移してきた。

　米国のAudit Committee（監査委員会）は、自身でoperational audit（業務監査）を実施することはないし、accounting audit（会計監査）を実施することもなく、外部監査人及び内部監査が実施した監査の結果を単にレビューするだけである。これが、取締役会による執行役に対するモニタリングと言う、コーポレート・ガバナンスの手法であるが、その職務の実態は、監査ではなく、聴取にとどまり、これで執行役に対する監視及び監督が有効に為されるのか疑問である。

　「委員会等設置会社」という名称は、2008年6月13日に成立の会社法で「委員会設置会社」に変更されたが、2014年6月20日に成立の改正会社法で「監査等委員会設置会社」制度が新設されたので、これらの混同を避けるため、「委員会設置会社」の名称が「指名委員会等設置会社」に変更された。

Ⅵ 監査委員会の監査の概観

監査委員会に関係する会社法の主要条文は、以下の通りである。

第327条　次に掲げる株式会社は、取締役会を置かなければならない。
4　…指名委員会等設置会社は、監査役を置いてはならない。
5　…指名委員会等設置会社は、会計監査人を置かなければならない。
6　…指名委員会等設置会社は、監査等委員会を置いてはならない。

第329条　役員及び会計監査人は、株主総会の決議によって選任する。

第330条　株式会社と役員…との関係は、委任に関する規定に従う。

第332条　取締役の任期は、選任後1年以内に終了する事業年度のうち最終のものに関する定時株主総会の終結の時までとする。

第339条　役員及び会計監査人は、いつでも、株主総会の決議によって解任することができる。

第340条　監査委員会は、会計監査人が次のいずれかに該当するときは、その会計監査人を解任することができる。(一から三を省略)

第400条　各委員会は、委員3人以上で組織する。
2　各委員会の委員は、取締役の中から、取締役会決議によって選定する。
3　各委員会の委員の過半数は、社外取締役でなければならない。

第401条　各委員会の委員は、いつでも、取締役会の決議によって解職することができる。

第404条　指名委員会は、株主総会に提出する取締役の選任及び解任に関する議案の内容を決定する。
2　監査委員会は、次に掲げる職務を行う。
　一　執行役等の職務の執行の監査及び監査報告の作成
　二　株主総会に提出する会計監査人の選任及び解任並びに会計監査人を再任しないことに関する議案の内容の決定

第405条　監査委員会が選定する監査委員は、いつでも、執行役等及び支配人その他の使用人に対し、その職務の執行に関する事項の報告を求め、又は指名委員会等設置会社の業務及び財産の状況の調査をすることができる。

2　監査委員会が選定する監査委員は、監査委員会の職務を執行するため必要があるときは、指名委員会等設置会社の子会社に対し事業の報告を求め、又はその子会社の業務及び財産の状況の調査をすることができる。

補足：各委員の解職は取締役会の決議によるとする第401条の規定は、各委員の独立性が担保されていないことを意味する。

　　　監査委員会が選定する監査委員だけが監査を実施できる。
　　　常勤の監査委員の設置の義務はない。
　　　監査委員には独任制が認められていないが、会社法施行規則には次の記載がある。

　　　第131条　…監査委員は、…監査報告の内容が当該監査委員の意見と異なる場合には、その意見を監査報告に付記することができる。
　　　2　前項に規定する監査報告の内容は、監査委員会の決議をもって定めなければならない。

　　　監査委員には、取締役が株主総会に提出しようとする議案、書類その他法務省令で定めるものを調査する権限及びその調査結果を株主総会において報告する権限を付与されていない。

第406条　監査委員は、執行役又は取締役が不正の行為をし、若しくは当該行為をするおそれがあると認めるとき、又は法令若しくは定款に違反する事実若しくは著しく不当な事実があると認めるときは、遅滞なく、その旨を取締役会に報告しなければならない。

第407条　監査委員は、執行役又は取締役が指名委員会等設置会社の目的の範囲外の行為その他法令若しくは定款に違反する行為をし、又はこれらの行為をするおそれがある場合において、当該行為によって当該指名委員会等設置会社に著しい損害が生ずるおそれがあるときは、当該執行役又は取締役に対し、当該行為をやめることを請求することができる。

第436条
2　会計監査人設置会社においては、次の各号に掲げるものは、…当該各号に定める者の監査を受けなければならない。
　一　…計算書類及びその附属明細書　監査委員会及び会計監査人
　二　…事業報告及びその附属明細書　監査委員会

VII　監査等委員会創設の経緯

　2003年4月1日施行の商法特例法で「委員会等設置会社」が創設され、2005年7月26日制定の会社法で「委員会設置会社」に改称されたが、人事権や報酬決定権を社外取締役に委ねることへの根強い抵抗があり、社外取締役としての適当な人材を確保することの難しさと相まって、この形態となった上場会社数は、70程度で頭打ちとなった。

　監査役については、日本独自の機関で国際的理解を得るのが難しく、「監査役は、実質的に社長によって指名されるので、独立性が担保されていない」という不信感が、外国投資家に根強くあった。

　日本監査役協会は、1989年3月に監査役の英文呼称をKANSAYAKUとローマ字表記し、一般的に使われているStatutory Auditorを補足説明と位置付けることとした。1995年には、監査役を「Corporate Auditor」、監査役会を「Board of Corporate Auditors」とするよう推奨した。

　その後、「監査役はboard memberではない（取締役会での議決権を持っていないとの意味）」等の指摘を受けたため、2012年8月29日付で監査役を「Audit & Supervisory Board Member」に、監査役会を「Audit & Supervisory Board」とするよう推奨したが、外国投資家の求めていたものは「Member of Board of Directors（取締役会構成員）」であった。

　そもそもの誤解の始まりは、日本人の多くが「日本の監査役制度」はドイツに倣って導入したので、ドイツと同様のものであり、外国人にもわかる筈」と勘違いしていることにある。

　監査役は日本特有のもので、基本的に外国には業務監査をする機関が存在しない。「auditor」という呼称から外国投資家が連想するのは外部監査人と内部監査人であるため、次のような誤解が生まれている。

- 公認会計士がaudit（彼らの理解では、audit of financial statements）をしているのであるから、監査役が監査をするのは無駄である。
- 監査役は取締役ではないので、取締役を監督する権限を持たない。

　監査役監査制度について外国投資家の理解を得るためには、監査役の権限と独立性について、次のように説明をする必要がある。

- 監査役は、取締役の職務の執行をoversight（監視）しておりかつ業務執行の差止め請求権（injunctive rights of acts）を有している。
- 米国の監査委員が取締役会で選定及び解職されるのに対し、監査役は株主総会で選任及び解任されるので独立性が担保されており、しかも株主総会における発言権を付与されている。

監査と監督は、独立性の観点で二律背反／二者択一の業務である。

- 監査役の監査は、役職員の職務の執行、計算書類、事業報告等の適法性、業務の有効性、目標の達成状況等を確かめ、その結果を取締役会及び株主総会に伝達する業務である。
- 取締役会の監督とは、役員及び使用人の職務の執行が法令及び定款に適合し、かつ経営目標等を達成するよう、監視（oversight）、指揮（command）、命令（order）をする業務である。
- 監査役は、独立性の保持のため、取締役に助言及び勧告をするだけであり、指揮及び命令をする権限を持たないのに対し、監査等委員及び監査委員は、業務執行者に指揮及び命令をする権限を有する。

監査の独立性とは次のことであり、この点において監督とは異なる。

- 業務の執行において、他人から指揮及び命令を受けてはならないし、他人に指揮及び命令をしてもならない。

安倍政権下で、以下の圧力を受け、会社法が改正され、スチュワードシップ・コードとコーポレートガバナンス・コードが制定された。

- 株価の低迷、日本企業の収益力の低迷、日米企業格差の拡大
- 3つ目の矢（民間投資を喚起する成長戦略）の目標未達
- コーポレート・ガバナンスの強化、特に、社外取締役による経営者に対する監督機能の強化の要求（外国投資家）
- 柔軟な機関設計の要求（国内会社経営者）
- 社外監査役と社外取締役を置く負担増回避の要求（国内会社経営者）

こうして、2014年6月27日に成立した改正会社法で、指名委員会及び報酬委員会を設置する必要のない「監査等委員会設置会社」制度が新設された。この「監査等委員会設置会社」との混同を避けるため、従来の「委員会設置会社」は「指名委員会等設置会社」に変更された。

監査等委員会設置会社は、業務執行者が、執行役ではなく、業務執行取締役である点において、日本独特のものである。
　しかも、第399条の13第5項、第6項の規定により、監査役設置型と同様のマネジメント・モデルの取締役会又は指名委員会設置型と同様のモニタリング・モデルの取締役会の何れかを選択できるようになった。
　この形態は、2012年9月に法制審議会で取り纏められた「会社法制の見直しに関する要綱」に盛り込まれたもの（当時の仮称は「監査・監督委員会設置会社」であり、監査機能だけでなく、監督機能も付与されているため「監査等委員会」という名称となった。

Ⅷ　監査等委員会の監査の概観

　監査等委員会に関係する会社法の主要条文は、以下の通りである。
第327条　次に掲げる株式会社は、取締役会を置かなければならない。
　4　監査等委員会設置会社…は、監査役を置いてはならない。
　5　監査等委員会設置会社…は、会計監査人を置かなければならない。
第329条　役員及び会計監査人は、株主総会の決議によって選任する。
第330条　株式会社と役員…との関係は、委任に関する規定に従う。
第332条　監査等委員である取締役の任期は、選任後2年以内に終了する事業年度のうち最終のものに関する定時株主総会の終結の時までとする。
　3　監査等委員であるものを除く取締役については、1年とする。
第339条　役員及び会計監査人は、いつでも、株主総会の決議によって解任することができる。
第340条　監査委員会は、会計監査人が次のいずれかに該当するときは、その会計監査人を解任することができる。（一から三を省略）
第344条の2　取締役は、監査等委員会がある場合において、監査等委員である取締役の選任に関する議案を株主総会に提出するには、監査等委員会の同意を得なければならない。
第361条
　5　監査等委員である取締役は、株主総会において、監査等委員である取締役の報酬等について意見を述べることができる。

6 　監査等委員会が選定する監査等委員は、株主総会において、監査等委員である取締役以外の取締役の報酬等について監査等委員会の意見を述べることができる。

第399条　取締役は、会計監査人の職務を行うべき者の報酬等を定める場合には、監査等委員会の過半数の同意を得なければならない。

第399条の2　監査等委員会は、全ての監査等委員で組織する。

2　監査等委員は、取締役でなければならない。

3　監査等委員会は、次に掲げる職務を行う。
　一　取締役の職務の執行の監査及び監査報告の作成
　二　株主総会に提出する会計監査人の選任及び解任並びに会計監査人を再任しないことに関する議案の内容の決定
　三　第342条の2第4項及び第361条第6項に規定する監査等委員会の意見の決定

第399条の3　監査等委員会が選定する監査等委員は、いつでも、取締役及び支配人その他の使用人に対し、その職務の執行に関する事項の報告を求め、又は監査等委員会設置会社の業務及び財産の状況の調査をすることができる。

2　監査等委員会が選定する監査等委員は、監査等委員会の職務を執行するため必要があるときは、監査等委員会設置会社の子会社に対して事業の報告を求め、又はその子会社の業務及び財産の状況の調査をすることができる。

補足：監査等委員会が選定する監査等委員だけが監査を実施できる。
　　　常勤の監査等委員を設置する義務はない。
　　　監査等委員には独任制が認められていないが、会社法施行規則に次の記載がある。
　　　第130条の2　…監査等委員は、…監査報告の内容が当該監査等委員の意見と異なる場合には、その意見を監査報告に付記することができる。
　　　2　前項に規定する監査報告の内容は、監査等委員会の決議をもって定めなければならない。

第4章　三様監査

第399条の4　監査等委員は、取締役が不正の行為をし、若しくは当該行為をするおそれがあると認めるとき、又は法令若しくは定款に違反する事実若しくは著しく不当な事実があると認めるときは、遅滞なく、その旨を取締役会に報告しなければならない。

第399乗の5　監査等委員は、取締役が株主総会に提出しようとする議案、書類その他法務省令で定めるものについて法令若しくは定款に違反し、又は著しく不当な事項があると認めるときは、その旨を株主総会に報告しなければならない。

第399条の6　監査等委員は、取締役が監査等委員会設置会社の目的の範囲外の行為その他法令若しくは定款に違反する行為をし、又はこれらの行為をするおそれがある場合において、当該行為によって当該監査等委員会設置会社に著しい損害が生ずるおそれがあるときは、当該取締役に対し、当該行為をやめることを請求することができる。

第436条

2　会計監査人設置会社においては、次の各号に掲げるものは、…当該各号に定める者の監査を受けなければならない。

　一　…計算書類及びその附属明細書　監査等委員会及び会計監査人
　二　…事業報告及びその附属明細書　監査等委員会

監査等委員会設置会社の特異性

　監査等委員会の業務執行取締役は監査役（会）設置会社の取締役及び指名委員会等設置会社の執行役とは異なる優遇措置が講じられており、監査等委員会設置会社へ誘導するためのものと言われている。

　監査等委員会の取締役会に関係する会社法条文を以下に掲載するが、その中の下線を付した部分が優遇措置についての条文である。

第399条の13　監査等委員会設置会社の取締役会は、第362条の規定にかかわらず、次に掲げる職務を行う。

　一　次に掲げる事項その他監査等委員会設置会社の業務執行の決定
　　イ　経営の基本方針
　　ロ　監査等委員会の職務の執行のため必要なものとして法務省令で定める事項

ハ　取締役の職務の執行が法令及び定款に適合することを確保するための体制その他株式会社の業務並びに当該株式会社及びその子会社から成る企業集団の業務の適正を確保するために必要なものとして法務省令で定める体制の整備
　二　取締役の職務の執行の監督
　三　代表取締役の選定及び解職
2　監査等委員会設置会社の取締役会は、前項第1号イからハまでに掲げる事項を決定しなければならない。
3　監査等委員会設置会社の取締役会は、取締役（監査等委員である取締役を除く。）の中から代表取締役を選定しなければならない。
4　監査等委員会設置会社の取締役会は、次に掲げる事項その他の重要な業務執行の決定を取締役に委任することができない。
　一　重要な財産の処分及び譲受け
　二　多額の借財
　三　支配人その他の重要な使用人の選任及び解任
　四　支店その他の重要な組織の設置、変更及び廃止
　五　第676条第1号に掲げる事項その他の社債を引き受ける者の募集に関する重要な事項として法務省令で定める事項
　六　第426条第1項の規定による定款の定めに基づく第423条第1項の責任の免除
補足：「第426条第1項の規定」とは、役員が任務を怠ったときに生じる、株式会社に対する損害賠償責任についての規定である。
　<u>5　前項の規定にかかわらず、監査等委員会設置会社の取締役の過半数が社外取締役である場合には、当該監査等委員会設置会社の取締役会は、その決議によって、重要な業務執行の決定を取締役に委任することができる。ただし、次に掲げる事項については、この限りでない。</u>
（一から十七を省略）
　<u>6　前2項の規定にかかわらず、監査等委員会設置会社は、取締役会の決議によって重要な業務執行の決定の全部又は一部を取締役に委任することができる旨を定款で定めることができる。</u>

補足：監査等委員会設置会社の取締役会は、基本的に監査役設置会社と同じマネジメント・モデルであるが、上掲の第5項及び第6項の規定により、指名委員会設置型と同様のモニタリング・モデルに移行することができる。

<u>第423条　取締役、会計参与、監査役、執行役又は会計監査人（以下この節において「役員等」という）は、その任務を怠ったときは、株式会社に対し、これによって生じた損害を賠償する責任を負う。</u>

<u>4　前項の規定は、第356条第1項第2号又は第3号に掲げる場合において、同項の取締役（監査等委員であるものを除く）が当該取引につき監査等委員会の承認を受けたときは、適用しない。</u>

第356条　取締役は、次に掲げる場合には、株主総会において、当該取引につき重要な事実を開示し、その承認を受けなければならない。
　一　取締役が自己又は第三者のために株式会社の事業の部類に属する取引をしようとするとき。
　二　取締役が自己又は第三者のために株式会社と取引をしようとするとき。
　三　株式会社が取締役の債務を保証することその他取締役以外の者との間において株式会社と当該取締役との利益が相反する取引をしようとするとき。

第365条　取締役会設置会社における第356条の規定の適用については、同条第1項中「株主総会」とあるのは、「取締役会」とする。

　取締役は、利益相反取引について株主総会の承認を受けなければならない（第356条）。これを怠ると、利益相反取引によって会社に生じた損害を賠償する責任を負う。但し、監査等委員会の承認を受けたときは適用しない（第423条第4項）。この規定が、監査等委員会設置会社の形態を会社の経営者に選択させるための最大の優遇措置であった。

　代表取締役に重要な業務執行の決定を委任できるとする規定及び監査等委員会の承認を受けたときは利益相反取引により会社に生じた損害を賠償する責任を負わないとの規定は、コーポレート・ガバナンスの強化ではなく、むしろ弱化をもたらしかねない。

Ⅸ 委員会の監査等に関する概念整理

1 監視、監査、監督

(1) **監視**（英：oversight、独：Überwachung / Aufsicht）

　監視と和訳されている英語には、monitoringとoversightの２つがある。モニタリングとは、物事の変化を継続的に観察することであり、リスク・マネジメントの分野では、異常な変化を適時に感知し迅速に対処するため、特定の物事を継続して注視することを意味する。

　オーバーサイトとは、不都合な事態の発生を阻止するため、警戒をして特定の人物の動向を見張ることを意味する。例えば、取締役又は執行役の職務の執行が法令及び定款等に適合しているかどうかを確かめるため、その行動を注視することを意味する。

　外国には、イタリアを除き、取締役及び執行役の職務執行を監査する機関が存在しないためauditと言えば会計監査を連想するので、業務監査を意味しようとする場合はoversightというのが適当である。

(2) **監査**（英：audit / auditing、独：Prüfung）

　監査とは、誰が誰のため何のために行なうかによって方法と内容に違いがあるが、一般に、①決め事を遵守しているか、②計算に誤りがないか、③効率よくかつ有効に行なっているかどうかを独立の立場にある第三者が、基準に照らして批判的に検証すること及びその結果に関して意見を表明することを意味する。

　監査人は監査客体（監査を受ける側）に対して助言及び勧告をするだけであり、指揮及び命令をしてはならない。これが監査人にとって必要な独立性の確保であり、監督との相違点である。

(3) **監督**（英：supervision、独：Aufsicht）

　監督とは、例えば取締役等の職務の執行が法令及び定款に適合して目標を達成するよう監視又は監査して、指揮命令をする業務である。通常は、指揮命令に服従させる手段としての人事権を有する。

　監査役は独立の立場で助言又は勧告をするだけであるが、監査委員及び監査等委員は取締役としての監督権を有している。

2　監査役、監査委員、監査等委員

(1) 監査役
　一層型取締役会（マネジメント・ボード）による取締役等の職務の執行の監督（厳密には自己監督）と並行的に監査役が取締役の職務の執行を監視（法律では監査）によって、法令及び定款から逸脱しないよう、牽制する。監査役は、取締役会への出席権を与えられているが、議決権は与えられていない。

(2) 監査委員会
　二層型取締役会（モニタリング・ボード）による執行役と取締役の職務の執行の監督のための監視及び監査（厳密にはレビュー）を実施する。自らが議決した事項も監査対象となる自己矛盾を孕んでいる。
　取締役会で選定・解職されるので、独立性が担保されていない。

(3) 監査等委員会
　一層型取締役会（マネジメント・ボードとモニタリング・ボードの選択が可能）による取締役等の職務の執行の監督（厳密には自己監督）及び監査（厳密には自己監査）を実施する。自ら議決した事項も監査対象となる。「監査及び監督」の属性自体が、自己矛盾である。
　自己監督は、指名委員会等設置会社においても、執行役が取締役を兼任する場合に生じる。

3　常勤の監査（等）委員を設置しない理由とは
　監査委員会及び監査等委員会は内部統制システムを利用した組織的な監査を実施するので常勤者の設置を義務付けないとされているが、この説明は理に適っていない。監査（等）委員会の最重要業務は、執行役又は取締役の職務の執行に対する監督である。監査であれば常勤者を置かなくても実施可能であろうが、監督となれば常勤者を置かずにできるものではない。これは、コーポレート・ガバナンスの弱化をもたらす。

4　選定監査（等）委員だけに監査権を与える理由とは
　組織的な監査（委員会として行なう監査）を行なうとの理由から監査（等）委員の監査の独任制を認めていないが、補助すべき使用人等を付けたとしても、1人の委員が監査をするのでは実効を確保できない。

5　内部統制システムを利用した組織的な監査とは

「内部統制システムを利用した組織的な監査」とは、立法関係者が法制審議会で主張していた「監査手法と称するもの」であるが、それぞれの解釈に相違及び誤解があり、確固たる定義はない。

彼らの主張していた「内部統制システムを利用した監査」とは、内部監査人、内部統制部、リスク・マネジメント部、コンプライアンス部、外部監査人等からの「聴取」という「監査技術」の１つであり、「監査手法」ではないし、これだけでは、監査を実施したことにならない。

法制審議会会社法制部会議事録に見られる「内部統制システムを利用した組織的な監査」についての誤った解説として、次の２つがある。

(1) 解釈その１

① 指名委員会等設置会社においては、内部統制部門を通じた監査、内部統制システムの設計や働き具合をチェックするという角度からの監査をする。

② 企業グループの内部統制を中心とした監査を行ない、企業集団全体の業務の適正性や厳然性の確保に努める。

上掲の①も②も、内部統制システムの有効性についての監査であり、内部統制システムを利用した監査手法ではない。

(2) 解釈その２

会社の業務を隅々まで見るのは不可能なので内部統制システムの合理性と相当性を確認できればその報告を信頼してよいとする、次のような手法であるが、これは、調査の手法の１つであり、監査とは言えない。

監査とは、① 情報収集、② 評価、③ 報告という、３つのプロセスである。

① 情報収集は、内部統制システムを利用して行なう。

内部監査部、内部統制部、リスク・マネジメント部、コンプライアンス部等の社内体制が効果的に運用されているかどうかの監査をする。財務報告の適正性については、会計監査人監査に依拠する。

② 監査要点について、監査基準に照らして、適法性・妥当性・効率性を評価する。

③ 適法性・妥当性・効率性の監査の結果と内部統制システムの相当性について、取締役会及び株主に報告をする。

つまり、内部監査人その他から監査／調査等の結果を聴取するということであり、根拠は次の条文にあるとしているが、これは「又聞き」による、社内管理部署等からの業務の状況の聴取であり、監査ではない。

…いつでも、取締役、執行役、支配人その他の使用人に対して事業の報告を求め、又は監査役設置会社の業務及び財産の状況の調査をすることができる。（第381条、第399条の3、第405条）

…その職務を行うため必要があるときは、会計監査人に対し、その監査に関する報告を求めることができる。（第397条）

6　そもそも監査とは

監査とは、ある業務について、監査人自らが証拠の入手によって事実及び実態の把握又は確認を行ない、基準に照らしてその是非の判断及び程度の評価を行ない、形成した監査意見をその利用者に伝達する業務であるため、監査人は第三者の説明及び報告を鵜呑にしてはならない。

第三者の説明及び報告を鵜呑にするのでは監査を実施する意味がない。因みに、聞くだけで帰る監査人は子供の遣い、御用聞きと揶揄される。

監督のための情報収集であれば社内部署からの事情聴取でもよいが、監査と言うからには、監査人自らの耳と目による、事実及び実態の把握又は確認（聴取内容の裏取）が不可欠である。

立法関係者は「自ら実査により監査を行なうのではなく、会社の内部統制システムを利用して監査を行なう」と説明していたが、監査実務でいう「実査」は「資産の現物とその記録が一致するかどうかを確かめる「実物検査（physical examination）」の略語であり、「実地監査（field audit又はsite audit）」の略語ではない。

7　本来の内部統制を利用した監査とは

前頁の5で例示した「内部統制システムを利用した組織的な監査」と称する本来の監査とは異なるものであり、その実効性は乏しいと言わざるを得ない。本来の内部統制を利用した監査とは、内部統制の信頼性の評価による監査範囲の設定と監査リスク・ベースの監査である。

① 財務諸表監査は証拠に当たって財務諸表の適正性を判断することであるが、監査人が総ての記録を点検するのは事実上不可能であるから、重要な虚偽の表示が発生するリスクが高い領域を見極め、この領域からサンプルを抜き出して点検する試査によって財務諸表全体の適正性を判断する。
② 具体的には、重要な虚偽の表示のリスク（固有リスク）、内部統制の有効性、統制リスク（内部統制が有効でないために、是正されずに残存するリスク）の評価により、重要な虚偽の表示を監査で看過するリスク（発見リスク）の水準を推定し、試査の範囲を決定する。

試査の範囲の決定に当たり依拠したものが、被監査会社の内部統制（の有効性）である。「監査リスク・ベースの監査」の概念及び手法については第5章第5節Ⅱを参照されたい。

8 委員会監査の実効を上げるためには

監査委員会にせよ監査等委員会にせよ監査の実効を上げるためには、委員自ら監査（実地監査とは限らない）を実施するとともに、内部監査組織を活用しなければならない。但し、監査委員会及び監査等委員会の直属としてはならない。

監査委員会及び監査等委員会は、自らの耳と目で証拠に当たり事実の把握又は確認（即ち監査）をしないのであれば、その名称を監視委員会又は監督委員会に変えて当該業務に専念するか、会計監査人監査の方法及び結果が相当であるかの点検業務を付加すればよいのではないか。

Ⅹ 内部監査組織の活用方法

2016年12月5日付の日本経済新聞に「**内部監査、独立性を向上　統治底上げへ経営陣の不正も監視　取締役・監査役と連携**」と題する記事が掲載され、「企業活動が適正かを組織内部から監視する内部監査部門の役割を見直す企業が増えている」との記事に倣う会社が出てきた。

会社の経営陣による不祥事が絶えないことから、内部監査組織を監査委員会又は監査等委員会の直属として経営陣の不正を監視させる会社があるだけでなく、これを推奨する研究者もいる。

この他に、ダブルレポートラインやトリプルレポートラインと称して内部監査部門が監査役、監査（等）委員会、経営者等の2乃至3系統の指示・報告経路を持つことが内部監査の独立性を確保するとする意見が出てきており、2019年6月12日の日本経済新聞朝刊に「内部監査は誰のためか」と題する同様趣旨の記事が掲載されているが、指揮命令系統の一元は、軍隊で徹底されている通り、組織運営上の要諦である。

(1) 内部監査人は経営者のスタッフ、その本務は経営への貢献

　会社は、所得税、社会保険料、年金等の支払、投資、融資等によって社会に貢献する。これは収益の確保によって可能となるので、経営者の最大の職務は、会社の健全経営による収益の持続的確保である。

　攻めのガバナンスとは、持続的成長と中長期的企業価値の向上のため迅速果断な意思決定（リスク・テイク）を促すガバナンスが必要とする考え方である。これに対応する守りのガバナンスは、法令違反、不正、誤謬等から会社を守るガバナンスではなく、リスク・テイクの際の意思決定の合理性を確保するガバナンス、過度なリスク・テイクを回避するガバナンス・リスクを適切にコントロールするガバナンス等である。

　企業集団の健全かつ継続的発展を目指し攻めの経営を行なう経営者にとって有用な内部監査とは、次の3つの事項を重点的に検証して、その達成に有効な意見及び情報を提供するものである。

① 　経営目標達成の可能性の検証、可能とする意見と情報の提供
② 　リスク・マネジメントの有効性の検証、確実にする意見と情報の提供
③ 　コンプライアンスの有効性の検証、確実にする意見と情報の提供

　つまり、監査客体に対して、業務目標の達成、金銭的／名声的打撃の予防及び影響の抑制に役立つ意見を提供し、経営者に対して、適時かつ的確な経営判断に役立つ情報を提供するものである。

　これが、会社の健全かつ継続的発展を支援する攻めのガバナンス及び守りのガバナンスの実現を支援する内部監査組織の本務である。

　監査等委員会と監査委員会も内部監査人に対して事業の報告を求めることができるので、直属の部下とする必要はない。内部監査組織をこれらの下部組織として位置付けると、「三様監査の連係」は成立しない。

企業集団の健全かつ継続的発展を図るためには、内部監査組織を取締役会直属とするが、日常業務においては最高経営執行者の指揮を受けるとするのがよい。監査報告書については、「正」を最高経営執行者に、「写」を業務担当役員、監査役（査委員会、監査等委員会）に提出する。報告書の「正」は、1つであり、それ以外は「写」と「控」である。

(2) 指揮命令系統の一元は組織運営上の常識

　reporting lineとは、単なる報告経路ではなく、指揮命令系統であり、かつ指揮命令系統の一元は、組織運営上の条理、常識である。

① 　常に1人の直属の上司からの命令に従い、結果を直属上司に報告する。
② 　直属上司の上司であっても、直属上司の頭越しの命令は許されない。
③ 　部下が報告すべき相手は直属上司であり、その他へは写を送付する。

　報告書の「正」を提出する相手は直接の上司である。その他の関係者への情報の開示は報告書の「写」の送付をもって行なう。これが、組織運営における「指揮命令系統一元」の原則である。

(3) リスク・ベース監査は経営に貢献する監査の方法

　金融庁は、2019年6月28日に「金融機関の内部監査の高度化に向けた現状と課題」を公表し、内部監査の実効性の検証について、次のように述べている。

　当局では、…各金融機関の内部監査部門等との対話を通じて、各社の内部監査の全般的な水準について評価を実施し、各社の内部監査の底上げや高度化に向けた課題を特定する。特に、内部監査が事後チェック型監査からフォワードルッキング型監査への転換（過去から未来へ）、準拠性監査から経営監査への転換（形式から実質へ）及び部分監査から全体監査への転換（部分から全体へ）が図られること、かつ、それらを支える内部監査態勢の整備、三様監査（内部監査、監査役等3監査、外部監査）の連携が図られているか等を評価の目線としている。

　本文書は、内部監査の水準の段階別評価として、第1段階：事務不備監査、第2段階：リスク・ベース監査、第3段階：経営に資する監査と述べているが、筆者は、2000年4月から「内部監査の本質は経営に貢献する監査、その方法は監査リスク・ベースの監査」を掲げてきている。

第5節 外部監査(External Audit)

I 外部監査の概観

1 外部監査の定義

米国会計学会（American Accounting Association: AAA）の基礎的監査概念委員会（Committee on Basic Auditing Concepts）は1972年に基礎的監査概念声明書（A Statement of Basic Auditing Concepts: ASOBAC）を公表し、監査について次のように定義した。

Auditing is a systematic process of objectively obtaining and evaluating evidence regarding assertions about economic actions and events to ascertain the degree of correspondence between those assertions and established criteria and communicating the results to interested users.

監査は、経済活動及び事象に関わる経営者の主張と確立された規準の合致の程度を確かめるために、経営者の主張についての証拠を客観的に収集及び評価し、利害関係を有する利用者にその結果（＝監査意見）を伝達する体系的プロセスである。（筆者訳）

経営者の主張とは財務諸表構成項目において明示又は暗示する主張であるから、経済活動及び事象に関わる経営者の主張は、経営者の主張を具現した会社の財務報告を意味する。確立された規準は、一般に認められた会計原則（Generally Accepted Accounting Principles: GAAP）を意味する。日本では、初の**監査基準**を取り纏めた岩田巌教授が、一般に公正妥当と認められる会計基準とした。因みに、米国では、**監査基準**を（Generally Accepted Auditing Standards: GAAS）と言う。

経営者の主張は、GAAPに準拠していなければならず、準拠していなければ、財務諸表の虚偽記載となる。虚偽記載が重要であるか否かは、経営者の主張のGAAPからの乖離の程度によるので、会計監査の基本的業務は、財務諸表における経営者の主張についての監査証拠を収集し、それを検討及び評価することである。

2　日本における2種類の法律に基づく外部監査
(1) 金融商品取引法に基づく監査
① 金融商品取引法に基づく財務計算に関する書類の監査

第193条の2第1項に規定された監査は、上場会社の財務諸表が財務諸表等規則及び一般に公正妥当と認められる企業会計の基準に準拠して適正に作成されているかどうかを公認会計士又は監査法人等が検討し、監査意見（無限定適正意見、限定付適正意見、不適正意見）を記載した監査報告を提出する監査である。

監査人は、監査計画の策定とその監査の実施において、企業が将来に亙り事業活動を継続するとの前提（継続企業の前提）に基づき経営者が財務諸表を作成することが適切であるか否かを検討する。

② 金融商品取引法に基づく内部統制報告書の監査

第193条の2第2項に規定された監査は、上場会社の内部統制報告書が一般に公正妥当と認められる財務報告に係る内部統制の評価及び監査の基準並びに財務報告に係る内部統制の評価及び監査に関する実施基準に準拠して適正に作成されているかどうかを公認会計士又は監査法人等が検討し、監査意見を記載した監査報告を提出する監査である。

(2) 会社法に基づく計算書類の監査

第396条第1項に規定された会計監査は、会計監査人設置会社の計算書類が会社計算規則及び一般に公正妥当と認められる企業会計の慣行に準拠して、当該計算関係書類に係る期間の財産及び損益の状況を総ての重要な点において適正に表示しているかどうかを会計監査人（公認会計士又は監査法人等）が検討し、監査意見（無限定適正意見、限定付適正意見、不適正意見）を記載した会計監査報告を提出する監査である。

会計監査人設置会社の場合、監査役は、会計監査人の会計監査の方法及び結果が相当であるかどうかの包括的かつ形式的監査を実施する。

公認会計士が実施する外部監査は同一の監査人が担当するのが通例であるから、会社計算規則第154条で会計監査人の監査報告の記載内容を詳細に規定することにより、金融商品取引法監査と会社法監査の実質的一元化を図っている。

Ⅱ 外部監査の目的と監査人の職務

1 外部監査の目的

会社法に基づく株式会社の計算書類等の監査の基本的目的は、株主の利益の保護にある。

金融商品取引法に基づく上場会社等の財務計算に関する書類（＝財務諸表）の監査の基本的目的は、投資者の保護にある。

上記の通り、両監査の基本的目的は異なるが、当該監査の実施により、多種多様の利害関係者の利益の保護にも貢献する。

監査基準は、「第一　監査の目的」で、次の通り規定している。

(1) 財務諸表の監査の目的は、経営者の作成した財務諸表が、一般に公正妥当と認められる企業会計の基準に準拠して、企業の財政状態、経営成績及びキャッシュ・フローの状況をすべての重要な点において適正に表示しているかどうかについて、監査人が自ら入手した監査証拠に基づいて判断した結果を意見として表明することにある。

(2) 財務諸表の表示が適正である旨の監査人の意見は、財務諸表には、全体として重要な虚偽の表示がないということについて、合理的な保証を得たとの監査人の判断を含んでいる。

2 外部監査人の職務

公認会計士法は、公認会計士の使命及び職務について、次の通り規定している。

第1条（公認会計士の使命）

　　公認会計士は、監査及び会計の専門家として、独立した立場において、財務書類その他の財務に関する情報の信頼性を確保することにより、会社等の公正な事業活動、投資者及び債権者の保護等を図り、もつて国民経済の健全な発展に寄与することを使命とする。

第1条の2（公認会計士の職責）

　　公認会計士は、常に品位を保持し、その知識及び技能の修得に努め、独立した立場において公正かつ誠実にその業務を行わなければならない。

Ⅲ 外部監査の機能

　外部監査人の基本的任務は、被監査会社の財務諸表が「財務諸表等の用語、様式及び作成方法に関する規則」に準拠して当該会社の財政状態、経営成績、キャッシュ・フローの状況等を適正に表示しているかどうか、経営者の作成した内部統制報告書が「財務報告に係る内部統制の評価の基準」に準拠して内部統制の有効性の評価結果を適正に表示しているか、どうかについての意見表明であるから、外部監査は、基本的に、以下の3つの機能を有している。

1　批判的機能

　批判的機能は、監査対象の財務諸表及び内部統制報告書が適正に表示されているかどうかについて、一般に公正妥当と認められる当該基準に照らして批判的に検討する、財務諸表監査の本質的機能である。

　つまり、職業専門家としての合理的懐疑心を持って財務諸表及び内部統制報告書の作成プロセス及び内容等を批判的に検討し、問題があれば訂正を要求し、最終的に、財務諸表が当該企業の財政状態、経営成績、キャッシュ・フローの状況を適正に表示しているかどうか、内部統制の有効性の評価結果を総ての重要な点において適正に表示しているかどうかについて、批判的（懐疑的）に検討する機能である。

2　指導的機能

　指導的機能は、外部監査人が、財務諸表上と内部統制報告書の問題、作成プロセスの欠陥等について指摘し、改善を助言又は勧告し、適正な財務諸表を作成するように、被監査会社を指導する機能である。

　会計監査人は、財務諸表監査の実施の過程で気付いた改善及び是正を必要とする事項を、被監査会社の経営者に宛てたマネジメント・レター（management letter）に記載して通知し、当該事項の改善及び是正を助言又は勧告する。

　マネジメント・レターの出状による助言又は勧告は監査業務の一環として行なうサービス業務であり、経営者に対する助言そのものを主業務として行なうManagement Advisory Service（MAS）とは異なる。

財務諸表並びに内部統制報告書の作成の権限及び責任並びに監査人の助言又は勧告の諾否が会社の経営者にあり、外部監査人は財務諸表及び内部統制報告書の修正を強制できない。

　従って、外部監査人は、被監査会社が修正要請を受け入れない場合、最終手段として上述の批判的機能を発揮し、当該事実及び事実に関する監査意見を監査報告書に明記する。この記載を被監査会社が拒む場合は意見不表明とする（意見表明を差し控える）。

3　情報提供機能

　情報提供機能は、外部監査人が投資者等の利害関係者のために、意思決定に使用される被監査会社の財務諸表について監査意見という情報を提供する機能である。

　継続企業を前提として財務諸表を作成することが適切であるか否か、継続企業の前提に関する重要な不確実性が認められるか否かを確かめ、無限定適正意見、限定付適正意見、不適正意見、追記、理由の記載等を行なう。

　　無限定適正意見は、一般に公正妥当と認められる企業会計の基準に準拠して、会社の財務状況を総ての重要な点において適正に表示していると判断した場合、その旨を監査報告書に記載する。

　　限定付適正意見は、一部に不適切な事項はあるが、財務諸表全体に対してそれほど重要性がないと考えられる場合、その不適切な事項を記載し、その会社の財務状況は「その事項を除き、総ての重要な点において適正に表示している」と記載する。

　　不適切な事項が発見され、財務諸表全体に重要な影響を与える場合、その会社の財務状況を「適正に表示していない」と記載する。

　　重要な監査手続が実施できず、結果的に十分な監査証拠が入手できない場合で、その影響が意見表明できないほどに重要と判断した場合、その会社の財務状況を「適正に表示しているかどうかについて意見を表明しない」旨及びその理由を記載する。

第6節 内部監査(Internal Auditing、Internal Audit)

I 内部監査の概観

1 内部監査の定義

1999年6月26日に改訂された内部監査の定義は、次の通りである。

Internal auditing is an independent, objective assurance and consulting activity designed to add value and improve an organization's operations. It helps an organization accomplish its objectives by bringing a systematic, disciplined approach to evaluate and improve the effectiveness of risk management, control, and governance processes.

内部監査は、組織体業務に価値を付加し改善するために設計された独立的、客観的なアシュアランス及びコンサルティング活動である。内部監査は、リスク・マネジメント、コントロール及びガバナンス・プロセスの有効性を評価して改善するための、体系的かつ規律正しい手法の適用により、組織体がその目標を達成するのを支援する。

(筆者訳)

上記の規定で使用されている用語の意味は、以下の通りである。

独立的、客観的は、内部監査人は、外見的にも実体的にも独立していなければならず、業務の遂行に当たって客観的かつ公正不偏でなければならないことを意味する。

アシュアランスは、組織体のリスク・マネジメント、コントロール、ガバナンスのプロセスに関係する独立的評価を提供するための、入手証拠の客観的検証を意味する。

コンサルティングは、依頼部門と合意した業務内容及び範囲で内部監査人が経営管理者の責任を負うことなく、価値を付加し、組織体のガバナンス、リスク・マネジメント、コントロールのプロセスを改善することを意図した、依頼部門への助言及び関係した業務活動を意味する。この件については本章第7節Ⅱを参照されたい。

リスク・マネジメント・プロセスは、組織体の目標の達成について合理的保証を提供するために現実化する可能性のある事象及び状況を識別、評価、管理、コントロールするプロセスを意味する。

　リスクは、目的の達成に影響を与える事象が発生する可能性を意味する。リスクは、その影響度及び見込に基づいて測定される。

　コントロール・プロセスは、リスクがリスク・マネジメント・プロセスで設定された許容範囲内に収まっていることを確実にするように設計されたコントロール・フレームワークの一部としての方針、手続、活動を意味する。

　コントロールは、リスクを管理し設定した目標及び目的を達成する見込を高めるために経営者、取締役会、その他の当事者がとる措置の総てを意味する。経営者は、目標と目的が達成される合理的アシュアランスを提供する十分な措置の遂行を計画、構成、指揮する。

　ガバナンスは、組織体の目標の達成に向けて、当該組織体の活動について情報を提供し、指揮し、管理し、監視をする取締役会によって実行されるプロセスとストラクチャーを意味する。

【補足説明】

　IIAは、内部監査を「独立的、客観的なアシュアランス及びコンサルティング活動である」と定義しているが、これらの関係については<u>本章第7節Ⅱ</u>で詳説する。

2　内部監査の属性

　今日の内部監査は、取締役会及び最高経営執行者等の経営者が、監視義務を果たすため、経営方針が社内各部署及び子会社等の末端まで徹底されているかどうかを確かめるため、社内各部署及び子会社等が計画、予算、目標通りに業績を上げているかどうかを確かめるため、更には、内部統制の有効性を確かめるために、内部監査人に委託して行なわせる代理業務である。**内部監査**は、独立を**旨**とし、その範囲に**聖域**はない。

　内部監査人は、このことを理解し、取締役会及び最高経営執行者等の経営者の懸念事項及び関心事を的確に認識して、経営者の期待に応える監査を実施する必要がある。

Ⅱ 内部監査の目的と監査人の職務

1 内部監査の目的

内部監査は、その目的及び手法を変えて、発展してきている。

① 最初は、持株会社又は所有者（の会社の資産の保全）のために、親会社又は所有者の特命を受けた従業員による、子会社の誤謬及び不正の有無を検証する会計監査が実施された。

② 所有と経営の分離で、経営者のための、内部監査に転換したが、その手法は、上記の所有者型と同様のものであった。

③ 先進型の会社と追随型の会社では大きく異なるが、1980年代から1990年代にかけて、改善提案によって会社の業務能率の向上を支援するための、会計監査及び業務監査に移行した。経営監査と称して経営診断（業務成果の評価）を志向する内部監査組織も見られた。

④ 近年は、内部監査組織は最高経営執行者の私物ではないとして、従来の経営者個人に対する貢献から会社（取締役会）に対する貢献へと変更している会社も見られる。

⑤ 現在は、経営目標の達成に必要な業務が適切に遂行されているかどうかに重点を置いている組織が増えているが、他方では、不正の摘発に重点をおいている組織、更には、財務報告に係る内部統制の有効性の評価に専念している組織等、内部監査の目的は多種多様であるが、中には、目的、目標、手段の混同が見受けられる。

2 内部監査人の職務

今日期待されている実践的内部監査は、経営者の視点で行なう監査、経営管理を質的に評価する監査、経営判断及び意思決定に有用な情報を提供して最高経営執行者及び取締役会等に貢献する監査である。

Ⅲ 内部監査の機能

内部監査は、事業体の自主的判断によって委託された事業体内部の者又は事業体外部の者が委託した事業体のために実施する任意監査（自主監査）であり、基本的に、以下の3つの機能を有している。

1　アシュアランス機能

　アシュアランス機能とは、監査客体の組織、業務、結果、会計処理、目標達成度等の有効性、適切性、妥当性について、内部統制、リスク・マネジメント、コンプライアンスの観点で、懐疑的（批判的）に点検し、異常な事態が存在してないかどうかを監査証拠の入手によって検証し、その結果を利用者に伝達する機能である。

　監査意見として表明した指摘及び提言の外に異常な事態は発見されなかったので当該組織及び内部統制は有効に機能しているとの合理的保証（心配無用という安心感）を提供する機能であり、内部監査の利用者には経営者、監査客体組織の責任者、その他の関係者が含まれる。

2　アドバイザリー機能

　アドバイザリー機能とは、内部監査を実施して、監査客体に存在している異常な事態の原因及び実情を指摘し、かつその抜本的解消に有効な施策を提言する機能であり、外部監査の指導的機能に相当する。

　内部監査のアドバイザリー機能は、公認会計士のマネジメント・アドバイザリー・サービス及びコンサルティングの機能と根本的に異なる。

3　モニタリング機能及び情報提供機能

　モニタリング機能とは、監査客体の内部統制が有効かつ効率よく機能しているかどうかを、独立的な立場でモニタリングする機能を言う。

　情報提供機能とは、モニタリング結果及び監査結果等の経営判断及び意思決定等に有用な情報並びに監査意見を監査客体責任者及び最高経営執行者等に提供する機能を言う。

【補足説明】

　モニタリングについては、COSO報告書が内部統制の「構成要素」の1つとして、評価基準を「基本的要素」の1つとして挙げている。

　このことをもって、内部監査とは独立的評価を本務とする内部統制の構成要素又は基本的要素の1つであるとする解説が見られるが、これはCOSO報告書及び内部統制基準の読込不足に起因するのではないか。

　COSO報告書の「独立的評価（Separate Evaluations）」の「誰が評価するのか（Who Evaluates）」の項に、次の通り記載されている。

Internal auditors normally perform internal control evaluations <u>as part of their regular duties</u>, or upon special request of the board of directors, senior management or subsidiary or divisional executives.

これを和訳すると、以下の通りとなる。

内部監査人は、通常、その本来の職務の一部として、又は取締役会、上級経営者若しくは子会社若しくは部長からの特別な要求に基づいて、内部統制の評価を実施する。

その本来の職務の一部としてとは、内部統制のモニタリングが本来の職務ではないこと及びその本来の職務の執行において、その一部として内部統制のモニタリングを実施するということである。

評価基準のⅠの4.「内部統制に関係を有する者の役割と責任」の項に、以下の通り記載されている。

内部監査人は、内部統制の目的をより効果的に達成するために、内部統制の基本的要素の一つであるモニタリングの一環として、内部統制の整備及び運用状況を検討、評価し、必要に応じて、その改善を促す職務を担っている。

(注) 本基準において、内部監査人とは、組織内の所属の名称の如何を問わず、内部統制の整備及び運用状況を検討、評価し、その改善を促す職務を担う者及び部署をいう。

但し、本文の「基本的要素の一つであるモニタリングの一環として」は、基本的要素の一つ即ちモニタリング機能としてという意味ではないし、(注) の職務を担う者も、職務を本務とする者を意味するものではない。

1948年に米国会計士協会の総会で承認された『監査基準書』は「内部監査部門は内部統制システムの重要な一部である」と定義（厳密には、監査手続書第2号を引用）していたが、米国公認会計士協会（1957年に改称）が1975年に公表した監査基準書第9号『独立監査人の監査範囲に及ぼす内部監査機能の影響』がAU Section 320の「内部統制に対する監査人の調査及び評価」から除かれ独立の監査基準書として公表されたこと及び本基準書に斯かる記述がなされていないことが、従来の定義が否定されたことを意味している。

第4章 三様監査

第7節 監査の独立性と客観性、監査業務と非監査業務

Ⅰ 監査の独立性と客観性

監査人は、監査を行なうに当たり、監査に対する信頼を得るために、独立の立場と公正不偏の態度を保持していなければならない。

1 監査役の独立性と客観性

監査役については、法令及び基準で重層的に規定されている。

会社法第335条（監査役の資格等）

2 監査役は、株式会社若しくはその子会社の取締役若しくは支配人その他の使用人又は当該子会社の会計参与若しくは執行役を兼ねることができない。

3 監査役会設置会社においては、監査役は、3人以上で、そのうち半数以上は、社外監査役でなければならない。

会社法施行規則第100条（業務の適正を確保するための体制）

3 当該監査役設置会社である場合には、第1項に規定する体制には、次に掲げる体制を含むものとする。

　一 当該監査役設置会社の監査役がその職務を補助すべき使用人を置くことを求めた場合における当該使用人に関する事項

　二 前号の使用人の当該監査役設置会社の取締役からの独立性に関する事項

　三 当該監査役設置会社の監査役の第1号の使用人に対する指示の実効性の確保に関する事項

　四 次に掲げる体制その他の当該監査役設置会社の監査役への報告に関する体制

　　イ 当該監査役設置会社の取締役及び会計参与並びに使用人が当該監査役設置会社の監査役に報告をするための体制

　　ロ 当該監査役設置会社の子会社の取締役、会計参与、監査役、執行役、業務を執行する社員…から報告を受けた者が当該監査役設置会社の監査役に報告をするための体制

五　前号の報告をした者が当該報告をしたことを理由として不利な取扱いを受けないことを確保するための体制
　六　当該監査役設置会社の監査役の職務の執行について生ずる費用の前払又は償還の手続その他の当該職務の執行について生ずる費用又は債務の処理に係る方針に関する事項
　七　その他当該監査役設置会社の監査役の監査が実効的に行われることを確保するための体制

監査役の任期は、取締役の2倍の4年となっている。

会社法第332条（取締役の任期）
　1　取締役の任期は、選任後2年以内に終了する事業年度のうち最終のものに関する定時株主総会の終結の時までとする。

会社法第336条（監査役の任期）
　1　監査役の任期は、選任後4年以内に終了する事業年度のうち最終のものに関する定時株主総会の終結の時までとする。

監査役の解任決議は、会社法309条2項7号で、株主総会の特別決議（定足数の3分の2以上の賛成）によって成立する。因みに、取締役の場合は、普通決議（過半数の賛成）によって成立する。

会社法上の明文規定はないが、監査役は、単独の機関であり、独自の意思に従って職務を遂行する「独任制」という機能を有している。

会社法第390条（監査役会）
　2　監査役会は、次に掲げる職務を行う。ただし、第3号の決定は、監査役の権限の行使を妨げることはできない。
　　三　監査の方針、監査役会設置会社の業務及び財産の状況の調査の方法その他の監査役の職務の執行に関する事項の決定

監査基準第3条
　1．監査役は、独立の立場の保持に努めるとともに、常に公正不偏の態度を保持し、自らの信念に基づき行動しなければならない。

この他に、第5条、第10条、第14条、第15条の規定がある。

2　外部監査人の独立性と客観性

公認会計士については、法律及び基準で重層的に規定されている。

会社法第337条（会計監査人の資格等）
3 次に掲げる者は、会計監査人となることができない。
二 株式会社の子会社若しくはその取締役、会計参与、監査役若しくは執行役から公認会計士若しくは監査法人の業務以外の業務により継続的な報酬を受けている者又はその配偶者
三 監査法人でその社員の半数以上が前号に掲げる者であるもの

公認会計士法第1条（公認会計士の使命）
　公認会計士は、監査及び会計の専門家として、独立した立場において、財務書類その他の財務に関する情報の信頼性を確保することにより、会社等の公正な事業活動、投資者及び債権者の保護等を図り、もつて国民経済の健全な発展に寄与することを使命とする。

公認会計士法第1条の2（公認会計士の職責）
　公認会計士は、常に品位を保持し、その知識及び技能の修得に努め、独立した立場において、公正かつ誠実にその業務を行わなければならない。

監査基準　第二　一般基準
2 監査人は、監査を行うに当たって、常に公正不偏の態度を保持し、独立の立場を損なう利害や独立の立場に疑いを招く外観を有してはならない。

　上掲の通り、監査基準は、監査人の独立性について、実質的（精神的）独立性と外観的（形式的）独立性の2面があること及びこの2面を保持する必要があることを明示している。
　前者は客観的かつ公正不偏な心の状態を要請するものであり、後者は身分的かつ経済的な利害関係にないことを要請するものである。

3　内部監査人の独立性と客観性
　IIAは、IPPF（International Professional Practices Framework）の人的基準で、次の通りに規定している。

1100—**独立性と客観性**　内部監査部門は独立でなければならず、内部監査人は内部監査の業務（work）の遂行にあたって客観的でなければならない。

1110―**組織上の独立性** 内部監査部門長は、内部監査部門がその職務を果たすことができるよう組織体内の一定以上の階層にある者に直属しなければならない。(以下省略)

1120―**個人の客観性** 内部監査人は、公正不偏の態度を保持し、利害の衝突を避けなくてはならない。

Ⅱ 監査業務と非監査業務

1 アシュアランス

一定の規準で作成した情報に対してその利用者のために信頼性を付与する公認会計士の保証業務(assurance service)は、広義の概念であり、IIAの内部監査の定義にあるassuranceとは異なる概念である。

公認会計士の保証業務については、企業会計審議会の「財務諸表等に係る保証業務の概念的枠組みに関する意見書」(2004年11月29日付)の「二 保証業務の意味」で、以下の通り規定している。

> 保証業務とは、主題に責任を負う者が一定の規準によって当該主題を評価又は測定した結果を表明する情報について、又は、当該主題それ自体について、それらに対する想定利用者の信頼の程度を高めるために、業務実施者が自ら入手した証拠に基づき規準に照らして判断した結果を結論として報告する業務をいう。

上記の規定で使用されている用語の意味は、以下の通りである。

　主題に責任を負う者　：経営者
　主題　　　　　　　　：財務計算に関する書類その他の情報
　想定利用者　　　　　：投資者
　業務実施者　　　　　：監査人
　証拠　　　　　　　　：監査証拠
　規準　　　　　　　　：会計基準

公認会計士の保証業務には、財務報告に対する法定又は任意の監査、内部統制の評価、コンプライアンスの評価、依頼者との合意によるその他の業務があるので、公認会計士の監査業務は保証業務の一部であるという捉え方である。

これに対し、アシュアランス活動は内部監査業務の一部であるとするのが、IIAの捉え方である。

2　コンサルティング

コンサルティング業務とは、以下の非監査業務を言う。

公認会計士の場合は、経営者等の依頼人との間の特定契約に基づき、その資格を活用して、経営活動の改善等のための専門的助言を提供する業務を言い、米国のCPAが行なう経営助言業務（management advisory service: MAS）に相当する。

IPPFは、counsel、advice、facilitation、trainingを例示している。

3　監査業務と非監査業務の同時提供の禁止

アシュアランス業務とコンサルティング業務の同時提供は、アシュアランス業務における監査人の独立性及び客観性を損ねる行為である。

米国では、IIAの定義が承認された3年後にEnronによる粉飾及びArthur Andersenによる粉飾幇助等の不正事件をきっかけに制定されたSOA第201条の規定で、財務諸表監査を実施する（アシュアランス・サービスを提供する）公認会計士による同一の被監査会社に対するコンサルティング・サービス、アドバイザリー・サービス等の非監査業務の同時提供が禁止されており、日本でも、以下の法令で禁止されている。

公認会計士法第24条の2　（特定の事項についての業務の制限）

1　公認会計士は、当該公認会計士、その配偶者又は当該公認会計士若しくはその配偶者が実質的に支配していると認められるものとして内閣府令で定める関係を有する法人その他の団体が、次の各号のいずれかに該当する者（以下「大会社等」）から第2条第2項の業務により継続的な報酬を受けている場合には、当該大会社等の財務書類について、同条第1項の業務を行つてはならない。

公認会計士法施行規則第6条　（業務の制限）

1　法第24条の2及び法第34条の11の2第1項に規定する内閣府令で定めるものは、次に掲げるものとする。
　一　会計帳簿の記帳の代行その他の財務書類の調製に関する業務
　二　財務又は会計に係る情報システムの整備又は管理に関する業務

三　現物出資財産その他これに準ずる財産の証明又は鑑定評価に関する業務
四　保険数理に関する業務
五　内部監査の外部委託に関する業務
六　前各号に掲げるもののほか、監査又は証明（監査証明業務として行う監査又は証明をいう。）をしようとする財務書類を自らが作成していると認められる業務又は被監査会社等の経営判断に関与すると認められる業務

　日本公認会計士協会は、これら法令に準拠して倫理規則を制定しかつ「職業倫理に関する解釈指針」を公表している。

　公認会計士の業界では、利益相反とならぬよう、監査部門とコンサルティング部門を別の会社として分離することにより、監査業務と非監査業務の同時提供を回避している。

　このことからもわかる通り、アシュアランス業務の提供を本務とする内部監査人がコンサルティング業務を提供することは、自らの独立性と客観性、延いては信頼性を毀損する行為である。

　日本の内部監査人の殆どが、組織体の使用人であり、付与された業務として内部監査を実施しているのに対し、米国には、事業体の使用人としてではなく、その外部者の立場で、アシュアランス業務及びコンサルティング業務のアウトソースを請け負う業者も多いため、IIAの定義はそれらの利益を保護する（そのために、内部監査の独立性を毀損する、インテグリティ不在の）内容となっているように見える。

　日本内部監査協会は、2014年5月改訂の『監査基準』の「内部監査の本質」において、次の通り明記している（下線は筆者による）。

1.0.1　内部監査とは、組織体の経営目標の効果的な達成に役立つことを目的として、合法性と合理性の観点から公正かつ独立の立場で、ガバナンス・プロセス、リスク・マネジメントおよびコントロールに関連する経営諸活動の遂行状況を、内部監査人としての規律遵守の態度をもって評価し、これに基づいて客観的意見を述べ、助言・勧告を行うアシュアランス業務、および特定の経営諸活動の支援を行うアドバイザリー業務である。

第4章　三様監査

内部監査人の本務は、監査の実施による、客観的意見の提供である。これを自覚せず、内部監査ではなく、コンサルティング業務を標榜する類型が見られるが、日本内部監査協会の監査基準は、コンサルティング業務ではなく、前述の通り、アドバイザリー業務を規定している。
　安易な気持でのコンサルティングの提供は、様々な問題をもたらす。
- コンサルティング業務は相当の知識と経験が求められる業務であり、監査証拠に基づかない助言は、的外れとなるリスクがある。
- 助言の提供を求められて、監査客体が監査で詳細に視られたくない領域に誘導されて、監査が疎かになる又は監査で看過するリスクが高くなる。
- 内部監査人Aが個別内部監査を実施した際に、内部監査人Bがコンサルティングで関与した業務について、否定的意見を述べることがはばかられる事態が生じる。

　斯かる事由で、個別具体的コンサルティング業務は引き受けるべきでないが、正当な理由がある場合は、内部監査組織の中で最適の者１名に限定して行なわせ、かつ当該事実並びに提供した意見及びその事由等を他の総ての所属員に説明させる必要がある。

　コンサルティング業務を提供する場合は、英国及びアイルランド支部が作成してIIA本部が2004年９月29日に公表した「The Role of Internal Audit in Enterprise-wide Risk management（全社的リスク管理における内部監査の役割）」と題する姿勢声明を参照されたい。

　姿勢声明は、内部監査人がアシュアランス業務及びコンサルティング業務を提供する際に客観性及び独立性を維持する方法をERMに関する内部監査の中心的役割、予防措置により正当化される内部監査の役割、内部監査が引き受けるべきでない役割に分けて具体的に提案している。

　『全社的リスク管理における内部監査の役割』については日本内部監査協会のホーム・ページ左側にある「ERM資料集」から筆者の和訳文の入手が可能であるから、非監査業務に関わる際の内部監査人の独立性の保持に活用して戴きたい。

　http://www.iiajapan.com/pdf/data/erm/IAinERM.pdf

第8節 三様監査の連係の意義と重要性

　公益社団法人日本監査役協会は、2015年央まで、「連係」を使用していた。その理由は「監査役の職務は、会計監査人や内部監査人が行なう監査が妥当であるか、相当であるかを、独立した立場で監査するという職務であることから、会計監査人や内部監査人と一緒に手を携えて監査するのではなく、これらと係わり合って監査するという趣旨を踏まえたものである」としていた。ところが、日本公認会計士協会との共同研究報告を公表した頃から、「連携」という用語に変更してしまった。

　いわゆる「三様監査の連携」とは、監査役(会)又は監査等委員会又は監査委員会（以下本節においてのみ「監査役」を使用）と外部監査人と内部監査人の三者による監査業務における「連携」を言う。

　しかしながら、三者の監査目的及び監査客体が異なるので、三者間の「連係」はあり得るが、三者間の「連携」は基本的にあり得ない。

　「連係」と「連携」の意味の違いは、次の通りである。

　連係とは、相互に繋がりや関わりを持つこと

　連携とは、相互に連絡を取り手を携えて(＝共同して)物事を行なうこと

　三様監査の基本的相違点は、次の通りである。

監査役監査：会社法に基づき、会社、株主、債権者の保護のため、取締役の職務の執行と計算書類等を監査

外部監査　：会社法に基づき、会社、株主、債権者の保護のため、計算書類等を監査
　　　　　　金融商品取引法に基づき、投資者の保護のため、財務諸表等と内部統制報告書を監査

内部監査　：会社の健全かつ継続的発展のため、使用人の業務の執行を監査

　三様監査は、監査の目的並びに監査主体（監査をする側）の立場及び任務を異にしているが、会社に対する貢献という意味では共通及び関連する業務を行なっているので、三者間の連係により、それぞれの監査の有効性及び効率性の向上並びに相互補完を図る必要がある。

Ⅰ 監査役と外部監査人の連係の意義

1 監査役にとっての意義

　会計監査人設置会社の監査役監査は、会社法の規定により、取締役の職務の執行の法令及び定款等への適合性の監査に限定されているので、当該会社の計算書類等については会計監査人が監査する（第396条）。

　監査役は、会社法及び株式会社の監査に関する法務省令の規定により、会計監査人の監査の方法及び結果について相当であると認めるか否かを監査報告に記載しなければならない（第436条）。

　会計監査人は、取締役の職務の執行に関して不正の行為又は法令若しくは定款に違反する重大な事実があることを発見したときは、遅滞なく監査役に報告しなければならない（第397条）。

　監査役は、その職務遂行上の必要があるときは、会計監査人に対し、その監査に関する報告を求めることができる（第397条）。

　監査役監査基準は、第44条（会計監査人との連係）で、意見及び情報交換による効率的監査の実施、会計監査人の監査の方法及び結果を監査するための監査計画及び監査重点項目等の入手、検討、期中監査の往査及び監査講評への立会、実施経過の報告の入手、参考となる情報の提供等を義務付けている。

　外部監査人は監査役の業務に関連する法令及び規則等の情報も適時に収集しているので、斯かる情報を外部監査人から入手できれば監査役にとって効率的である。

　更に、会計処理上の懸念事項等について、専門家である公認会計士に監査して貰うのが、監査役にとって有益かつ効率的である。

2 外部監査人にとっての意義

　外部監査人は、2005年3月31日の開示府令第34号で、コーポレート・ガバナンスの状況の記載の一部として、監査役との相互連携の有価証券報告書への記載が義務付けられている。

　会計監査人の選任、解任、不再任、報酬の決定については、監査役の過半数の同意が必要とされている（会社法第344条、第399条）。

会計監査人は、自己の監査の方法及び結果の相当性について監査役の監査を受ける（第436条）。
　会計監査人は、取締役の不正行為又は法令若しくは定款に違反を発見したときは、監査役に報告しなければならない（会社法第397条）。
　公認会計士が法令違反等事実を発見したときは、当該事実の内容及び是正その他の適切な措置をとるべき旨を、監査役等に書面で通知しなければならない（金商法第193条の3、財務諸表府令第7条）。
　全社的な内部統制の整備及び運用の状況の検討に当たり、監視機能について確認することが重要となる（内部統制基準Ⅲ4(1)②）。
　監査人は、開示すべき重要な不備の内容及びその是正結果を監査役に報告しなければならない（同Ⅲ3(5)）。
　監査人は、不正又は法令に違反する重大な事実を発見した場合には、監査役等に報告して適切な対応を求めなければならない（同Ⅲ3(6)）。
　監査人は、効果的かつ効率的な監査を実施するために、監査役等との連係の範囲及び程度を決定しなければならない（同Ⅲ3(7)）。
　監査役と外部監査人の情報交換会は、毎月乃至四半期に1回開催するのが適当であろう。

Ⅱ　監査役と内部監査人の連係の意義

1　監査役にとっての意義

　監査役は、取締役の職務の執行の監査で、善管注意義務、忠実義務、監視義務を適切に遂行しているか否かを検討するために使用人の業務の執行並びに内部統制の体制の整備及び運用の状況等についても監査しなければならないが、十分なスタッフを擁していないのが現状である。
　内部監査組織は、監査役よりも多くの人員を擁し、かつ使用人の業務活動及び内部統制の態勢について精通しているので、監査役スタッフを使用するよりも内部監査の結果を活用する方が遥かに効率的である。
　監査役は、取締役会のスタッフである内部監査人を自らの部下として使用することはできないが、会社法の規定により、活動の状況について報告の請求又は調査をすることができる（第381条）。

監査役監査基準は、第34条（内部監査部門との連係による組織的かつ効率的監査）で、監査計画及び監査結果並びに内部統制システムの構築及び運用の状況について定期的報告を受ける等、内部監査部門と緊密な連係を保ち効率的監査を実施するよう求めている。

2　内部監査人にとっての意義

一般社団法人日本内部監査協会は、2014年5月23日付で改訂した内部監査基準第5章第5節「連携」で次の通り述べている。

　　内部監査部門長は、適切な監査範囲を確保し、かつ、業務の重複を最小限に抑えるために、外部監査人、監査役（会）または監査委員会等との連携を考慮しなければならない。

更に、第9章「内部監査と法定監査との関係」で次の通り述べている。

　　わが国の法律に基づく監査制度としては、金融商品取引法による公認会計士または監査法人の監査、会社法等による監査役または監査委員会の監査、会計監査人の監査、民法による監事監査、地方自治法による監査委員および包括外部監査人の監査、会計検査院の検査等々がある。

　　これらの監査は、内部統制の適切な整備・運用を前提としている。内部監査は、法定監査の基礎的前提としてのガバナンス・プロセス、リスク・マネジメントおよびコントロールを独立的に検討および評価することにより、法定監査の実効性を高める一方で、必要に応じて、法定監査の結果を内部監査に活用しなければならない。これによって、内部監査と法定監査は相互補完的な関係を維持することができる。

監査役は職務の執行において経営環境の変化、経営方針及び組織等の変更、異常な取引又は事象等に関係する情報を適時的確に把握しているので、内部監査人は、これらの情報を聴取することにより、有効な監査計画の立案及び個別監査の実施が可能となる。

内部監査人の監査対象は、使用人の業務活動に限定されており、個別監査において経営上の問題を把握してもその改善を最高経営執行者及び当該業務担当役員等に進言することが難しい場合が多いが、監査役から助言をして貰うことにより、それが可能となる。

監査客体だけでは対処できない課題及び問題の解決を最高経営執行者及び当該業務担当役員等に進言する場合も、同様である。

　監査役と内部監査組織責任者の打合せは、最低毎月１回、更に必要に応じて随時に開催するのが適当であろう。

Ⅲ　外部監査人と内部監査人の連係の意義

1　外部監査人にとっての意義

　企業会計審議会の監査基準は、内部監査の方法及び結果が信頼に足る場合は、財務諸表の監査で利用できるとしている。

　監査基準　第三　実施基準　四　他の監査人等の利用
> 3　監査人は、企業の内部監査の目的及び手続が監査人の監査の目的に適合するかどうか、内部監査の方法及び結果が信頼できるかどうかを評価した上で、内部監査の結果を利用できると判断した場合には、財務諸表の項目に与える影響等を勘案して、その利用の程度を決定しなければならない。

　これを受けて、日本公認会計士協会の監査基準委員会報告書610は内部監査の利用に関する実務上の指針を提供しており、内部監査作業の利用の可否及び程度は、以下について評価の上、決定される。

(1) 客観性
- 企業内部における内部監査機能の位置付け及びその位置付けが内部監査人の客観性に及ぼす影響。
- 内部監査の結果が監査役等又は適切な権限を有する経営者に報告されているかどうか、及び内部監査人が監査役等に直接に質問や面談することができるかどうか。
- 内部監査人が内部監査の対象業務に関与していないかどうか。
- 監査役等が内部監査機能に関連する人事を監視しているかどうか。
- 内部監査機能に対して経営者や監査役等による制約又は制限等があるかどうか。
- 経営者が内部監査の勧告に従って対処するかどうか、どの程度対処するか、対処の証跡がどのように残されているか。

(2) 専門的能力
- 内部監査人が、関連する専門職団体の会員であるかどうか。
- 内部監査人が、内部監査人として十分な専門的研修を受け、経験を有しているかどうか。
- 内部監査人の採用及び研修について適切な規程があるかどうか。

(3) 専門職としての正当な注意
- 内部監査の業務が適切に計画、監督、査閲、文書化されているかどうか。
- 内部監査マニュアル又はその他同様の文書、内部監査手続書及び内部監査調書が適切に作成、保管されているかどうか。

(4) コミュニケーション
- 内部監査人が監査人と制限なく率直なコミュニケーションを行うことができ、以下を実施できる場合、監査人と内部監査人との間のコミュニケーションが最も有効となることがある。
  ◦ 監査対象期間を通して適切な間隔で会議が行われていること。
  ◦ 監査人が関連する内部監査報告書の発行につき連絡を受けそれを閲覧可能であること。さらに内部監査人の気付いた重要事項が監査手続に影響を及ぼす可能性がある場合に当該事項について報告を受けること。
  ◦ 監査人が内部監査機能に影響を及ぼす可能性がある重要事項について内部監査人に伝達すること。

2　内部監査人にとっての意義

同一の監査客体に同時期に外部監査と内部監査を実施するのは三者にとって不都合となるので、監査計画の調整が必要である。

外部監査人と内部監査人が互いの監査結果、発見事項、懸念事項等を共有することは、互いの監査の有効性及び効率性の向上に繋がる。

外部監査人は監査業務に関連する法令及び規則等の情報を適時に把握及び収集しているので、斯かる情報を外部監査人から入手できれば内部監査人にとって効率的である。会計処理上の懸念事項について専門家である公認会計士に重点的に監査して貰うのが有効かつ効率的である。

外部監査人と内部監査人の情報交換会は、四半期毎乃至半期毎に開催するのが適当であろう。

Ⅳ 内部監査人の位置付けと活用方法

　内部監査人は経営者（取締役会及び最高経営執行者等）のスタッフであるから、取締役の職務執行を監査する監査役のスタッフとなるべきでないし、その指揮命令を受けるべきでない。監査委員会及び監査等委員会との関係においても同じであり、それらの直属としてはならない。
　「連係」と「連携」の何れの表記であっても、「れんけい」という行為は内部監査が監査（等）委員会に直属しないことを前提としている。
　その目的を異にする三様の監査であるから、内部監査人は、監査機関との合同監査も監査業務の分担もしてはならない。
　欧米では内部監査組織を監査委員会の直属としているが、欧米と日本ではCEOまでの道程、ジョブ・ホッピングの多少、監査委員会とCEOの関係、CEOと内部監査人の関係が異なるので、安易にそれを受け入れるのは得策でない。
　経営者は、監視業務を内部監査人に下請させることは可能であるが、前述の通り丸投は許されず、内部監査が適切かつ有効に実施されるよう管理及び監督する善管注意義務を負っており、不祥事及び多額の損失が発生した場合並びに経営目標を達成できなかった場合にその責任を問われる（又は、取らされる）ことになる。
　経営者は、自社（及び子会社を含む企業集団全体）の健全かつ継続的発展に必要かつ有効な内部統制の体制及び態勢並びに実効を上げる内部監査の体制及び態勢を整備することにより、株主の負託に応えることが肝要である。
　内部監査は、経営者からその監視業務を受託した内部監査人が自社の職員並びに子会社の役員及び職員が職務執行権限、職務遂行義務、結果報告義務を適時適切に果たしているかどうかを検証する業務であるが、内部監査人は、監査客体から忌避されないよう、その職務を適時適切に果たしていることを証明する業務であるとして接するのがよい。

付録1：三様監査の比較

項目	外部監査		監査役監査	内部監査
	公認会計士監査	会計監査人監査		
監査の目的	投資者の保護 不正な財務報告の防止	株主の保護 不正な会計処理の防止	株主の保護 取締役の職務執行のオーバー・サイト（監視）、会計監査	取締役会等の経営者への貢献 内部監査規程の規定事項（経営目標の達成、健全かつ継続的発展の支援等）
監査の根拠	金融商品取引法 第193条の2	会社法第396条 会社法第436条	会社法第381条（業務監査） 会社法第436条（会計監査）	会社の自由意志
監査の基準	監査基準 財務諸表等規則等	監査基準 会社計算規則等	監査役監査基準 会社計算規則等	内部監査規程等
監査人	公認会計士、監査法人	会計監査人 （公認会計士、監査法人）	監査役	内部監査人 監査法人等（受託業務の場合）
監査人の選解任	株主総会	株主総会	株主総会	経営者等
監査対象 業務	―	―	取締役の職務の執行、議案	業務、業務記録、事象
監査対象 会計	財務諸表、関連書類	計算書類、会計帳簿	計算書類、会計帳簿又は会計監査人の会計監査	会計記録
監査対象 内部統制	内部統制報告書	―	取締役会決議、事業報告	内部統制
監査範囲 業務	―	―	取締役の職務執行の適法性	業務の準拠性、適時性、受託性、有効性
監査範囲 会計	財務諸表の適正性	計算書類の適正性	計算書類、会計帳簿又は会計監査の適法性	会計処理の準拠性、適時性
監査範囲 内部統制	内部統制報告書の適正性	―	決議及び開示の適法性	内部統制の有効性
報告先	代表取締役、監査役又は監査委員会	代表取締役、監査役、株主総会	代表取締役、監査役会、株主総会	経営者等、取締役会等

付録2：公開会社の3種の監査機関の比較

項目	監査役会設置会社	監査等委員会設置会社	指名委員会等設置会社
監査機関	監査役会 監査役	監査等委員会 監査等委員、選定監査等委員	監査委員会 監査委員、選定監査委員
選任（選定）（第329条／同左／第400条）	株主総会決議	株主総会決議	取締役会決議
解任・解職（第339条／同左／第401条）	株主総会決議	株主総会決議	取締役会が決定
報酬等（第387条／第361条／第404条）	定款の定め又は株主総会決議	定款の定め又は株主総会決議	報酬委員会が決定
選任に関する議案への同意権、議案提出の請求権	第343条	第344条の2	なし
選任、解任、辞任についての総会での意見陳述権	第345条	第342条の2	なし
報酬等についての意見陳述権	第387条	第361条	なし
費用の請求権	第388条	第399条の2	第404条
正当な理由がなく解任された場合の損害賠償請求権	第339条	第339条	第339条
会計監査人の選任、解任、不再任の議案内容の決定権	第344条の2（会）	第399条の2（会）	第404条（会）
会計監査人の報酬の決定への同意権	第399条（会）	第399条（会）	第399条（会）
会計監査人の解任権、解任の同意権	第340条（会）	第340条（会）	第340条（会）
取締役・執行役の職務の執行の監査	第381条	第399条の2	第404条
取締役・執行役、使用人、子会社等の報告の聴取	第381条	第399条の3（選）	第405条（選）
取締役・執行役、使用人、子会社等の業務及び財産の調査	第381条	第399条の3（選）	第405条（選）
株主総会提出議案、書類等の調査	第384条	なし	なし
計算書類、事業報告、それぞれの附属明細書の監査	第436条（会）	第436条（会）	第436条（会）
監査報告の作成	第390条	第399条の2	第404条
監査の独任制	第381条、第390条	第399条の4	第406条
不正・違反の行為、著しく不当な事実の取締役会報告	第382条	第399条の5	第407条
提出議案等の法令等への違反、不当な事項の株主総会報告	第384条	第399条の6	第408条
会社目的外の行為、法令・定款に違反する行為の差止請求権	第385条	第399条の7	—
会社と取締役・執行役との間の訴えにおける会社の代表	第386条	第342条の2（会）	—
業務執行取締役の選任、解任、辞任に係る意見陳述権	—	第361条（選）	—
監査等委員会以外の取締役の報酬等についての意見陳述権	—	第423条（会）	—
利益相反の取引を承認した場合の任務懈怠の推定の適用除外	なし	なし	なし

注意：（会）は、監査役会、監査委員会、監査委員会を意味し、（選）は、選定された監査等委員及び監査委員を意味する。

第4章　三様監査

付録3：会社法

　会社法（平成17年法律第86号）は、商法（明治32年法律第48号）から第2篇の「会社」を抜き取り、株式会社の監査等に関する商法の特例に関する法律（昭和49年4月2日法律第22号）及び有限会社法（昭和13年4月5日法律第74号）と合体し、現代的表記に改め、平易に再編成した法律であり、次のような目的で制定された。

(1) 形式の現代化（条文の現代語化）
　カタカナ文語体をひらがな口語体に改め、平易な条文構成にする。
(2) 内容の現代化
　　合併及び買収等の組織再編に関係する規定の柔軟化及び拡充により経済のグローバル化及びクロス・ボーダー取引化に対応する。
　　会社形態の変更、資本金制限の撤廃、会社機関設計の選択肢の拡大及び柔軟化により起業及び経済の活性化を促進する。
　　会計参与の新設及び監査役権限の強化でコーポレート・ガバナンス及びコンプライアンスを強化して企業不祥事件の増大に対応する。
(3) 制度間の規律不均衡の是正
　　商法の頻繁な改正によって損なわれた法制上の不整合を解消する。
(4) 会社法の単行法化
　　散在している会社法規を一元化する。

　商法は、会社法に組み込まれた第1編の一部（第33条〜第51条）及び第2編の全部（第52条〜第500条）を削除し、第3編及び第4編を繰り上げて、以下の構成で存続している。

　　第1編　総則
　　第2編　商行為
　　第3編　海商

　会社法は、2014年6月20日に成立し、2015年5月1日から施行された。改正会社法は、2014年6月20日に成立し、2015年5月1日から施行されたが、2019年12月4日に再改正され、2021年3月1日から施行された。

付録4：金融商品取引法

　2006年6月7日、「証券取引法等の一部を改正する法律（平成18年法律第65号、改正法と略称）」及び「証券取引法等の一部を改正する法律の施行に伴う関係法律の整備等に関する法律（平成18年法律第66号、整備法と略称）」が成立した。

　金融商品取引法は、証券取引法（昭和23年法律第25号）を改正して、その題名を変更した法律であり、証券取引法を廃止して新たに制定した法律ではない。

　上記の証券取引法等の改正は、これまでに為された証券取引法（昭和23年法律第25号）の改正と大きく異なる。

　法律の題名が、従来通りの「証券取引法の一部を改正する法律」ではなく「証券取引法等の一部を改正する法律」であり、改正対象の法律が証券取引法だけではないことを意味している。

　上記の2つの法律は、4法律の廃止による金融商品取引法への統合と89法律の改正を行なった。

　改正法は、証券取引法を以下の4段階に分けて改正し、かつ6段階に分けて施行する法律であり、17法律を改正した。

(1) **証券取引法の一部改正（改正法第1条の部分）**
　　有価証券届出書の届出者に対する資料提出命令等に関する整備
　　開示書類の虚偽記載及び不公正取引等に対する罰則の強化

(2) **証券取引法の一部改正（同第2条の部分）**
　　公開買付（TOB）制度の整備
　　大量保有報告制度の整備

(3) **証券取引法の抜本改正（同第3条の部分）**
　　現行の証券取引法から金融商品取引法への移行
　　有価証券報告書の記載内容が適正性であるとの確認書、四半期報告書、財務報告に係る内部統制報告書の提出の義務化（＝ディスクロージャーの強化）

(4) 金融商品取引法等の一部改正（同第4条～第20条の部分）
　　一般社団法人及びそれに関する法律の施行に伴なう改正（第4条）
　　投資信託及び投資法人に関する法律の一部改正（第5条）
　　銀行法及び保険業法等の一部改正（第6条～第20条）
　整備法は、改正法の施行に伴ない、改正法に含まれていない他の関係法律を整備するための法律であり、4法律を廃止して金融商品取引法に統合し、72法律を改正した。
　金融商品取引法は、上記の2法律によって構築される投資者の保護のための横断的法律であり、その内容は次の4つで構成されている。
(1) **いわゆる投資サービス規制の部分**
　　集団投資スキーム（ファンド）の包括的定義の規定
　　デリバティブ取引の範囲の拡大による規制対象商品及びサービスの拡大（横断化）
　　金融商品取引業者の業務範囲の拡大（包括化）
　　投資者の属性及び業務の類型に応じた規制の差異化（柔軟化）
(2) **開示制度の整備**
　　四半期報告書、確認書、内部統制報告書の提出の義務化
　　組織再編に係る開示制度を整備
　　公開買付制度及び大量保有報告制度の見直し
(3) **金融商品取引所の自主規制業務の適正な運営の確保**
　　金融商品及び金融指標又はオプションの上場及び廃止に関する業務
　　会員等の法令等の遵守の状況の調査
　　取引所及び金融商品取引市場における取引の公正を確保するために必要な事項として内閣府令で定めるもの
(4) **罰則の強化**
　　顧客による見せ玉等の相場操縦行為を課徴金の対象化
　　証券会社の自己の計算における見せ玉等の相場操縦行為を刑罰及び課徴金の対象化
　金融商品取引法は、2019年6月7日に一部が改正された。
　尚、内部統制と監査に関係する条文については、当該箇所で解説する。

第5章
経営に貢献する　　現代の実践的内部監査

　第5章においては、筆者の子会社経営及び親会社における内部監査の実務経験から導き出した経営に貢献する現代の実践的内部監査の概観と従来の一般的内部監査の違いについて詳細に解説する。
　第1節で、会社統治と内部統制の関係、内部統制と内部監査の関係、経営者にとっての内部統制と内部監査の有用性と重要性について解説する。
　第2節で、現代の実践的内部監査の概観、目的、実効、従来の一般的内部監査との違い、財務報告に係る内部統制の評価との違いについて解説する。
　第3節で、内部監査の基本用語とその意味について解説する。
　第4節で、内部監査手続の用語とその意味について解説する。
　第5節で、内部監査の関連用語とその意味について解説する。

第1節 経営者にとっての内部統制と内部監査の有用性／重要性

Ⅰ　会社統治と内部統制の関係

　コーポレート・ガバナンス（以下、会社統治と表記）は、会社の健全かつ継続的発展を可能にするための、会社経営者に対する会社外部者によるコントロール（外部統制）である。会社経営者はその要請に応えて適時適切に経営するため、会社構成員の作為義務及び不作為義務を明記した社内規程及び基準等の整備によって内部統制体制を構築し、適切に運用しなければ（行動させなければ）ならない。

　ガバナンスという用語は、会社の外部者による会社の経営者に対するコーポレート・ガバナンス＝エクスターナル・コントロールを意味する会社統治及び会社経営者によるその他の役職員に対するインターナル・コントロールを意味する社内統治（インハウス・ガバナンス）という、異なる概念の両方で使われている（第1章第2節Ⅵを参照）。

　経営方針の周知、経営目標の達成、会社の健全かつ継続的発展を図るためには、社内統治を適切かつ有効に実施しなければならず、そのためには、総ての役職員が遵守すべき社内規程、基準、マニュアルから成る内部統制の体制を構築して、総ての役職員に実践させる必要がある。

　内部統制は、組織体の健全運営に有用かつ不可欠の経営管理用具又は手段の1つであり、会社法においては「取締役の職務の執行が法令及び定款に適合することを確保するための体制その他株式会社の業務並びに当該株式会社及びその子会社から成る企業集団の業務の適正を確保するために必要なものとして法務省令で定める体制」と言う。

　株式会社の取締役は、民法第644条に規定する善良なる管理者の注意義務等の一内容として内部統制体制の構築を義務付けられ、会社法施行規則第118条第2号の規定により当該体制の構築についての決定だけでなく、当該体制の運用状況（プロセスとして有効機能させているか）についても、その概要を事業報告に記載する義務を負っている。

これは、全般的内部統制システムを構築するだけでは不十分であり、作為義務及び不作為義務をプロセスとして実践させることが重要であることを示している。
　財務報告に係る内部統制は、全般的内部統制の一部である。
- 全般的内部統制は、誤謬、怠慢、不正等の異常な事態の発生を予防し、異常な事態が発生しても透かさず発見しかつ是正する3つの自浄機能から成る体制（仕組の構築）及び態勢（仕組の実行）である。
- この中核はリスク・マネジメントであり、その中に「法規範及び社会規範の遵守」を意味するコンプライアンスが含まれる。
- 財務報告に係る内部統制は、不正な財務報告の発生を、予防、発見、是正する、3つの自浄機能から成る体制及び態勢である。

補足：不正な財務報告とは、計上すべき金額を計上しないこと、必要な開示をしないことを含む、財務諸表利用者を欺くため財務諸表に意図的な虚偽の表示をすることを言う。

Ⅱ　内部統制と内部監査の関係

　内部統制も内部監査も最高経営執行者の経営管理用具又は経営手段の1つであるが、その属性は次の通り異なる。
　① 内部統制とは、経営目標の達成、金銭的打撃及び名声的打撃の予防、収益の拡大、資産の保全、健全かつ継続的発展等の、事業目的の実現のために構築する体制であり、総ての役職員が実践する態勢である。
　② 内部監査とは、経営目標の達成、金銭的打撃及び名声的打撃の予防、収益の拡大、資産の保全、健全かつ継続的発展等の、事業目的の実現を支援するために実施する、健康診断及び加療上の助言である。
　③ 内部統制は総ての役職員が実践すべき決め事であり、内部監査は最高経営執行者のスタッフ機能として、個別監査の実施において内部統制の運用の有効性を検証する。

　要するに、内部統制は、全社的に整備して全役職員が実践するものであり、内部監査は、個別の監査において、内部監査の職務の1つとして、内部統制の有効性を検証するものである。

筆者は、2000年４月から「内部監査は会社の健康診断」であるという表現で内部監査の機能を説明してきているが、これを営業上のキャッチコピーとして使うコンサルティング業者がいるのは、心外である。

Ⅲ　内部統制の有用性と評価の重要性

　内部統制は、会社の健全運営に有用かつ不可欠の、経営用具又は経営管理手段の１つであり、内部統制の体制は、経営方針を実行するため、経営目標を達成するため、その積重ねにより健全かつ継続的発展という事業目的を実現するために設定する、総ての役職員が遵守すべき様々の決め事から成る、経営管理の仕組である。

　内部統制は経営目標の達成及び健全経営の実現等に不可欠のリスク・マネジメント及びコンプライアンスの確立に有用であり、経営者自身が自らの経営方針、業種、業態、規模等を勘案し、工夫を凝らして、自社及び企業集団に相応のものを整備しなければならない。

　如何に精緻な内部統制の体制を構築しても、総ての役職員が実践しなければ機能しないので、モニタリングによって内部統制の態勢の有効性（総ての役職員が決め事を遵守して適切に実践していること）を確認する必要がある。

　内部統制の整備及び運用状況を検討、評価し、その改善を促す職務を担う者が、監査役、監査委員会、監査等委員会、内部監査人である。

　内部監査人は、経営者の代理人として、使用人の業務の執行に対する監査の一内容として、内部統制という決め事の遵守状況を監査する。

Ⅳ　内部監査の有用性と活用の重要性

　株式会社の取締役は、株主との受委託関係によって、株式会社の健全経営という受託職務を負っている。

　株式会社の取締役は、2000年９月の大和銀行株主代表訴訟に係る大阪地裁判決によって、有効に機能する内部統制の体制（判決では、リスク管理体制と表現）を構築する義務及び内部統制の体制を構築しているかどうかを監視する義務を負っていると明示されている。

更に、上場会社の代表者は、金融商品取引法第24条の4の4第1項で、財務報告に係る内部統制の態勢の有効性を評価し、その結果を内部統制報告書に記載し、内部統制報告書について公認会計士の監査証明を取得する義務を負っている。

　しかしながら、経営者が自ら監視（モニタリング）及び評価の義務を執行すると最重要の受託職務である株式会社の経営が疎かになるので、丸投は許されないが、監視及び評価の業務の大部分を他の者に委嘱する（内部統制評価者及び内部監査人を活用する）ことが認められている。

　株主の代理人である経営者の最重要の職務は、法令に違反せず、かつ社会から後ろ指を指されずに、株式会社の健全かつ継続的発展を確実にすることである。そのためには、コンプライアンス及びリスク・マネジメントの体制を整備して無用の損失の発生を予防し、経営目標を確実に達成しなければならないが、この職務の執行は、内部監査の活用次第で飛躍的に容易となる。

　内部監査は、代表取締役又は代表執行役等の経営者が、株主及びその他利害関係者に対するコミットメントを実現するため、自らに課された受託職務を果たすため、経営方針が社内各部署及び子会社等の末端まで徹底されているかどうかを確かめるため、社内各部署及び子会社が計画通りに業績を上げているかどうかを確かめるため、更には、全般的内部統制の有効性を確かめる等の監視義務を果たすため、内部監査人に委託して行なわせる代理業務である。

　内部監査は、任意の監査であるから、経営者が、内部統制と同様に、自らの経営方針、自社の業種、業態、規模等を勘案し工夫を凝らして、自社に相応の、企業集団の親会社である場合は当該企業集団に相応の、有効に機能するものを整備する必要がある。

第2節 経営に貢献する現代の実践的内部監査

Ⅰ　経営に貢献するとは

　内部監査は、取締役会及び最高経営執行者等の経営者の目となり耳となって実施する、代理業務であるから、経営者の意向を的確に理解し、その期待に応える必要がある。

　「経営に貢献する内部監査」の「経営に貢献する」とは、経営者の懸念事項及び関心事を重点的に監査して、その経営判断、経営目標の達成、全般的内部統制体制の整備、財務報告に係る内部統制の有効性の評価、内部統制報告書の作成等に有用な情報を提供することである。

　経営者の懸念事項及び関心事は、基本的に以下の3つである。

(1) 経営目標の達成度

　　経営目標が確実に達成され、会社及び企業集団の財産が保全され、安定的かつ継続的な事業経営、雇用、配当が可能か。

① 主力事業の継続能力
② 新規事業の進捗状況
③ 研究開発の進捗状況

(2) リスク・マネジメントの有効性

　　リスク・マネジメントの失敗による多額損失の計上で、経営目標が未達となる惧れ、継続企業としての存続能力喪失の惧れはないか。

① 債権管理の有効性
② 在庫管理の有効性
③ 契約の履行状況

(3) コンプライアンスの有効性

　　不祥事及び違法行為による会社の信用の失墜で、経営目標が未達となる惧れ、継続企業としての存続能力喪失の惧れはないか。

① 法律・規則の遵守状況
② 行動規範の遵守状況
③ 道義的義務の遂行状況

Ⅱ　経営に貢献する内部監査とは

　経営に貢献する内部監査とは、これら3つの実態を検証して経営者に報告し、経営判断に資する、併せて、異常な事態の抜本的解消に有効な施策を監査客体責任者に提供してその実現に導くことにより、自社及び子会社等の健全かつ継続的発展に資するものである。
　内部監査人の多数に以下のような性向が見られるが、このような取組姿勢では、経営者が期待する経営に貢献する監査を実施できない。
① 　自分の得意な分野及び事項に着目する。不得意な分野及び事項は監査の対象外とする。
② 　個人的興味を引く分野及び事項に着目する。興味を引かない分野及び事項は監査の対象外とする。
③ 　得手不得手によって会計監査と業務監査を分担する。会計監査と業務監査を結合しないため、業務の有効性を評価できない。

Ⅲ　現代の実践的内部監査の概観

　現代の実践的内部監査とは、病気の予防又は感染している病気の早期発見及び再発防止のために実施する、自社の組織及び子会社等に対する健康診断及び加療上の助言である。
　診断医である内部監査人は、被験者に診断結果を説明し、病気の予防又は加療及び再発防止に有効な処置等を助言し、その実現に導くことによって、経営に貢献する。
　現代の実践的内部監査においては、監査客体の業務及び手続が規準に適合しているか、基準を充足しているか、所定の責任者の承認印を取得しているか、業務の結果が正確であるか、重要書類を所定の期間適切に保管しているか、支払手続が適切であるか等の従来の一般的内部監査で行なう点検だけでなく、業務上のムリ、ムラ、ムダ、不備、問題、誤謬、怠慢、違反、不正、未対処の重大なリスク、内部統制の態勢の不備等の異常な事態が潜在していないか、経営目標を達成できる状況にあるか、事業継続能力が確保されているかどうかについて、重点的に検証する。

異常な事態とは、放置して置くと不良品、事故、損失、不祥事、法令違反等をもたらす、経営目標達成上の阻害要因であり、一時的対処ではなく、抜本的解消（根絶）を要する事態である。

　検証とは、規準への適合性、基準の充足性、業務及び結果の有効性の観点での実情の点検、関連資料の加工、分析、突合、比較、分析結果の、検討、評価による確認である。

　検証においては、閲覧、面談、実査、勘定分析、趨勢分析、突合又は照合、比較、年齢調べ等の監査技術を適用して、評価及び確認する。

　業務の現状が規準に適合していない、基準を充足していない、業務が正確、適切、有効でないこと等を確認したとき、業務上のムリ、ムラ、ムダ、不備、問題、誤謬、怠慢、違反、不正、未対処の重大なリスク、内部統制の態勢の不備等の**異常な事態の存在を確認**したときは、斯かる判断の正当性・客観性を立証する**監査証拠**を確保するとともに、**異常な事態の原因**を究明し、原因及び実情を指摘し、生活習慣の改善、体質の改善、治療、患部の切除等に相当する**加療及び再発防止**（異常な事態の抜本的解消＝根絶）に有効な施策を提言する。

　異常な事態は、監査客体毎に異なるので、これらを効果的に発見するためには、監査要点を設定し、一般的な点検事項を列挙したチェック・リストでなく、**監査実施手順書**（監査プログラム）を作成して使用する必要がある。監査実施手順書については、第4節Ⅱ及び第5節Ⅳで詳説しているので、活用されたい。

　事業継続能力の有無を評価するためには、最低でも連続する3つ乃至5つの時点の数値を趨勢分析の適用によって検証しなければならない。

　趨勢分析については、第6章第1節Ⅴで具体的に説明する。

　証拠の入手によって実在を確認した異常な事態の原因及び実情の指摘並びにその抜本的解消に有効な施策を提言する。この指摘及び提言が、内部監査の監査意見であるが、**全体最適**のものでなければならない。

　監査意見の正当性及び客観性を立証する監査証拠（裏付資料）を入手するための手段及び方法等を**監査技術**と言い、その複数の組合せを**監査手続**と言うが、監査行為の総てを監査手続と言う場合もある。

監査人は、指摘及び提言すべき異常な事態の看過及び事実誤認という監査リスクを排除するため、面談で聴取した事項、発見した懸念事項、納得の行かない事項等について、その裏付資料との照合又は反面調査を実施して事実を確認するとともに、自らの監査意見の正当性を立証する有力な監査証拠を確保して置かなければならない。

　監査人は、自らが形成した暫定的監査意見を当該監査証拠と突き合わせて監査意見の正当性及び監査証拠の十分性等を検討し、監査リスクを合理的に低い水準に抑制しなければならない。

　更に、内部監査組織の責任者又は上位者が、監査人が形成した暫定的監査意見を監査証拠と照らし合わせて監査意見の正当性及び監査証拠の十分性等を吟味し、監査リスクの低減に努めなければならない。

　監査人は、監査意見の合理性及び客観性を立証する有力な監査証拠を必ず確保して置かなければならない。

　個別内部監査の顛末及び監査意見を詳細に記載した**監査調書**及び**監査証拠**は、付与された任務を監査人が適切に遂行したことを証明するために必要不可欠の最重要書類である。

　監査調書は個別監査の顛末を取り纏めアカウンタビリティを解除して（任務を完遂したことを承認して）貰うために監査部長に提出する書類であり、監査証拠は監査調書の記載内容の真実性を立証する資料である。

　経営者に提出する監査報告書が重要書類であると誤解しがちであるが、これは監査調書に記載した事項の要約報告書でしかない。

Ⅳ　内部監査人の属性

　内部監査人は、取締役会及び最高経営執行者等の経営者のスタッフであり、その独立性を外観的にも実質的にも保持しなければならず、監査業務の遂行に当たって客観的でなければならない。

　独立性とは監査客体からの組織上かつ精神的独立であり、客観性とは公正不偏の態度を意味する。

　独立とは、他の組織から支配及び束縛を受けることも他の組織を支配及び束縛することも、あってはならないということである。

内部監査人は、スタッフであり、ライン組織への命令及びその業務の代行をしてはならない。内部監査人は、健康診断並びに予防及び加療のための助言を提供するだけであり、投薬、治療、手術に相当する行為をしてはならない。その本務はアシュアランス・サービスの提供であり、コンサルティング・サービスの提供は、監査意見の客観性を損ねる。

V 現代の実践的内部監査の目的

自社及び企業集団各社の継続企業としての存続能力の確保に貢献する現代の実践的内部監査の目的は、その損失の予防、収益の拡大、資産の保全、企業価値の増大等の経営目標の達成を支援することにより、健全かつ継続的発展という事業目的の実現を支援することにある。

換言すると、事業体の経営目標の達成及び事業目的の実現を阻害する要因（組織及び業務に潜在している金銭的損害及び社会的信用の喪失をもたらし得る重大なリスク）を発見してその実情を指摘し、その抜本的排除に有効な施策を提言することにより、事業体の経営目標の達成及び事業目的の実現を確実なものとするよう支援することである。

VI 現代の実践的内部監査の３つの機能

(1) **会社、株主等に対する貢献**

自社及び企業集団の健全かつ継続的発展、社会的信用及び企業価値の向上を支援する。これは株主その他利害関係者に対する貢献でもある。

(2) **最高経営執行者等に対する貢献** ↑

最高経営執行者及びその他経営執行者に有用情報を提供し、その意思決定並びに株主及び利害関係者に対するコミットメントの信頼性の向上及び実現を支援する。

(3) **業務運営管理者等に対する支援** ↑

業務運営管理者（部長等）及び部下の業務目標の達成、見過ごされている異常な事態をもたらすリスク並びに異常な事態の特定及び最小化、業務の継続、組織の存続、業務運営管理の向上等を支援する。

注意：時系列的には、(3)→(2)→(1)の順序となる。

Ⅶ　現代の実践的内部監査の実効

　自社及び企業集団各社の継続企業としての存続能力の確保に貢献する現代の実践的内部監査の実効は、その経営目標の達成を支援するという監査目的に適った、異常な事態の抜本的解消に資する、内部監査を実施して提供した助言を実現させることである。

　換言すると、監査客体が看過又は放置している経営目標達成上の阻害要因を漏らさず発見し、その抜本的排除に有効な助言を提供して、監査客体をその実現に導くことである。

　そのためには、監査客体の責任者を納得させかつ積極的に対応させる監査意見並びに最高経営執行者及び取締役会等の経営判断に役立つ監査意見を提供しなければならない。

　内部監査の実効を上げるために必須の要件は、以下の3つである。

(1) 異常な事態の発見

　異常な事態の発見及び抜本的解消が予算、計画、目標の達成及び事業継続の能力の確保並びに怠慢、誤謬、不正の発見及び予防を可能にするので、内部監査の成否は異常な事態の発見にかかっている。

(2) 内部統制の有効性の評価

　異常な事態は内部統制の不備から発生するので、①金銭的及び名声的打撃を与えるビジネス・リスクを特定する、②それらに対する内部統制（リスク・コントロール）の有効性を評価する、③これが有効に機能していないために残る統制リスクの程度を評価する、④特定した統制リスクの高い事項を重点的に検証する。これが、経営に貢献する現代の実践的内部監査の効果的かつ効率的実施方法である。

　予備調査において内部統制の有効性を評価する理由は、監査リスク・ベースの内部監査を実施するためである。

(3) 監査リスク・ベースの監査の実施

　異常な事態を効果的かつ効率的に発見する内部監査の実施方法は、監査リスク・ベースの監査手法（限りある監査資源の有効配分により監査リスクを合理的に低い水準に抑える監査手法）である。

【補足説明】

　総ての組織及び業務について本格的内部監査を実施する必要はない。
　重要な事業リスクを伴なわない社内組織（銀行、保険会社、証券会社等の支店）及び店舗販売を基本とする会社等（量販店、小売店、ガス・ステーション、販売所、飲食店等）の場合は内部検査で十分である。
　組織責任者による申請書及び報告書への押印は、その内容を点検して問題がないと確認した（管理監督業務を遂行した）こと及び問題が発生した場合は自分が責任を取ると表明することである。
　組織責任者の押印がないということは、責任者が部下の業務について管理監督業務（日常的モニタリング）を遂行していないこと及び部下が社内規程に違反していることを意味する。
　事後承認の取得を提言する内部監査人がいるが、それでは、責任者が管理監督義務を怠っていたことの隠蔽工作の助言となる。
　承認は事前に取得すべきものであるから、事後の捺印は、部下の違反行為の追認であるだけでなく、上司自身の管理義務違反の隠蔽行為ともなるので、厳に慎まなければならないし、「事後承認」という考え方と用語は、「事前承認」も含めて、なくさなければならない。

[用語解説]

　専決とは、１人の権限者が自己の考えで単独で決裁することを言う。
　稟議とは、会議にはかけず、申請書を関係者に回覧して意見を求め、最上位の者がそれら意見を勘案して単独で決裁することを言う。
　付議とは、取締役会、○○委員会等の会議の審議に付すことを言う。
　決議とは、取締役会及び○○委員会等の会議体で一定の案件について意思決定をすること及びその結果を言う。

【官公庁等の内部監査】

　（次節Ⅸ「監査項目」の【官公庁等の内部監査の着眼点】も参照）
　行政経営の目的は、社会資本の整備、教育、保健、福祉災害対策等による国民及び地域住民の生活の保全及び質的向上へのサービスである。官公庁等の内部監査の目的は、大臣・首長等の政策が効果的・経済的・効率的に実現できるよう支援することにある。

内部統制とは、経営方針の実行、経営目標の達成、その積重ねによる健全経営の継続という目的を実現するために整備（構築及び運用）する様々の決め事から成る仕組である。COSO報告書が明示したのは、内部統制を適切に整備すれば業務の有効性及び効率性・財務報告の信頼性・法令の遵守・資産の保全目標は容易に達成できるということである。

　公監査は公的説明義務（public accountability、公的義務を果たしたことの説明義務）を解除して貰うために行なうと言われているが、外部者のための外部監査及び内部者のための内部監査に区分し、監査基準、監査人の資格、権限、義務、責任の明示、身分の保障が必要である。

　公監査はVFM（Value for Money、最小経費による最大効果）の観点又は3E（economy, efficiency, effectiveness）の観点及び優先順位で行なうと言われているが、あるべき点検の優先順位は有効性、経済性、効率性であり、その理由は次の通りである。
- 費用を抑えても効果が上がらなければ、監査資源の浪費となる。
- 効率を上げても効果が上がらなければ、監査資源の浪費となる。
- 効率を過度に追求すると、手抜、違反、事故をもたらす。東海村JCO臨界事故の原因は、「現場作業の効率化」にあった。

Ⅷ　従来の一般的内部監査との違い

1　従来の一般的内部監査の弱点又は欠落

　業務の準拠性を調べて不備の改善を要請する監査は、是正勧告をする検査と変わりはない。過去の業務の不備の発見も必要であるが、業務の有効性を調べて将来の金銭的名声的打撃を与えるリスクの発見、指摘、その抜本的解消に有効な施策を提供する予防監査こそが重要である。

　従来の一般的内部監査には、以下の6つの弱点又は欠落がある。

(1) 規程等の網羅性、整合性、適正性を点検しない

　　規程、基準、手続、書式の整備状況を点検するが、内容の網羅性、適正性、有効性、十分性を検証しない。これでは、社内規程、基準、手続、書式等が有効であるとは保証できないし、その内容に不備及び不整合があっても気付かない。

(2) 規程等に準拠していない理由を究明しない

　　社内の規程、基準、手続、書式等に準拠しているか否かを点検するだけで、準拠していない原因を究明しない。これでは、是正の要請に終り異常な事態の抜本的解消を図れない。

(3) 一連の業務を追跡して点検しない

　　チェック・リストの記載項目を点検するだけであり、契約の不履行等の異常な事態の発生の感知に必要な売買契約⇒商品受渡⇒代金決済という一連の業務の有効性を追跡して点検しない。脈絡のない事柄を点検するから、異常な事態を容易に発見できない。

(4) 趨勢分析による異常性の点検及び事業の継続性の点検をしない

　　趨勢分析による会計処理の異常変動の有無、業務の有効性、事業の継続性等の点検をしない（第6章第1節Ⅴを参照）。

(5) 異常な事態の抜本的解消に有効な提言をしない

　　監査意見であると称して、改善要請をするだけである。この結果、異常な事態の一時的是正は図れるが、抜本的解消は図れない。異常な事態へのパッチワーク的対処でなく、抜本的解消に有効な提言をしなければ、個別監査の実施の都度もぐら叩きを繰り返すことになる。

(6) 異常な事態の抜本的解消を図れないのに、そのことに気付かない

　　上司の承認印の取得、誤計算及び誤記の訂正、重要文書の作成及び保管等の改善を要請して異常な事態が解消したと錯覚し、それがつぎあてに過ぎず、同様事態の再発防止に役立たないことに気付かない。

2　内部監査の実効を上げられない事由

内部監査の実効を上げられない主因として、以下の6つがある。

(1) 内部監査の目的を理解していない

　　監査の目的を理解していないので、何をすべきかがわからない。

(2) 限られた時間を有効に使っていない

　　監査実施手順書を使っていないため、尻切れトンボで終わる。

(3) 監査客体に特有のリスクを探索しない

　　監査客体特有のリスクを探索しないので、その経営に打撃を与える重大なリスクの現実化の予防に役立つ監査意見を提供できない。

(4) **枝葉末節しか見ない**

　得意なところ、興味のあるところ、容易なところ、枝葉末節を調査する。重要でないところばかりほじくるので、重要なリスクの存在を見落し、重箱の隅を突くと揶揄される。

　経営者の代理人である内部監査人が調査をすべきところ即ち経営に貢献する内部監査で調査すべきところはその対極にある。

(5) **一般的な事項しか点検しない**

　チェック・リストに記載された事項、回収遅延の有無、滞留在庫の有無、承認印の有無程度しか点検しないので、監査客体の経営管理に役立つ監査意見を形成できない。

(6) **監査意見を簡潔明瞭に伝達できない**

　助詞の遣い方（て、に、を、は）及び言葉遣い等の文章能力に難があると、意図した事項を簡潔明瞭に伝達できない。

　そのため、監査意見を無視され、実効を上げることができない。

Ⅸ　財務報告に係る内部統制の評価との違い

　内部監査人は、以下の事由により、財務報告に係る内部統制の評価に専念するべきでない。

① 　内部監査の目的は、会社の経営目標の達成の支援にある。

　内部監査人の本務は、健全かつ継続的に発展する継続企業としての存続能力の確保を支援することにある。

② 　財務報告に係る内部統制評価の目的は、会社の財務報告の信頼性の確保及び向上にある。

　財務報告の信頼性に影響しない事項は、継続企業の前提に影響する事項であっても、財務報告に係る内部統制の評価の対象外となる。

③ 　財務報告に係る内部統制の評価に専念して財務報告の信頼性を確保できても、リスク・マネジメントの失敗によって経営が破綻しては、本末転倒となる。

　内部監査人は、財務報告に係る内部統制の評価に専念すると、その対象外に潜在している異常な事態を物理的に発見できなくなる。

④ 監査目的を実現するためには、異常な事態の発見並びに当該事態の抜本的解消に有効な指摘及び提言をしなければならない。

これが、内部監査人の本務であり、この業務には、財務報告に係る内部統制の有効性の評価も含まれる。

⑤ 内部監査人の本務の中には、財務報告に係る内部統制の評価業務が適切に行なわれているかどうかの検証も含まれる。

内部監査組織が財務報告に係る内部統制の評価に専念又は特化している場合は、当該評価業務の適切性、有効性、十分性について、別の独立的組織が監査しなければならなくなる。

X 業務監査と会計監査の関係

業務と会計は表裏一体の関係にあり、業務監査と会計監査は不可分の関係にあるので、業務監査と会計監査を分担してはならない。

内部監査の業務監査とは、業務上の異常な事態が潜在していないか、個別の業務目標を達成しているか、会社の経営目標を達成できる状況にあるか、事業継続能力≒組織存続能力が確保されているかという具合に業務の適法性、有効性、効率性、達成度等を検証することを言う。

内部監査の会計監査とは、会計処理が適時適切に行なわれているかの検証及び評価だけでなく、業績の推移及び予算と実績の差異の分析及び比較による各種業務が有効に行なわれているかどうかの検証及び評価である。後者の検証及び評価は、会計知識がなくても、勘定分析の要領を修得するだけで、容易に実施できるものである。

業務遂行の結果が数値で記録され、財務諸表に表示される。公認会計士の会計監査はこの適正性を検討するものであるが、内部監査人は会計数値を加工して業務の有効性及び事業の継続性等を検討すればよい。

会計処理の異常な変動の感知並びに業務の有効性及び事業の継続性の検証は、**趨勢分析**によって可能となる。

趨勢分析については、第6章第1節Vに具体的な用法を例示してあるので、参照の上、活用して戴きたい。

第3節 内部監査の基本用語とその意味

Ⅰ 監査主体

監査主体とは、監査を行なう者（auditor）を意味する。

日常業務においては「監査人」という呼称を使用すればよい。

Ⅱ 監査客体

監査客体とは、監査を受ける者（auditee）を意味する。

公認会計士等が監査を受ける会社を被監査会社又はクライアント等と呼ぶので、内部監査人の中に被監査部署（会社）、監査対象部署（会社）、クライアントと呼ぶ人がいるが、本書においては、以下の理由により、監査を受ける組織を「監査客体」という用語で表現する。

- 被監査会社や被監査部署の呼称には被疑者のような違和感や抵抗感を示す人が多い。
- 外部監査を行なう監査法人にとって、又は受託した内部監査を行なうコンサルタントにとって、監査を受ける会社は依頼人であり報酬を支払う顧客であるが、内部監査組織にとって、監査を受ける社内組織及び子会社等は、依頼人でも報酬を支払う顧客でもない。
- 監査対象とは、監査客体の組織、業務分掌、権限付与書、財務諸表、取引記録等の「監査の対象物」であり、会社、部門、部署を示す用語ではない。
- 監査を行なう側は「監査主体」であり、当該監査を受ける側は「監査客体」である。

本書において「監査客体」という用語を使用する理由は「監査対象」との違いを明確にするためであるから、日常業務においては「監査先」という呼称を使用すればよい。

尚、「被監査対象部署」という表現は誤りである。被監査部署は監査を受ける側の部署を意味し、監査対象部署は監査の対象とする部署を意味するので、「被監査対象部署」は存在しない。

Ⅲ　監査計画

内部監査の監査計画を大別すると、内部監査組織責任者又は上位者が作成する組織運営のためのものと内部監査人が作成する個別監査実施のためのものの2種類がある。

1　内部監査組織責任者等が作成する監査計画

内部監査組織の責任者又は上位者が作成する組織運営のための監査計画を大別すると、以下の3種類がある。

(1) **監査部運営計画 … 中期計画**

監査部予算の編成のために作成するものであり、次の3つから成る。
① 監査要員計画
② 監査要員育成計画
③ 監査費用計画

(2) **監査基本計画 … 年度計画**

当該年度に実施する個別監査の総合計画であり、監査部としての監査基本方針と監査目標を基に作成する。

(3) **監査実施計画**

個別監査の実施期間毎に監査基本計画を具体化して（実施先の名称、実施先毎の実施者の氏名、実施上の留意事項を記載）して作成する。

2　個別内部監査の実施者が作成する監査計画

個別内部監査を任命された内部監査人が作成する当該監査の実施のための監査計画には、次の2種類がある。

(1) **監査業務計画書**

個別監査の事前的予備調査段階で作成する大まかな日程計画であり、本格監査、意見表明の実施時期、留意事項等を記載して作成する。

(2) **監査実施手順書**

本格的予備調査の結果を踏まえて作成する監査手順の詳細な計画書であり、実地監査における検証業務（検証事項、検証目標、検証対象、検証のために適用する監査技術、その具体的手順）並びに実施する監査手続の日程及び時間割等の段取を詳細に記載して作成する。

Ⅳ 監査目的

　監査目的とは、内部監査組織が監査の実施によって実現しようとする事柄であり、監査行為そのものが目指すところである。
　監査目的は、具体的なものでなく、経営目標の達成を支援することの積重ねにより事業目的の実現を支援する等の、抽象的なものである。

Ⅴ 監査目標

　監査目標とは、監査人が、担当する個別監査の予備調査を実施して、監査目的を実現するために設定する、日常的モニタリング及びリスク・マネジメントの不備の指摘及び提言等の、具体的なものである。
　監査目的が、(内部) 監査部という組織の目的であり、抽象的概念であるのに対し、監査目標は、個別監査において指摘及び提言をしようとする具体的事柄である。
　予備調査において、監査客体の組織及び業務に関係する資料の閲覧、趨勢分析、突合、比較等を行なうと、異常な事態が発生しているのではないか、未対処の重大なリスクが存在しているのではないかという疑問及び懸念が浮かんでくる。
　監査目標は、斯かる疑問及び懸念を実地監査で検証し、事実であれば斯かる異常な事態の抜本的解消に有効な施策を提言して実現させようとするものであり、監査客体毎に異なるものである。
　後述するⅧの監査要点は監査目標を達成するための手段であるから、監査目標に適合するものでなければならない。

【補足説明】
　目的は的(まと)であり、目標は目的に到達するための標(しるべ)である。つまり、目的は、実現しようとして目指す抽象的な事柄である。
　目標は、目的を実現するために設ける目印及び段階であるが、目的を実現するための具体的な手段及び行為でもある。東海道にある一里塚は目的地である京に上る (山科に至る) ための道標 (目標) である。事業目的を実現する手段は、毎年の経営目標の着実な達成である。

Ⅵ 監査範囲

監査範囲とは、監査において評価及び確認するために検証する監査の対象範囲である。

Ⅶ 監査対象

監査対象とは、監査人が個別の監査の実施に当たり、監査目標を有効かつ効率的に達成するために重点的に点検、分析、突合、比較、評価、確認する対象物及び事象である。

例えば、以下のものがある。

- 監査客体の経営方針及び経営戦略
- 監査客体の経営計画及び年度予算
- 監査客体の稟議・付議案件及び重要契約
- 監査客体の主要任務及び重点施策
- 監査客体の主要業務、主要収入源、業績推移
- 監査客体の組織、裁量権限、手続
- 監査客体及び管理部署の内部統制の体制／態勢
- 監査客体の記録（財務諸表、取引記録、会計記録等）、報告
- 監査客体の子会社等管理の体制／態勢
- 監査客体の情報及び知的財産
- 監査客体の情報システム
- 監査客体業務の環境に与える影響
- 監査客体業務の資源に与える影響
- 監査客体である子会社等の取締役会及び監査役の体制／態勢
- 会社の資産、組織、社内規程及び基準等

Ⅷ 監査要点

監査要点とは、解消すべき異常な事態の存在を効果的・効率的に確認するために、予備調査において否定的仮説を設定し、実地監査において重点的に検証する事項である。

監査人は、監査客体の実情を的確に把握した上で、監査客体に相応のかつ監査目標に適合する監査要点を否定的仮説として設定する。

　例えば、監査客体の責任者及び所属員が付与された任務を適切に遂行しているか、重要なリスクを適切かつ有効にコントロールしているか、利益を継続的かつ安定的に確保しているか、主要業務及び組織の存続を確保しているかどうかという観点で網羅的予備調査を行ない、その結果感知した懸念及び疑問の中で悪い結果をもたらす可能性及び影響の高いものを、単なる検証項目として列挙するのでなく、文章で具体的仮説に取り纏めて設定する。

　監査要点設定上の観点と主要項目を例示すると、以下の通りである。

1　**監査要点設定上の観点**
- 監査客体組織の全般的内部統制が有効に機能しているか
  - 所属員が任務を適正（適法・適時・適切）に遂行しているか
  - 責任者が適時・適切に管理・監督しているか
- 監査客体の利益が十分かつ継続的に確保される状況にあるか
- 監査客体の経営目標の達成、事業の継続、組織の存続が十分に確保される状況にあるか

2　**監査要点設定上の主要項目**

(1)　**子会社等を持たない会社の場合**
- 会社の経営理念と監査客体の経営方針の整合性
- 経営方針と経営戦略の整合性
- 経営戦略と経営計画の整合性
- 経営計画と重点施策の整合性
- 重点施策と遂行業務の整合性
- 重点施策と計画業務（稟議・付議案件及び重要契約）の整合性
- 業務の法令、規則、社内規程、基準、手続等への適合性
- 業務の適正性
  - 業務の有効性、適時性、正確性、効率性
  - 業務に関する記録及び報告等の適時性、正確性
  - 業務に関する契約書及び記録等の保存の適切性

- 事業の健全性
  - 販売代金及び貸金の回収状況
  - 棚卸資産の回転状況
  - 固定資産の稼働状況
- 事業の成長性、継続性
  - 事業収益の十分性、継続性
- 監査客体組織の継続性
- 全般的内部統制の有効性
  - 組織の分割の適切性
  - 社内規程等の適切性
  - 業務分担の有効性
  - 権限付与の有効性
  - 権限行使の有効性
  - 二重点検（内部牽制）の有効性
  - 関連情報の照合の有効性
  - 記録と現物の照合の有効性
  - 資産の保全の有効性
  - 日常的モニタリングの有効性
  - 業務引継書の適切性等

補足：前任者と後任者の間の業務引継書に、社内外の組織及び人間との口頭契約、裏契約、内密の貸借、裏金等がないことを明記させること、あればそのことを明記させることが肝要である。

　全般的内部統制の有効性は、●を付したその他の項目と並列の関係にあるのでなく、●を付したその他の項目の点検に使用するものである。

(2) 企業集団の親会社である場合

　既述の（1）に掲げた項目に以下の項目を加える。
- 子会社等に対するコーポレート・ガバナンスの有効性
- 子会社等の経営実態の把握の有効性
- 子会社等に対する債権、投資、融資、保証に関するリスク・マネジメントの有効性

(3) **企業集団の子会社等である場合**

既述の（1）に掲げた項目に以下の項目を加える。
- 親会社と子会社等の経営方針の整合性
- 親会社に対する報告の適時性、正確性、十分性等

子会社等とは、子会社（孫会社等を含む）、関連会社を意味する。

参考：財務諸表監査の監査要点

外部監査の目標は、投資判断を誤導する重要な誤謬及び虚偽の表示の発見にある。従って、これらを効果的かつ効率的に発見するのに有効な定型の監査要点（audit objectivesの意訳）が形成されている。

1　日本の場合

日本公認会計士協会の「監査基準委員会報告書」第21号に規定されている監査要点は、以下の6種類である。

(1) **実在性**（existence）
- 勘定残高及び記録されている取引は、実在又は発生していたものか

(2) **網羅性**（completeness）
- 勘定残高は、その項目の総てを漏れなく表わしているか
- 記録されている取引以外に、記録されていない取引が存在していなかったか

(3) **権利及び義務の帰属**（imputation of rights and obligations / cutoff of rights and obligations）
- 計上されている資産は、企業自身が所有していたものか
- 計上されている負債は、企業自身が支払義務及び返済義務を負っていたものか

(4) **評価の妥当性**（validity of valuation）
- 会計基準に従って、妥当な評価を行なっていたか

(5) **期間配分の適切性**（competence of allocation）
- 会計基準に従って、適切な原価配分及び期間帰属を行なっていたか

(6) **表示の妥当性**（validity of presentation）
- 財務諸表の分類表示は、会計基準に準拠した妥当なものか
- 附属明細表の開示は、適切なものか

2 米国の場合

米国公認会計士協会の監査基準書第31号（AU Section 326）に規定されているassertions（アサーション）は、以下の5種類である。

(1) Presentation and disclosure（表示及び開示）
- 総ての勘定が、適正に表示されているか
- 差し入れている担保及び保証状等が、適正に開示されているか

(2) Existence or occurrence（実在性又は発生性）
- 勘定残高及び記録されている取引は、実在又は発生していたものか

(3) Rights and obligations（権利及び義務）
- 計上されている資産は、企業自身が所有していたものか
- 計上されている負債は、企業自身が支払義務及び返済義務を負っていたものか

(4) Completeness（完全性）
- 勘定残高は、その項目の総てを漏れなく表わしているか
- 記録されている取引以外に、記録されていない取引が存在していなかったか

(5) Valuation or allocation（評価又は配分）
- 会計原則（GAAP）に従って、適正な評価を行なっていたか
- 会計原則に従って、適正な原価配分及び期間帰属を行なっていたか

【補足説明】

内部監査と外部監査では監査の性質と監査目標が異なるので、両者の監査要点は根本的に異なるものである。

外部監査の監査目標は、経営者自身の対外的主張（assertion）である財務諸表が適正に表示されているかどうかを確認することである。

因って、外部監査の監査要点は、監査の要証命題（証明を必要とする命題）である財務諸表の適正性を確かめるために監査目標を細分化して具体化した、上掲の6つ（日本）又は5つ（米国）となる。

内部監査の監査要点は、異常な事態を効率的に識別するために、実地監査において重点的に検証する事項であり、監査客体毎、個別監査毎に異なるものであるから、外部監査のような定型のものはない。

Ⅸ 監査項目

　監査項目とは、監査目標を達成するために検証（点検、分析、照合、比較、評価、確認）する項目である。

　監査項目は、監査要点として設定する程重要ではないが、本格的予備調査で把握した監査客体の組織及び業務の現状から判断して実地監査で当然に検証すべき項目であり「監査要点設定上の主要項目」で監査要点として選択しなかったものの中から選択する。

【類似用語】

　重点監査項目とは、監査において重点的に点検する監査項目である。

　監査着眼点とは、監査において検証をすべき重要事項と判断して着目した監査の切口であり、重点監査項目を選択する糸口である。

【官公庁等の内部監査の着眼点】

　官公庁、公社、団体、組合、学校法人等における内部監査手法は未だ定まっておらず様々であるから、「内部監査実施上の着眼点」を以下に記載するので、監査項目として使用するか監査要点までもっていくかはその重要性によって使い分けて戴きたい。監査主体を勘案して適法性を最初に掲げるが、特に重要な着眼点は業務の有効性である。

- 業務処理の適法性
  - 違法、越権、逸脱、省略等の違反行為はないか
- 業務処理の有効性
  - 無用、無意味な仕事・事業はないか、成果を上げているか
- 業務処理の経済性
  - 無用、無駄な支出をもたらす仕事・事業はないか、節約しているか
- 業務処理の効率性
  - 重複、無駄な作業はないか
- 業務処理の安全性
  - 危険な仕事で指差喚呼をしているか、事故予防措置を講じているか
- 事業目標・業務目標の達成状況
  - 存在意義は、生産性は、貢献度等はどうか

- 資金配分の適法性、公正性
  ◦ 流用、偏り等の違反行為はないか
- 予算執行・経費支出の適切性
  ◦ 流用、浪費等の違反行為はないか
- 情報内容の正確性
  ◦ 収集情報・情報開示に偏りはないか、情報開示に誤謬・虚偽はないか
- 業務処理の適法性
  ◦ 越権、逸脱、省略等の違反行為はないか
- 情報保管の安全性
  ◦ システム、取扱業務、取扱部局に不備はないか
  ◦ 保管情報の破壊、改竄、消失、流出等のリスクの抑制は有効か

会計処理の方法が適法であっても、その元になる業務の決定が違法の場合は、会計処理自体も違法となるので、注意が必要である。

X 監査証拠

監査証拠とは、監査人が監査要点を立証するために監査技術及び監査手続を適用して収集した資料であり、監査人が監査意見を表明するため、かつ監査調書の適切性を証明するため必要不可欠なものである。多量に収集しても十分な証拠力を備えていなければ、監査証拠とはならない。

証拠力とは、証拠として利用する適性（証拠能力）及び証拠の信憑性（証明力）を具備している証拠の信頼性を言う。

監査人は、自ら形成した監査意見の合理性及び客観性を立証するのに必要かつ十分な監査証拠を、効果的・経済的・効率的に入手する。

XI 監査意見

監査意見とは、監査人が監査手続を実施して入手した監査証拠に基づいて述べる意見（異常な事態の原因及び実情の指摘並びに抜本的解消に有効な施策の提言）であり、専門職としての内部監査人の信念である。

「個別最適」の集合は「合成の誤謬」となり「全体最適」とはならないことを念頭に置き、全体最適の観点での意見形成を心掛ける。

第4節 内部監査手続の用語とその意味

Ⅰ 予備調査

予備調査とは、本格監査に相対する用語又は呼称であり、実地監査の効果的・効率的実施のための準備として実施する書面調査であり、机上調査とも言う。

予備調査には、以下の2つがある。

(1) 事前的予備調査（監査実施通知書を作成するための予備調査）

事前的予備調査は、監査実施通知書の作成及び本格的予備調査で使用する資料の送付依頼書の作成を主目標に、監査客体及び関係部署からの資料の入手による本格的予備調査への切替まで、手持の資料を使用して実施する書面調査である。

(2) 本格的予備調査（実地監査の準備としての予備調査）

本格的予備調査は、実地監査（現場監査又は往査）の効果的・効率的実施のための準備として、監査客体及び関係部署等から入手した資料を使用して実施する書面調査である。

本格的予備調査においては、監査客体の直近の組織及び業務の把握、重大な固有リスクの識別、内部統制の有効性の暫定的評価、重点的監査範囲及び監査対象の絞込、監査目標、監査要点、監査項目の設定、往査場所、往査日程、面談相手の決定、質問事項及び入手すべき証拠資料の一覧表への取纏め、監査実施手順書及び監査予備調書の作成、往査日程通知書の監査客体への発送等を行なう。

Ⅱ 監査実施手順書

監査実施手順書とは、実地監査での検証事項、検証目標、検証対象、検証のために適用する監査技術、具体的手順並びに実施する監査手続の日程及び時間割等の段取を詳細に記載したものである。

監査人は、個別監査を効果的・経済的・効率的に実施するため、費用対効果の高い適切な監査実施手順書の作成とその実行を心掛ける。

Ⅲ　監査予備調書

　監査予備調書とは、予備調査を実施して把握した監査客体の組織及び業務の概要、設定した監査目標及び監査要点、監査要点として設定した理由、監査範囲及び監査項目、往査場所及び日程等の予備調査の結果、監査費用、監査実施計画を記載した文書であり、かつ実地監査の実施を監査組織の責任者に伺い出る文書である。

　監査予備調書は、監査組織の上位者が監査リスクを低い水準に抑えるため詳細に点検するのに必要な文書であり、監査人が正当な注意を払い監査手続に従って予備調査を実施したことを証明するために必要な文書でもある。

　監査予備調書は、監査調書を完成した段階で理論上は不要となるが、次回の当該個別監査が終了するまで一連の関係書類とともに綴じ込んで保管するのが一般的である。

　監査予備調書には、以下の事項を記載する。
- 監査客体の名称及び責任者の氏名
- 監査実施責任者及び担当者の氏名
- 監査期間（×年×月〜×年×月）
- 監査客体の組織及びその業務
- 監査目標、監査範囲及び／又は監査項目
- 監査要点
- 監査要点を設定した事由、疑問、懸念等
- 検証のために適用する監査技術及び監査手続
- 往査の場所及び日程
- 面談の相手及び所要時間
- 面談で質問及び確認すべき事項
- 実地監査で入手すべき監査証拠（記録、資料、情報等）
- 監査費用（予算）
  - 旅費
  - 交通費

- 宿泊費
- 日当
- 公認会計士への報酬（面談費用）
- 税理士への報酬（面談費用）
- 弁護士への報酬（面談費用）
- 関係者との面談に使用する部屋の使用料等
- 通訳等への報酬（面談費用）
- 雑費

Ⅳ　本格監査

　本格監査とは、予備調査に相対する用語又は呼称であり、実地監査の開始から監査調書の完成に至る、監査要点（仮説の当否）及び監査項目等の検証、監査証拠の収集、監査意見の形成、証拠力の十分性の検討、監査意見の合理性の検討、監査リスクの有無及び程度の検討等の一連の監査行為を意味する。

Ⅴ　実地監査

　実地監査とは、監査人が監査客体に出向いて、実地で実施する監査を意味し、現場監査とも言う。
　類似用語として、実地に赴いて調査することを意味する往査がある。

Ⅵ　監査調書

　監査調書とは、予備調査から監査意見の表明に至る、実施した一連の監査行為の顛末を詳細に記載した文書である。
　監査調書は、監査証拠とともに、受託した任務を監査人が適切に遂行したことを証明するために必要不可欠な最重要書類である。
　監査調書は、監査組織の上位者が監査リスクを低い水準に抑えるため詳細に点検するのに必要な文書であり、監査人が正当な注意を払い監査手続に従って受託職務である内部監査を実施したことを証明する（説明義務を果たす）ために必要な文書でもある。

監査調書は、監査結果通知書及び監査報告書の基礎資料となるものであり、監査意見の説明に必要な利便性及び理解可能性を具備し真実性、完全性、網羅性、明瞭性、監査記録間の明確かつ体系的関連性の要件を充足するものでなければならない。

　監査調書には、以下の事項を記載する。
- 監査客体の名称及び責任者の氏名
- 監査実施責任者及び担当者の氏名
- 監査期間（×年×月～×年×月）
- 監査客体の組織及びその業務
- 往査場所、往査日程
- 面談場所、面談時間、面談者
- 監査目標、監査範囲及び／又は監査項目
- 監査要点
- 監査要点を設定した事由、疑問、懸念等
- 検証のために適用した監査技術及び監査手続
- 実地監査で入手した監査証拠、その分析結果
- 監査要点等の検証結果
- 監査意見としての指摘及び提言
- 監査費用（実績）

Ⅶ　監査結果通知書

　監査結果通知書とは、実施した監査の概要、詳細、監査意見等の監査結果を、監査客体責任者に対して、通知する文書である。

　監査意見の表明は、最高経営執行者に宛てた監査報告書の写の送付によってではなく、監査客体の責任者に直接行なうべきである。

Ⅷ　監査報告書

　監査報告書とは、監査を実施した都度、その結果を要約して最高経営執行者等に提出する監査結果の概要報告書である。

　全社的課題については、経営者に対して、指摘及び提言する。

Ⅸ 回答書

　回答書とは、監査客体の責任者が監査組織の責任者に宛てて提出する指摘及び提言に対する措置の実施時期及び施策を記載した文書であり、その記載内容は、監査の区切又は継続を決定する基となる。

　回答書は、単なる決意表明及び基本方針を記載したものでなく、是正又は改善の措置について、時間軸及び具体的施策を明記したものでなければならない。

　回答書の記載事項については、記載した期限までに必ず実行して貰わなければならない。そのためには、監査組織責任者が監査客体の主管者との実地監査後の再度の面談（監査結果の概要説明）機会を持つことが肝要である。

Ⅹ フォロー・アップ

　フォロー・アップとは、監査の実効を確保するために、回答書に記載された改善等の措置の実現予定時期に（回答書の受領日から一定期間が経過した時点で）監査人が自ら又は監査客体及び関係先から証拠資料を取り付け、監査客体が回答書に記載した施策を実施又は完了しているかどうかを一時的に調べる確認業務である。

　内部監査の実効は、この確認によって確保される。個別内部監査は、フォロー・アップで完結するが、フォロー・アップ監査とは言わない。

　監査客体に対する提言事項又は監査客体からの回答事項の実現を図る方策は次の何れか又はそれらの組合せである。

① 　異常な事態の解消に取り組まないと、リスクが現実のものとなり、当該組織及び会社に金銭的及び／又は名声的打撃をもたらすこと及び関係者の任務懈怠責任が問われることを説明して理解させる。
② 　当該組織を監督する本部長又は担当役員等の上位者に対して同様の説明を行なって指揮命令を促す。

第5節 内部監査の関連用語とその意味

Ⅰ 経営監査

1 経営監査の種類

経営監査、Management Audit、Managerial Auditingだけでは識別できないが、経営監査の監査形態として、以下の2つがある。

(1) 経営者に対する監査（audit of management）

経営者に対する監査とは、経営者以外の者のために経営者を監査客体として行なう、経営者の業務執行等を対象とする監査である。

日本の監査役監査は、これに相当する。

(2) 経営者のための監査（audit for management）

経営者に貢献する監査とは、経営者のために、経営者以外の者を監査客体として行なう、経営者の経営判断等に役立つ監査である。

2 内部監査と経営監査の関係

古川榮一教授と可児島俊雄教授は、経営管理の行為・業績を綜合的に批判・検証し、経営における資本・労働の資源の効率的な適用の評定により企業の健全な成長発展を旨とする経営監査を内部監査の発展形態として推奨した。両教授は内部監査という呼称のままでは意図が伝わらないと思われたかも知れないが、今日の内部監査は、経営者の代理人として経営者の目線で経営者のために実施する経営に貢献する監査であるから、敢えて「経営監査」と呼称する必要はないかも知れない。

Ⅱ 監査リスク・ベースの外部監査

1 監査リスク・ベースの監査とは

監査リスク・ベースの監査とは、米国で1980年代に開発された分析的手続を活用して、虚偽表示を看過する監査リスクを合理的に低い水準に抑えるための監査リスク・ベース監査のアプローチ（audit risk-based audit approach）であるが、日本では、単にリスク・アプローチの監査（risk-approached audit）として紹介された。

監査リスク・ベースの概念は、発見リスクの高い事項に最大限の監査資源を投入し、発見リスクの低い事項に最小限の監査資源を投入する、監査資源の有効配分により、監査を効果的・経済的・効率的に実施して重要な誤謬及び虚偽の表示を看過する監査リスクを経営者が開示義務を果たし得る水準（許容可能な一定水準）に抑える考え方である。

　具体的には、試査（testing）用の検体の抽出（sampling）及び試査による監査を効率的に実施するために、重要な固有リスクと統制リスクを評価して、内部統制の網の目を擦り抜ける虚偽の表示がどの部分にどの程度あるかを推定し、その効率的発見に有効な監査手続を実施しようとするものである。

2　旧来の監査手法

　初期の段階の財務諸表監査は、監査対象の総てを精細に検査する精査（complete checking）によって行なわれていたが、会社の規模、取引、付随する会計処理の量的拡大及び複雑化等によりそれを実施する人的、時間的、経済的な余裕がなくなったために、監査対象から複数の検体を抽出し、当該部分だけを検査する試査により行なうようになった。

　試査は、要証命題に合致した的確な検体を十分に抽出し十分に検査をすれば効果を発揮するが、抽出の範囲及び件数等が不適切及び不十分な場合は監査リスクを抱えることになる。

　1980年代の米国における財務諸表監査の手法は、画一的なサンプル・テストを主体とするものであった。

　日本における財務諸表監査の手法も、総ての拠点を廻り、総ての監査対象及び監査項目等を網羅的・画一的に点検するものであり、異常点の発見は、監査人の経験及び勘に依存するものであった。

　このような、重要な虚偽表示が含まれている可能性の高い部分と低い部分を画一的に点検する手法は、重要な虚偽表示を看過して誤った監査意見を表明する監査リスクが高まる。

　これが1980年代に米国で現実化したため、多数の会計事務所が莫大な損害賠償請求訴訟に襲われ、監査業界は危機的状況に陥った。この反省から考案されたものが監査リスク・ベースの財務諸表監査の手法である。

3 監査リスク・ベースの財務諸表監査の手法

監査リスク・ベースの財務諸表監査の手法は、監査リスクを合理的に低い水準に抑えるために、発見リスクを引き下げる監査手続を適用して監査を実施する手法である。

財務諸表監査における監査リスクは、固有リスク、統制リスク、発見リスクという3つのリスクによって構成される。

(1) 監査リスクとその構成要素の関係

① 監査リスク（audit risk: AR）

監査リスクは、監査人が財務諸表の重要な虚偽表示を看過して誤った意見を形成する可能性を言う。

これは、財務諸表に重要な虚偽表示が含まれているのに、適正である（重要な虚偽の表示は含まれていない）という公認会計士又は監査法人の監査報告書が添付されている財務諸表を利用する利害関係者にとってのリスクでもある。

② 固有リスク（inherent risk: IR）

固有リスクは、関連する内部統制が存在していないとの仮定の上で、財務諸表に重要な虚偽の表示が為される可能性であり、リスク・マネジメントの分野では潜在リスクと和訳している。

これは、当該企業に本来的に存在しているリスクであり、経営環境によって影響を受ける様々なリスク、並びに特定の取引記録及び財務諸表項目が本来的に有するリスクから成る。

③ 統制リスク（control risk: CR）

統制リスクは、財務諸表の重要な虚偽の表示が企業の内部統制で防止又は適時に発見されない可能性であり、リスク・マネジメントの分野で言う残余リスク（residual risk: RR）と同様の概念である。

④ 発見リスク（摘発リスク）（detection risk: DR）

発見リスクとは、企業の内部統制によって防止又は発見されなかった財務諸表の重要な虚偽の表示が監査手続を実施してもなお発見されない可能性であり、摘発リスクとも和訳される。

(2) 監査リスクをもたらす諸要素の関係

財務諸表の作成のための原始記載の全体	★★★★★★★★★★★★★★★★★★★★★★★★★★ ★★★★★★★★★★★★★★★★★★★★★★★★★★ ★★★★★★★★★★★★★★★★★★★★★★★★★★ ★★★★★★★★★★★★★★★★★★★★★★★★★★ 〈100個＝100％の原始記帳を行なった〉
固有リスク（IR） ⇩	★★★★★★★★★★★★★★★★★★★★…本来的に存在する虚偽の記載 〈100個の原始記載に20個＝20％の虚偽の記載があった〉
内部統制 ⇩	☆☆☆☆☆☆☆☆☆☆…内部統制で発見した虚偽の記載 〈内部統制で10個＝10％の虚偽の記載を発見して是正した〉
統制リスク（CR） ⇩	★★★★★★★★★★…内部統制で発見できない「内部統制上のリスク」 〈内部統制で10個＝10％の虚偽の記載を看過した〉
会計監査 ⇩	☆☆☆☆☆☆…会計監査で発見した虚偽の記載 〈会計監査で6個＝6％の虚偽の記載を発見して是正した〉
発見リスク（DR） ⇩	★★★★…会計監査で発見できない「監査手続上のリスク」 〈会計監査で4個＝4％の虚偽の記載を看過した〉
監査リスク（AR）	会計監査人が虚偽の記載の存在に気付かずに適正意見を表明する「監査証明上のリスク」 〈虚偽の記載が存在しているにも拘わらず適正意見を述べた〉

監査リスクを、他の3つのリスクとの乗数等式で表わし、一定の水準以下に抑えようとすれば、次の恒等式が成り立つ。

　監査リスク＝固有リスク×統制リスク×発見リスク…………AR＝IR×CR×DR
　発見リスク＝監査リスク÷（固有リスク×統制リスク）………DR＝AR÷（IR×CR）

監査人は、固有リスクと統制リスクという外部要因を所与の条件として受け入れざるを得ず、その条件下で監査リスクを一定水準以下に抑える方法は発見リスクを調整する以外にない。

従って、固有リスクと統制リスクの両方とも高い場合は、強力な監査証拠を入手できるような監査手続を選択し、監査実施時期に配慮し、監査実施範囲を拡大して、抽出件数を増大する必要がある。

監査リスク・ベースの財務諸表監査は、固有リスクと統制リスクの評価により、内部統制と会計監査をすり抜けたり避けたりする虚偽の表示がどこにどの程度存在するかを推定し、それに適合した監査手続を実施しようとするものである。

これを上述の恒等式で表示すると、次の通りとなる。
＊標準的な水準（仮定）

固有リスク、統制リスク、発見リスク、監査リスクの標準的水準を$1.0 \times 1.0 \times 1.0 = 1.0$であると仮定した上で、固有リスクと統制リスクの水準が高い場合、及び低い場合の、監査リスクについて考える。

$$1.0 \times 1.0 \times X \leq 1.0 \quad X \leq 1.0 \div (1.0 \times 1.0) \quad X \leq 1.0$$

固有リスク（1.0）と統制リスク（1.0）はどちらも標準的な水準にあるので、発見リスクを標準的な水準（1.0）に抑えれば、全体の監査リスクを所定の水準に抑えることができる。

＊固有リスクが高い場合

$$2.0 \times 1.0 \times X \leq 1.0 \quad X \leq 1.0 \div (2.0 \times 1.0) \quad X \leq 0.5$$

上記の2.0のように固有リスクが高い場合は発見リスクを低い水準（0.5）に抑えて全体の監査リスクを所定の水準に抑制する必要がある。

＊統制リスクが高い場合

$$1.0 \times 2.0 \times X \leq 1.0 \quad X \leq 1.0 \div (1.0 \times 2.0) \quad X \leq 0.5$$

上記の2.0のように統制リスクが高い場合は発見リスクを低い水準（0.5）に抑えて全体の監査リスクを所定の水準に抑制する必要がある。

＊固有リスクと統制リスクの両方が高い場合

$$2.0 \times 2.0 \times X \leq 1.0 \quad X \leq 1.0 \div (2.0 \times 2.0) \quad X \leq 0.25$$

上記の2.0と2.0のように固有リスクと統制リスクの両方が高い場合は発見リスクを低い水準（0.25）に抑えて、全体の監査リスクを所定の水準に抑制する必要がある。

＊固有リスクと統制リスクの両方が低い場合

$$0.5 \times 0.5 \times X \leq 1.0 \quad X \leq 1.0 \div (0.5 \times 0.5) \quad X \leq 4.0$$

上記の0.5と0.5のように固有リスクと統制リスクの両方が低い場合は発見リスクを高い水準（4.0）においても監査リスクは高くならないので、監査実施範囲及び抽出件数の縮小、簡便な監査手続の選択、監査実施時期の分散が可能となる。

これは、手抜の監査をしても支障はないという意味でなく、監査リスクが一定の水準に収まる場合は、監査手続の選択肢が増えるという意味である。

つまり、監査リスク・ベースの監査は、企業の自浄機能としての内部統制が適切かつ十分に機能しているかどうかに注目し、その実情に適合した監査を実施して、監査リスクを一定の水準に抑えることを可能にする、合理的な監査手法である。

4 監査リスク・ベースの手法の日本への導入

企業会計審議会は、1991年12月の改訂監査基準で、監査上の危険性としてリスク・アプローチの考え方を初めて採用したが、監査実務に浸透しなかったため、2002年1月の改訂監査基準の前文で、①リスク・アプローチの意義、②リスクの諸概念及び用語法、③リスク・アプローチの考え方、④リスク評価の位置付けの4つに分けて解説し、リスク・アプローチの明確化を試みている。

2005年10月の改訂監査基準では従来の固有リスクと統制リスクを結合した「重要な虚偽表示のリスク」の評価、並びに「財務諸表全体」及び「財務諸表項目」の2つのレベルにおける評価という、財務諸表に重要な虚偽表示をもたらす可能性のある事業上のリスク等を重視したリスク・アプローチに移行した。併せて、監査手続の重要性について強調した。

監査基準　第三 実施基準　― 基本原則

1 　監査人は、監査リスクを合理的に低い水準に抑えるために、財務諸表における重要な虚偽表示のリスクを評価し、発見リスクの水準を決定するとともに、監査上の重要性を勘案して監査手続を策定し、これに基づき監査を実施しなければならない。

改訂前の監査基準は固有リスクと統制リスクを個々に評価して発見リスクの水準を決定するとしていたが、新監査基準は固有リスクと統制リスクを個々に評価するのではなく両者を結合した「重要な虚偽表示のリスク」を評価して発見リスクの水準を決定することを要求した。

Ⅲ　監査リスク・ベースの内部監査

潜在リスクの高い順に対処するリスク・マネジメントと混同して固有リスクの高い組織を短いサイクルで監査するのがリスク・アプローチの監査であるという解説が見られるが、これは、内部統制とは何か、何のためにその有効性評価をするのかを理解していないことに起因する。

最近はリスク・ベースの監査が推奨されているが、これも、リスク・アプローチの監査と同じで取組手法であり、監査リスクの抑制を目標とする監査リスク・ベースの監査とは全く異なるものである。

1　監査リスク・ベースの内部監査の論理

　内部監査における監査リスクは、財務諸表監査における虚偽の表示に相当する異常な事態を看過して、指摘をしないリスクである。

　監査リスク・ベースの監査の論理は、以下の通りである。

① 　監査リスクを低い水準に抑えるためには、発見リスクを低い水準に抑えなければならない。

② 　発見リスクを低い水準に抑えるためには、統制リスクを低い水準に抑えなければならない。

③ 　統制リスクを低い水準に抑えるためには、強力な内部統制が必要であるが、これは監査人にとって所与（操作不可能）のものである。

④ 　固有リスクが低ければ内部統制が弱くても統制リスクを低い水準に抑えることができるが、これも監査人にとって所与のものである。

⑤ 　監査リスクを低い水準に抑えるために重点的（濃密）に検証すべき領域は、統制リスクが高い領域である。

⑥ 　統制リスクが高い領域を重点的に検証し、統制リスクが低い領域を簡略的（淡白）に検証する。

⑦ 　監査人は、担当する個別監査において、監査リスクを合理的に低い水準に抑えるために、以上の論理に基づいて監査資源（監査人、時間、情報、費用等）を有効に配分し、効果的・効率的に実施する。

2　リスク・マネジメントの概念との違い

　リスク・マネジメントの対象は、潜在リスク（監査の分野ではこれを固有リスクという）である。これに対し、監査の対象は、固有リスクに内部統制（＝リスク・コントロール）を施しても統制が効かないために残る統制リスク（リスク・マネジメントの分野ではこれを残余リスクという）である。従って、両者の取組対象は、全く異なるものである。

(1) リスク・マネジメントの分野の用語とその意味

　リスク・アプローチの概念を理解するためには、先ず以下の恒等式の用語と意味を理解しなければならない。

　　潜在リスク － リスク・コントロール ＝ 残余リスク
　　inherent risk（IR）－ risk control（RC）＝ residual risk（RR）

① inherent risk（IR、潜在リスク）
　これは、制度、組織、業務等に内在しているリスクを意味する。
② risk control（RC、リスク・コントロール）
　これは、潜在リスクに対するコントロール（制御）を意味する。
③ residual risk（RR、残余リスク、残存リスク）
　これは、コントロールをすり抜けて残る潜在リスクを意味する。

(2) 内部統制及び監査の分野の基本的用語とその意味
　　固有リスク － 内部統制 ＝ 統制リスク
　　inherent risk（IR）－ internal control（IC）＝ control risk（CR）
　　リスク・コントロールは、トップ・ダウンで実施する。
　　トップ・ダウンは、リスク・マネジメントで、複数の潜在リスクがある場合、そのリスクの高いものを優先してリスク・コントロールを施すという意味であり、経営者の指示に基づいてという意味ではない。
　　内部統制基準も、財務報告に係る重大な虚偽記載に繋がるリスクに着眼するトップ・ダウン型のリスク・アプローチを採用している。
① inherent risk（IR、固有リスク）
　これは、制度、組織、業務等に内在しているリスクを意味する。
　● 外部監査の場合は、虚偽の表示を意味する。
　● 内部監査の場合は、異常な事態を意味する。
② internal control（IC、インターナル・コントロール）
　これは、固有リスクに対するコントロール（制御）を意味する。
③ control risk（CR、統制リスク）
　これは、コントロールをすり抜けて残る固有リスクを意味する。
　● 外部監査の場合は、内部統制によって予防、発見、是正できない虚偽の表示を意味する。
　● 内部監査の場合は、内部統制によって予防、発見、是正できない異常な事態を意味する。
注意：潜在リスクと固有リスクは、和訳が異なるが同一の概念である。
　　　残余リスクと統制リスクは、原語と和訳が異なるが同一の概念である。

リスク・マネジメントの分野と監査の分野では原語及び和訳が潜在リスク及び固有リスクと異なるが、リスク・コントロールもインターナル・コントロールも、事業に潜在しているリスクのコントロールという意味であるから、リスク・マネジメントとして視るか内部統制として視るかの視点の違いはあるが、同一の概念である。

(3) 監査の分野の追加的用語とその意味

監査の分野では、更に、以下の用語が加わる。

④ audit（A、監査）

これは、監査を意味する。

- 外部監査の場合は、EA（external audit）又はFA（financial statement audit：財務諸表監査）と表記する。
- 内部監査の場合は、IA（internal auditing）と表記する。

⑤ detection risk（DR、発見リスク、摘発リスク）

これは、監査によって発見できないリスクを意味する。

- 外部監査の場合は、監査人が看過する虚偽の表示を意味する。
- 内部監査の場合は、監査人が看過する異常な事態を意味する。

⑥ audit risk（AR、監査リスク）

これは、固有リスクをコントロールできないリスクを意味する。

- 外部監査の場合は、監査人が虚偽の表示を看過したことに気付かず適正であるという誤った意見を表明することを意味する。
- 内部監査の場合は、監査人が異常な事態を看過したことに気付かず指摘及び提言をしないこと、並びに事実誤認により適切でない指摘及び提言をすることを意味する。

統制リスク － 監査 ＝ 発見リスク ⇒ 監査リスク

control risk（CR）－audit（A）＝detection risk（DR）⇒audit risk（AR）

3 リスク・マネジメントの概念と監査の概念の違い

リスク・マネジメントの分野と監査の分野での概念の違いは、以下の通りである。

(1) リスク・マネジメントの分野の概念

IR － RC ＝ RR

事業等に重大な影響を及ぼす可能性の高い潜在リスク（IR）に対し、十分なリスク・コントロール（RC）を施して、コントロールの効かない残余リスク（RR）を低く抑えることにより、リスクの現実化及び影響を低く抑える。

(2) 外部監査の分野の概念

$IR - IC = CR \quad CR - EA = DR \Rightarrow AR$

誤った監査意見を形成する監査リスク（AR）を低く抑えるため重要な虚偽の表示が含まれている可能性の高い統制リスクに有効な監査手続を十分に実施することにより、発見リスク（DR）を低く抑える。

(3) 内部監査の分野の概念

$IR - IC = CR \quad CR - IA = DR \Rightarrow AR$

多額の損失及び不祥事をもたらすリスクをはらんでいる異常な事態を見過ごして監査意見を表明できない監査リスク（AR）を低く抑えるため異常な事態が含まれている可能性の高い統制リスクを重点的に検証することにより、発見リスク（DR）を低く抑える。

4 リスク・マネジメントと監査の目標の違い

リスク・マネジメントの分野と監査の分野での目標の違いは、以下の通りである。

(1) リスク・マネジメントの分野の目標と対象

$IR - RC = RR$

計画の未達及び多額損失の発生等の重大な影響を及ぼす蓋然性の高いビジネス・リスクの現実化及びその影響度の抑制を目標に、潜在リスク（IR）にアプローチする（リスク対応に取り組む）。

財務報告に係る内部統制の整備においても、リスク・マネジメントの分野と同様に「リスク・アプローチ」という用語が使用されている。

(2) 監査の分野の目標と対象

$IR - IC = CR \quad CR - A = DR \Rightarrow AR$

監査リスクの抑制に不可欠の発見リスクの抑制を目標に、予備調査において重大な統制リスク（CR）にアプローチし、重要と認めたものを監査要点として設定し、実地監査において重点的に検証する。

5 リスク・マネジメントと監査の違いの総括

リスク・マネジメントの分野と監査の分野で使用されているリスク・アプローチの違いについて要約すると、以下の通りである。

① リスク・マネジメントにおいては、重大な事業リスクをしっかりとコントロールしてその現実化により多額の損失が発生する蓋然性及び発生した場合の損害を低い水準に抑制するために、当該事業リスク＝潜在リスク（IR）にアプローチする。

　リスク・マネジメントと内部統制の場合は、事業リスクの現実化を抑制するために、重大な潜在リスク（固有リスク）にアプローチする。

② 監査においては、内部統制が効かない重大な統制リスクを重点的に検証して発見リスクを低い水準に抑制することにより、監査リスクを低い水準に抑制するために、統制リスク（CR）にアプローチする。

6 内部監査における監査リスクの発生原因

監査リスクは、監査組織責任者等による監査計画の不適切な作成及び監査人による個別監査の不適切な実施の両方によって発生する。

(1) 監査戦略上の誤り

監査戦略上の誤りとは、監査組織責任者等による、監査計画作成上の誤りであり、以下に起因する。

- 難易度及び監査リスクが高い監査の実施における、実務経験が浅く監査技能の劣る監査人等の任命
- 時間的に無理がある監査期間の設定
- 不適当な監査実施時期の設定
- 不適当又は不十分な指導

(2) 監査手続上の誤り

監査手続上の誤りとは、監査人による、個別監査実施上の誤りであり、以下に起因する。

- 不十分な予備調査の実施
- 検証における誤謬、手抜、怠慢、思込、勘違い
- 不十分な監査証拠の収集
- 不合理な監査意見の形成

7　監査リスク・ベースの内部監査の基本

実効を上げる内部監査を実施するためには、業務目標の達成、事業の継続、組織の存続等を阻害する重要な固有リスクを効率的に発見する、監査リスク・ベースの内部監査を実施しなければならない。

① 組織責任者は、監査計画の作成において、難易度及び監査リスクの高い個別監査を熟練の監査人に割り当てる。

② 監査人は、個別監査の実施において、統制リスク（⇒発見リスク⇒監査リスク）の高い領域及び事項を重点的に検証する。

8　監査リスク・ベースの内部監査計画の作成

監査組織責任者は、以下の要領で、内部監査計画を作成する。

① 総ての監査客体の、組織の重要度、固有リスク、業容等を勘案して個別監査の難易度の順位付けを行ない、難易度及び監査リスクの高い個別監査を熟練の監査人に割り当てる。

- 組織の重要度
　総資産額、経常損益額、累積損益額、社内情報を基に把握する。
- 組織の固有リスク
　与信額、投資額、融資額、保証額、事業の概要を基に把握する。
- 組織の業容
　見越極度額、在庫金額、事業投資先数を基に把握する。
- 監査の難易度
　組織の重要度、統制リスク、業容等を勘案して把握する。

② 自社の組織及びその監督下にある子会社等について、同一年度中に統合的監査を実施する。

③ 統合的監査においては、監査実施責任者を同一の監査人に固定し、監査の有効性及び効率性を高める。

9　監査リスク・ベースの個別内部監査の実施

監査人は、以下の要領で、監査リスク・ベースの監査を実施する。

① 予備調査において、関連書類の閲覧及び数値の点検、分析、突合、比較等によって、重大な固有リスク（目標の達成を阻害したり金銭的及び名声的打撃を与えたりするビジネス・リスク）を把握する。

例えば、監査客体の組織がいつ何の目的で設立され、何を主要業務とし、如何なる実績を上げているか、当該業務に付随する重大なビジネス・リスクは何かという手順で重大な固有リスクを識別する。
② その上で当該固有リスクに対するリスク・コントロールの有効性を検討して統制リスクを評価し、発見リスク（監査で異常な事態を看過するリスク）の水準を推定する。
③ その結果ハイ・リスクと判断した統制リスク（コントロールが効かないために高い水準で残存している固有リスク）について監査要点を設定し（疑問及び懸念を否定的仮説に纏め）、実地監査で実施すべき監査手続、監査範囲配分時間等を決定する。
④ 実地監査において、監査要点の当否を重点的に検証し、当否を立証する監査証拠を入手する。
⑤ 監査証拠の証拠力の十分性、監査意見の合理性及び客観性について吟味し、監査リスクを低い水準に抑える。
⑥ 個別監査を担当した監査チームだけでなく、監査組織の上位者及び責任者等にも吟味して貰う。

【補足説明】
　内部監査には、存在している異常な事態を看過して指摘しないリスク及び錯誤によって事実誤認の指摘及び提言をするリスクという2種類の監査リスクがある。異常な事態の看過を防ぐ方法は、十分な注意を払うことである。事実誤認を防ぐ方法は、手抜と思込の排除、十分な証拠の入手、証拠力の十分性の吟味、監査意見の論理性の吟味である。

Ⅳ　監査実施手順書

　IIAのIPPFには監査計画に関する用語が3種類記載されており、日本内部監査協会は以下の通り和訳している。
　2010—Planning：（内部監査部門の）計画の策定
　　内部監査部門長は、組織体のゴールと調和するように内部監査部門の業務の優先順位を決定するために、リスク・ベースの監査の計画を策定しなければならない。

2200—Engagement Planning：内部監査の個々の業務に対する計画の策定

　内部監査人は、内部監査の個々の業務に対して、個々の業務の目標、範囲、実施時期と資源の配分を含む計画を策定し文書化しなければならない。

2240—Engagement Work Program：内部監査の個々の業務の作業プログラム

　内部監査人は、内部監査の個々の業務の目標を達成するための作業プログラムを作成し、文書化しなければならない。

補足：「engagement work」は「outsource業務」を意味している。

　Planningとは、組織体の目標と合致するように監査の優先準備を決定するための、リスク・ベースの内部監査組織としての監査計画の策定を内部監査部門長に義務付けたものである。

　Engagement Planningとは、実地監査における個々の業務の目標、範囲、実施時期、監査資源の配分を含む、監査計画の策定及び文書化を内部監査人に義務付けたものである。

　Engagement Work Programとは、個々の業務目標を達成するための具体的作業プログラムの策定と文書化を内部監査人に義務付けたものであり、Internal Auditing Programを意味している。

　IPPF日本語版の和訳は上掲の通りであるが、筆者はこの刊行前から、「監査実施手順書」と「内部監査プログラム」の何れにするかを推敲し、前者の和訳を使用している。

　監査実施手順書とは、実地監査を有効かつ効率的に実施するために、予備調査の結果を踏まえ合理的手順（段取）を勘案して作成する、実地監査における検証事項、検証目標、検証対象、検証に用いる監査技術、具体的手順等を記載した、実地監査の詳細な実施計画書である。

　内部監査のアウトソーシング（外部委託）を引き受けている公認会計士はEngagement Work Programを「監査手続書」と和訳しているが、筆者は次の通り両者を使い分けている。

- 簡潔明瞭に表示するため、監査実施手順書と和訳している。

- 筆者が三菱商事㈱在職中に作成した監査部員が遵守して実施すべき実務指針及び実施要領の題名をAIA及びAICPAの『Statement on Auditing Procedure』に倣って、『監査手続書』としている。

V チェック・リスト

上述の通り重要事項の検証のために使用するものが監査実施手順書であり、それとは別に汎用的に使用可能な基本的点検項目を纏めたものがチェック・リストである。チェック・リストの作り方を研究するのではなく監査実施手順の作り方を学び、工夫し、活用するのがよい。

VI 監査マニュアル

監査マニュアル（Audit Manual）とは、監査業務の段階毎にその手順及び要領を文章、図、フロー・チャート等で詳細に解説した監査実務の汎用的手引書であり、監査手順書とも言う。

監査マニュアルは、監査組織内の業務の手順及び様式との統一を図るため及び新人教育等に使用するための手引書であり、その使用の際は、以下に留意する必要がある。

(1) 監査目標を明確に定めて見失わないこと

監査マニュアルに記載された事項を、記載された手順通りに行なっていると、単なる手順手引書に過ぎない監査マニュアルに振り回されて、文書を作成するだけの形式的作業となる。

何のために、何をするべきか、今何をしているのか、これでよいのか、もっとよい方法はないか、次に何をするべきかを常に認識し、進むべき方向（監査目標）を見失わないよう、留意しなければならない。

(2) 監査目標と監査要点が監査客体毎に異なること

外部監査の監査目標は財務諸表の適正性の確認であるから監査客体が異なっても変わらないが、内部監査の監査目標は監査客体毎に異なる。

症状が類似していても病気の種類及び原因等が患者毎に異なることを理解せず、監査マニュアルに頼っていると、病巣の看過及び誤診という監査リスクが高くなる。

内部監査人は、監査マニュアルに頼るのではなく、内部監査の基本をしっかりと身に付け、思考を凝らしながら、道理に適った監査実務を、臨機応変に遂行しなければならない。

Ⅶ CSAと自己点検

1 CSA

CSAは、担当業務に関連して想定されるリスクの洗出し、洗い出したリスクの評価、統制手続の妥当性、有効性の評価、統制手続の改善案の検討を当該組織の管理責任者及び／又は当該業務の担当者自らが行なう内部統制の自己評価である。

統制自己評価と和訳されているCSAはControl Self-Assessmentの略称であり、1987年にカナダの石油採掘会社Gulf Canadaの内部監査チームが開発した業務担当者が行なう内部統制の有効性についての自己評価の手法である。

IIAは、1998年に公表した『専門職的実施のパンフレット』で、次のように定義している。

> CSA is a process through which internal control effectiveness is examined and assessed. The objective is to provide reasonable assurance that all business objectives will be met.
>
> CSAは、内部統制の有効性が検証され、評価されるプロセスである。この目標は、総ての経営目標が達成されるであろうとの合理的保証を提供することにある。(筆者訳)

CSAは、日常的モニタリングの具体的手法として、1990年代後半から米国企業の多数に採用され、リスク・マネジメント及びコントロールの有効性の評価の手法としてRCSA（Risk & Control Self-Assessment、リスク及び統制自己評価）という用語も使用された。

日本では、内部統制報告制度の導入以降、財務報告に係る内部統制の整備及び運用の状況を社内の部署毎に管理責任者及び担当者が点検及び評価する内部統制自己評価の手法として活用されている。

CSAの手法及びその呼称は、次の5種類に大別される。

(1) 質問状形式又はアンケート形式
　業務担当部署に質問状又はアンケート用紙又はチェック・リストを送付して、文章又はスコアリングによる回答を求める方式である。
(2) ワーク・ショップ形式又はグループ・ディスカッション形式
　複数の部署の関係者でリスク評価及びコントロール手法等について意見を述べ合う、情報の収集及びコンセンサスの形成を主目標とする方式である。
(3) ファシリテーション形式
　ファシリテーターが議論のテーマ及び目標成果物を提示して複数の部署の関係者で意見を交換し、リスクの評価及びコントロールの手法或いはリスク・マップの作成等の成果物を得る方式である。
(4) インタビュー形式又はチェック・リスト形式
　当該部署の評価担当者が、チェック・リストを用いて個々の業務の担当者とのインタビューによる評価を行ない、その結果を○／×又はYes／Noで記入する方式である。
(5) プロジェクト・チーム形式
　複数部署の関係者で編成したプロジェクト・チームが、プロセス・ウォーク・スルー（現場での業務プロセス統制の整備状況の点検）を行ない、評価結果をチェック・リストに記入する方式である。

⑴は、回答者の評価の尺度にばらつきがあり、評価の信頼性に欠ける弱点がある。

⑵及び⑶は、机上の意見交換が主体であるから、実証的手続が疎かになる弱点がある。

⑷は、一般に、部署内の自己評価であるから、評価の客観性に欠ける弱点がある。そのために、他部署とのたすき掛けによる相互評価という方式も見られるが、信頼性の懸念は払拭されない。

⑸は、①チームが複数部署の担当者で編成されるので評価の客観性が高い、②メンバーの評価尺度にばらつきがあっても複数の部署の業務を比較して評価をするのでその信頼性も高い、③優れた部署の業務の方式及び手順等を他の部署に普及できる、という利点を持っている。

2　自己点検

　自己点検とは、業務担当部署毎に、事務処理の不備の有無を自ら点検する、事務管理の手法である。

　三菱商事㈱は、Gulf CanadaのCSA導入より55年早い1932年に、社内及び子会社の業務担当部署自身による自己監査を実施しており、2005年4月に自己点検と改称した。

　三菱商事㈱の自己監査の点検項目は、担当業務の法令及び社内規程の遵守性、有効性、効率性であったが、2000年に、リスク・マネジメント及びコンプライアンスの有効性に重点を移した。

　自己点検の類は、他社においても、自己監査、自部監査、自主監査、自治監査、自主検査、自主点検等の名称で普及したが、「自主××」という名称は、「自主××であるから、強制されるものではない」として実施を拒否する部署があり、社内一斉点検を実現できなくするので使用しない方がよいという意見が多い。

　金融及び保険の業界では、金融庁検査マニュアルの公開以降、殆どの会社が実施しており、近年は大学での導入が顕著である。

【参考事項】

　監査において重要なことは、正当な注意を払い合理的懐疑心をもって相手の説明を聴き、それを立証する裏付資料（監査証拠）と照らし合わせて吟味し、事実であるかどうかの確認及びその適否の評価をすること並びに監査結果をその利用者に正確に伝達することである。

　監査意見の正当性は監査証拠によって立証されるので、異常な事態を発見したときは、それを立証する監査証拠を必ず入手して置かなければならない。

　事実の検証過程では、監査証拠が入手できなくても直ぐには諦めず、面談相手の説明内容及び従来のやり方等に疑問があるときは、それらが合理的であるか（理に適っているか）どうかという観点で多面的に究明することが肝要である。

第6節　内部監査の本質

　第4章第4節Xで内部監査人は経営者のスタッフであること及び指揮命令系統の一元は組織運営上の条理であること、第7節Ⅱで「アシュアランス業務とコンサルティング業務」の同時提供は利益相反行為であること、第8節Ⅳで内部監査人は監査役（会）、監査委員会、監査等委員会のスタッフとなるべきでないこと、本章第2節Ⅳで内部監査人はその独立性を保持しなければならないことを述べた。

　類似した留意事項をこのような形で述べた理由は、それぞれの主題が異なること及びこれらをすべて関連付けて述べると論点が散漫になって逆効果になると懸念したからである。因って、ここで内部監査の本質について総括する。

1　内部監査人の位置付け

　経営者の職務は会社を健全かつ継続的に発展させることであり、内部監査人の職務は経営者のスタッフとしてのその職務の支援である。

　監査役、監査委員会、監査等委員会は会社法でそのスタッフの設置を認められているが、内部監査人を充当すると会社の発展が望めなくなるので、財務報告に係る内部統制の評価者と同様に、内部監査人ではない者を充てるべきである。内部監査人が監査委員会、監査等委員会に直属すると、三様監査の連係は成り立たない。

2　内部監査人の本務

　内部監査人の本務は内部監査の実施と関係者への助言の提供である。アシュアランス（監査業務）とコンサルティング（非監査業務）の同時提供は利益相反の行為（自動車のブレーキとアクセルを同時に踏むのと同じ行為）であり、事故をもたらす。エンロンの粉飾とそれに関わったアーサー・アンダーセンの崩壊がその好例である。

　内部監査について色々な人が様々な意見を述べているが、監査は社会科学であるため、何が正しいかの証明が難しいので、総合的に見てどの解説が理に適っているかで判断することが肝要である。

第6章
現代の実践的内部監査の手続

　第6章においては、監査証拠の合理的入手のための監査技術と監査手続、現代の実践的内部監査の具体的手続と実施要領について詳細に解説する。
　第1節で、第2節以降の解説で頻出する監査技術と監査手続を概説する。
　第2節で、内部監査の基本的手続について概説する。
　第3節で、監査部長及び上位者の業務について解説する。
　第4節で、個別内部監査の具体的手続と実施要領について、監査人と監査部長等の業務を区別して解説する。
　尚、本章においては、簡潔な解説とするため、頻出する用語を基本的に、次の通り短縮して使用する。
　　　監査客体　→　監査先
　　　内部監査組織　→　監査部
　　　内部監査組織責任者　→　監査部長
　　　内部監査人　→　監査人
　監査手続については子会社に対する監査の場合を想定して解説するので、社内の監査の場合は用語の読替えが必要な箇所もある。

第1節 監査技術と監査手続

Ⅰ 監査技術と監査手続の概念

監査技術と監査手続については、次の3つの概念が存在する。
1 **監査技術**(audit techniques)
   監査人が監査証拠を合理的に入手するために適用する監査手段又は用具を監査技術と言う。
   一般監査技術とは、会計帳簿における取引記帳の全般についてその正確性及び妥当性等を確かめる手段である。
   個別監査技術とは、個々の重要勘定についてそれぞれの正確性及び妥当性等を確かめる一般監査技術の補完的な手段である。
2 **監査手続**(audit procedures) … 狭義
   監査技術を複数組み合わせた検証の法及び行為を監査手続と言う。
3 **監査手続**(audit procedures) … 広義
   監査人が実施する監査実務及び行為の総てを監査手続と言う。
監査技術は、一般監査技術と個別監査技術に分類される。

Ⅱ 一般監査技術(general audit techniques)

1 **突合**(照合)(checking、close examination)
   突合とは、証憑書類、会計記録、会計帳簿等の記録と記録、記録と証拠、証拠と証拠等の複数の数値を照合して、証憑書類、会計記録、計数等の正確性、妥当性、差異の有無等を確かめる監査技術である。
   突合には、証憑突合、帳簿突合、計算突合、勘定突合、伝票突合、等がある。その実施は原則として試査による。
(1) **証憑突合**(checking of vouchers)
   証憑突合とは、取引を立証する基礎資料である領収書及び請求書等の証憑書類の適法性、信憑性、正当性を検査し、吟味し、証憑と関係帳簿記録を突き合わせて、個々の帳簿記録の正確性を確かめる監査技術、又は監査証拠の入手手段である。

(2) **帳簿突合**（checking of accounting records）

　帳簿突合とは、証憑突合によってその正確性が確かめられた証憑書類が「企業会計の一般に公正妥当と認められる会計基準」に準拠して関係帳簿に正確に記入、転記、振替されているかどうかを確かめるため、原始記入伝票、仕訳帳、補助記入帳、補助元帳、総勘定元帳、等の相互に関連する帳簿に記載されている一定の項目の転記内容を照合して、記帳及び記録の正確性及び妥当性を検証する監査技術、又は監査証拠の入手手段である。

　帳簿突合は、一般的に広範囲に適用可能であるがその検証能力に限界があるので、証憑突合及び計算突合と並行して実施するべきである。

　帳簿突合を転記突合、勘定突合、伝票突合、記帳順突合に細分化して区別する場合もある。

① 　転記突合（checking of posting）

　転記突合とは、原始記入伝票から総勘定元帳までの各種の関係帳簿への転記の正確性を確かめる監査技術、又は監査証拠の入手手段である。

　原始記入伝票、仕訳帳、補助記入帳、補助元帳、総勘定元帳、等を突合する。

② 　勘定突合（checking of accounts）

　勘定突合とは、相互に関連する関係帳簿の勘定を照合して当該相互間の記録の正確性を確かめる監査技術、又は監査証拠の入手手段である。

　総勘定元帳と補助簿、本店勘定と支店勘定又は工場勘定、期首繰越高と前期末残高、等を突合する。

　上記とは異なり、借入金勘定と支払利息勘定、有価証券勘定と有価証券売却損益勘定のように、金額的に必ずしも合致しないが総勘定元帳において相互に関連する諸勘定の照合によって記録の正確性、双方の勘定に記録された金額の妥当性、を確かめる監査技術、又は監査証拠の入手手段であるとする説もある。

③ 伝票突合（checking of slips）

　　伝票突合とは、会計伝票と証憑書類、会計伝票と関係帳簿上の記録、会計伝票と会計伝票、等の相互を照合する監査技術、又は監査証拠の入手手段である。

④ 記帳順突合（tracing）

　　記帳順突合とは、証憑等取引の証拠書類から帳簿記録に辿って会計記録の網羅性を確かめる監査技術、又は監査証拠の入手手段である。

(3) **計算突合（計算調べ、記帳調べ）**（recalculation）

　　計算突合とは、各種の帳簿及び明細表等に記載された縦及び横の合計、差引計算、積算、乗算、除算、等の会計数値と監査人自らが計算した数値を比較及び検算することによりその正確性を確かめる監査技術、又は監査証拠の入手手段である。

　　尚、帳簿及び計算表等における縦及び横の合計額の調査は、合計調べ（footing）と言い、計算突合とは異なるものである。

　　コンピュータによる会計処理が行なわれていても桁違い等による誤った会計数値及び意図的な会計数値もあり得るので、計算突合は現在も基本的な監査技術として重要である。

　　計算突合は、一般的に広範囲に適用可能であるがその検証能力に限界があるので、証憑突合及び帳簿突合と並行して実施するべきである。

2　閲覧（careful reading）

　　閲覧とは、被監査会社の定款、株主総会、取締役会、経営委員会の議事録、監査役監査報告書、監査法人の監査報告書及び意見書、社長及び経営幹部の引継書、稟議書、決裁書、証憑書類、会計帳簿、税務申告書、社内規程、ガイドライン、マニュアル等各種の文書的記録を批判的にレビュー（査閲）し、被監査会社の現況、方針、重要施策、決議、規程等の内容を把握し、それらの正確性及び妥当性、事実との整合性、手続の準拠性を個別又は総合的に検討し、評価する監査技術、又は監査証拠の入手手段である。

閲覧により重要な問題及び疑問を把握した場合は、他の監査技術を適用してそれを立証する監査証拠を入手しなければならない。

3 **通査（走査）**（scanning）

通査とは、scanningの訳語であり、勘定記録及び仕訳帳等の一連の会計記録を通覧して、異常項目、例外項目、疑問項目、等を探索する監査技術、又は監査証拠の入手手段である。

通査は、広範囲の適用及び時間の節約が可能な監査技術であるが、誤謬及び虚偽の記載等の重要事項の発見並びに有力証拠の入手には、監査人の高度の熟練、感覚、職業的専門技術が必要である。

通査により重要な問題及び疑問を把握した場合は、他の監査技術を適用してそれを立証する監査証拠を入手しなければならない。

Ⅲ 個別監査技術（individual audit techniques）

個別監査技術には、以下のものがある。

1 **実査**（physical examination）

実査とは、実物検査の略語であり、被監査会社の貸借対照表に記載されている資産の期末残高の実在性、金額及び数量の妥当性、品質、物理的性質、状態、等を監査人自らが実地で実物を直接確かめる監査技術、又は監査証拠の入手手段である。

実査は、手元現金、預金証書、小切手、手形、有価証券、棚卸資産、船荷証券、貨物引換証、荷渡指図書等の資産に対して適用され、監査証拠としての証明力が極めて強い。

被監査会社における資産相互間の意図的な融通による監査リスクの現実化を予防するために、現金、手形、有価証券、等の換金性の高い資産については、実査を同時に実施しなければならない。

現金については、無用の混乱及びトラブルを避けるため、監査先の責任者又は担当者の同席を求めなければならない。実査よりも立会とする（相手方に数えて貰いそれを視る）のが無難である。

棚卸資産のようにその種類及び数量の多いものについては、実査に代えて、立会を行なうのが一般的である。

2　**立会**（attendance、presence）

　立会とは、被監査会社が行なう商品、製品、半製品、仕掛品、原料、材料、等の棚卸資産の実地棚卸に監査人が臨席して、その実施状況を視察し、現品の実在性、実地棚卸高の計算方法の正確性等を確かめる監査技術、又は監査証拠の入手手段である。

　立会は、棚卸資産に限らず、現金、預金、受取手形、有価証券等の当座資産に適用されることもあるが、基本的に実査の代用手段であり、立証力において劣るので、実査と組み合わせて実施する必要がある。

　監査人は、立会により実地棚卸項目の実在性について心証を得るとともに棚卸対象資産の一部に対する試験的実査（test count）により立会を補完しなければならない。

　立会は、棚卸計画の検討、実地棚卸の視察、質問、抜取検査、等を総合した監査技術、又は監査証拠の入手手段であるから、その実施が可能でありかつ合理的である限り行なわなければならない。

3　**視察（観察）**（observation）

　視察とは、被監査会社の事務所、工場、建設現場、工事現場、倉庫、置場、又は保管先、寄託先等の実地に監査人が出向いて、作業の実施状況、棚卸資産、固定資産の保管状況等を観察し、要証命題に対する確信を得る、又は棚卸資産、固定資産等の実在性を確かめる監査技術、又は監査証拠の入手手段である。

　視察は、製造業、小売業、不動産会社の棚卸資産の有無だけを検証する場合に、又は建物及び土地等の有形固定資産の実在性を検証する場合に、監査実施上の効率性の観点から、しばしば立会に代えて選択される監査技術、又は監査証拠の入手手段でもある。

　視察と立会は、監査人が自ら被監査会社の現場に赴いて状況を観察するという点では共通するが、以下の点において異なる。

- 視察は、内部統制の整備、充実、運用の状況、資産の管理の状況、管理方法の適否、仕掛品の評価の妥当性、を把握する目的で、事務処理及び生産工程等の概要、作業の進捗度、等を全体的に観察するものである。

- 立会は、棚卸資産及び固定資産の実在性、数量及び計算の正確性の確認を目的とし、しかも立会の対象となる資産が実在しかつ数量を計算できるものに限定される。

4 **確認**（confirmation）

確認とは、被監査会社の預金、貯金、受取手形、売掛金、支払手形、買掛金、外部保管中の受取手形、有価証券、棚卸資産、等について、監査人が被監査会社の預貯金先、取引先、保管先、弁護士、等の独立した第三者に対して文書で問い合わせ、文書による回答を得ることにより、金額、数量、種類、等の事実の正否を確かめる監査技術、又は監査証拠の入手手段である。

被監査会社による粉飾を防止するために、売掛金及び棚卸資産等については、原則として確認を行なう。

5 **質問**（inquiry）

質問とは、被監査会社の内部統制システム、組織、規程、業務分掌、業務手順、権限、偶発債務、不良債権、抵当権、係争事実、等の要証命題に関する不明、疑問、不確実な点について、被監査会社の役職員、顧問弁護士、外部の第三者等に口頭又は文書で直接質問し、説明又は回答を得る監査技術、又は監査証拠の入手手段である。

質問の方法には、公式文書によるものと非公式な口頭によるものがあるが、文書による回答の証拠力は口頭による回答よりも強い。

監査人は、質問の実施によって得た説明及び回答の真偽を、それらとは別の監査証拠によって確かめなければならない。

6 **年齢調べ**（aging）

年齢調べとは、英語のagingの和訳であり、例えば、売掛金残高に対して滞留債権の有無を調査して、売掛金の内容、売掛金の実在性、売掛金の回収の可能性、設定した貸倒引当金額の妥当性等を確かめる監査技術、又は監査証拠の入手手段である。

年齢調べは、特定の勘定残高の発生日及び満期日等に焦点を絞り、長期に互って放置されていないか、債権債務の管理が妥当であるか、貸倒引当金の設定が妥当であるか、等を調べる監査技術である。

年齢調べは、長期未決債権、架空債権、長期滞留在庫品、長期不良在庫品、架空債務の発見に有効であるから、受取手形、売掛金、棚卸資産、貸付金、支払手形、買掛金、等について実施する必要がある。

7　勘定分析（account analysis）

勘定分析とは、被監査会社の貸借対照表上の特定の勘定の借方及び貸方記入を勘定科目内容の構成要素別に分解し、分類、整理、分析により勘定の構成内容を明確にし、勘定記入及び勘定残高の正確性及び妥当性を確かめる監査技術、又は監査証拠の入手手段である。

勘定分析は、勘定記入及び勘定残高の正確性及び妥当性等の確認、異常項目の識別及び会計基準の適用に関する原理的な誤謬の発見にも有効であるから、現金、預貯金、売掛金、棚卸資産、未収入金、前渡金、固定資産、支払手形、買掛金、未払金、引当金、剰余金、売上高、仕入高、売上原価等については勘定分析を実施する必要がある。

勘定分析には時間を要するが、その適用により、勘定記入に関する一定の傾向及び趨勢が判り、異常性も感知でき、誤謬及び不正を発見するきっかけとなるので、勘定分析を実施して重要又は異常と感じた場合は、証憑突合、実査、確認、質問等の他の監査技術を付加して、当該記入内容の正否又は適否を確かめる必要がある。

例えば、棚卸資産への適用によって、当期末と前期末の残高はほぼ同額であるが平均単価及び数量／重量／容量等の変化が大きいことを発見できたり、販売数量との比較によって、長期滞留在庫となりつつあることを認識したりするきっかけともなる。

但し、勘定分析により確認できるのは、貸借対照表の借記及び貸記並びに残高の算術的正確性及び理論的妥当性等であり、取引及び勘定残高の正当性及び実在性等ではない。

8　比較（comparison）

比較とは、2つ以上の書類、帳簿、記録、数値等を対比して観察し、その差異を分析し、そこに見出す傾向性、類似性、異同性、不規則性等を基に、一定の方向、傾向、趨勢、異常点等を把握する監査技術、又は監査証拠の入手手段である。

比較は、基本的に、予算と実績の対比、同一物についての期間毎の対比、分析結果の対比、売上高と売上原価の対比、売上高と販売費の対比、標準原価と実際原価の対比、被監査会社と同業他社との対比等、広範囲に使用される監査技術であるが、数値面の異常性の発見においても効果的な監査技術である。

　比較により異常性を感じた場合は、閲覧、質問等の他の監査技術を付加して、原因、理由、問題点等の内容を明確にしなければならない。

9　**調整**（reconciliation）

　調整とは、異なる源泉から別々に入手した関連性のある２つ以上の数値を比較して相違があった場合に、その差異の原因を把握し、それらが実質的に合致することを確かめる監査技術である。

　調整は、監査人が実施する預金勘定の会計帳簿上の数値と預金残高証明書の数値の違算調整、現金出納帳の帳簿記録と現金の実際残高の違算調整等に適用される。

　例えば、小切手を仕入先に手渡してあるのに支払先が取立に回していないとか、支払先が取立に回していても銀行口座からの引落が完了していない場合がある。このような場合は、被監査会社の預金勘定の帳簿残高と銀行残高の差異明細に、「未取付小切手ＸＸＸ円」と記載して調整し、勘定残高を一致させる。

　監査人は、複数の数値の間の差異調整を実施して、計算的正確性を追求しなければならない。

　その調整が不可能な場合は、誤謬及び不正が存在する可能性が高いので、他の監査技術を付加して補強証拠を収集しなければならない。

Ⅳ　補助的監査技術（auxiliary auditing techniques）

内部監査においては、以下の補助的監査技術も有功に機能する。

1　**面談**（interview）

　面談（インタビュー）とは、監査人が面談相手に質問をして回答を貰い、回答内容を立証する監査証拠を入手して事実であることを確かめる監査技術、又は監査証拠の入手手段である。

面談＝質問＋証拠の入手 ⇒ 事実の確認

　監査先の責任者及び所属員との面談は、内部監査特有の補助的監査技術であるが、面談相手の反応を観察しながら進められるので、事実確認をする上で効果的である。但し、証拠（裏付資料）の入手による事実の確認を怠ると、聴取と同じ結果になる。

2　**聴取**（hearing）

　聴取（ヒアリング）とは、相手の説明の聴取であり、監査技術とは言えないとの理由で、1990年代に面談に取って代わられた。

　監査役を含む多数の監査人に聴取と質問（本節Ⅲの5で解説済）の混同が見られるが、両者は異なるものである。

　聴取であれ、質問であれ、相手の回答又は説明を鵜呑みにするのでは意味がなく、事実確認をしなければ監査とならない。

3　**アンケート**（enquête、questionnaire）

　監査技術としてのアンケートとは、予備調査の段階で、実地監査における実証手続に必要な情報を得るために実施するものであり、次の2つがあるが、その何れも実在性、正確性、妥当性等を確かめる監査証拠の入手手段ではない。

(1) **監査先への事前アンケート**

　　このアンケートは、規程類の整備状況、業務の概要、業界特有の用語等の参考知識を得るため又は財務諸表の数値について説明を受けるために、予備調査の段階で、質問事項を記載した文書と回答様式を監査先に送付して回答を求める監査手続である。

　　回答をメールに貼付して送信して貰うことにより、その入手先と入手日時が明白となるので、監査証拠の入手手段ともなる。

(2) **監査先の利用者への事前アンケート**

　　このアンケートは、社内サービスの提供部署である総務、人事、法務、財務、経理、情報システム等の監査先のサービス提供業務に対する利用部署の評価、不満、要望等を把握するために、予備調査段階で、質問事項を記載した文書を監査先のサービスの利用部署に送付して回答を求める監査手続である。

V 分析的手続（analytical procedures）

　これまで解説してきた実証的監査技術が記録と記録の一致又は記録と事実の一致を確かめる手段若しくは行為であるのに対し、分析的手続は「記録と推測の一致」を確かめる手段又は行為である。

　分析的手続は、財務データの相互間或いは財務データ以外のデータと財務データの間に存在する関係を利用した金額、比率、傾向等推定値と財務情報の比較によって財務情報の信頼性を確かめる監査手続であり、実在性、正確性、妥当性等を確かめる監査証拠の入手手段ではない。

　分析的手続は以下の手順で実施する。

① 　財務データ相互間又は財務データ以外のデータと財務データの間に存在する矛盾及び異常な変動の有無を検討して、財務情報の合理性、首尾一貫性を確かめる。

② 　データ相互間に矛盾及び異常な変動がなければ当該データとの間に存在する関係が存続すると考える。

③ 　逆に、データ相互間の変動に合理的関係がないと思われる場合又は異常が見られる場合は、そこに異常な取引、会計処理の変更、誤謬、重要な虚偽記載（不正）等が存在すると考える。

　分析的手続は、米国の「監査リスクに基づく財務諸表監査」において、有効かつ効率的に不正な財務報告を発見するために、1970年代から分析的レビューとして適用されてきた監査手続の1つであり、1988年に米国公認会計士協会（AICPA）の監査基準書（SAS）第56号で「通常の監査手続」として位置付けられたものである。

　日本では1992年4月に、日本公認会計士協会の監査基準委員会報告書第1号において「監査人が選択して適用すべき通常の監査手続の1つである」として紹介され、監査計画の策定、監査手続の実施、監査の最終局面の各段階で適用されている。

　IIAは1992年に、上述の分析的手続に相当する内部監査の手続として、「分析的監査手続」と呼称し、「財務情報の相互間、及び財務情報とそれ以外の情報の間の関係の調査及び比較である」と説明している。

分析的手続は、以下の事由により、債権と債務のデータ間及び収益と費用のデータ間の変動の異常性を発見しようと試みるものである。
- 架空取引を隠蔽するためには財務諸表上にその痕跡を残さないよう多岐に亘る細工が必要となるが、必ずどこかに綻びが生じる。
- 架空販売を隠蔽するためには、架空の仕入及び販売手数料、運賃、保険料等の諸掛を計上しなければならないし、架空在庫を利用する場合は架空の保管料も計上しなければならないので、整合性を採るための細工が、逆に発見されるリスクを増大させる。

分析的手続とは、このように、架空取引であるが故に存在する辻褄の合わない部分、つまり「関連するデータ相互間の変動の異常性」を発見するのに有効な監査手続である。

日本公認会計士協会は分析的手続の手法として趨勢分析、比率分析、合理性テスト、回帰分析の4つを挙げているが、実数分析を加えた次の5つが代表的なものである。

(1) **趨勢分析（傾向分析）**（trend analysis、tendency analysis）

趨勢分析とは、財務諸表項目毎の数値について、個々に又は一定のグループ毎に一定の期間比較を行なう変動分析手法である。

一定期間の趨勢（傾向）の把握においては、実数による比較だけでなく、比率による比較を併用することにより、効力が高まる。

(2) **比率分析**（ratio analysis）

比率分析とは、実数分析と対比される財務諸表分析の1つであり、財務諸表上の実数を相対的な比率に置き直した分析手法である。

(3) **実数分析**（real number analysis）

実数分析とは、比率分析と対比される財務諸表分析の1つであり、分析過程で比率を使用せず、財務諸表の実数をそのまま使用する分析手法である。

(4) **合理性テスト**（rationality test）

合理性テストとは、被監査会社の財務情報から財務諸表にあるべき推定値を算出して財務諸表の値と比較し、その合理性を確かめる分析手法である。

(5) 回帰分析（regression analysis）

回帰分析とは、統計的にある変数値の動きを他の変数値で説明する関数を求め、被説明変数の動きを説明変数によって説明するという、関数を使用する分析手法である。

【趨勢分析の例示】

趨勢分析は、数値の異常な変動に着目することによる異常性の感知、数値が安定的に右肩上がりか否かに着目することによる事業の継続性の確認等に有効であるから、紙面を割いて例示する。

(1) 主力事業の継続性と成長性の確認

過去数年間の業績と向こう数年間の中期計画の業績（売上高、売上原価、総利益、総利益率）について、年次推移表を作成する。

項目	実績				中期経営計画	
	2017年	2018年	2019年	2020年	2021年	2022年
売上高	5,585	5,750	5,930	6,125	6,310	6,480
	1.00	1.03	1.06	1.10	1.13	1.16
売上原価	4,468	4,600	4,755	4,925	5,110	5,320
	1.00	1.03	1.06	1.10	1.14	1.19
総利益	1,117	1,150	1,175	1,200	1,200	1,160
	1.00	1.03	1.05	1.07	1.07	1.04
総利益率	20.00%	20.00%	19.81%	19.59%	19.02%	17.90%

趨勢が1.00以上なので、見かけ上は右肩上がりで順調に伸長していると勘違いをしてはならない。売上高の伸び率に比べて売上原価の伸び率が僅かであるが高く、総利益率が低下傾向にあるので、事業の継続性に疑義がある。収益率悪化原因を究明し、回復に有効な方途の有無を検討するとともに、中期経営計画に無理がある可能性も疑い、その達成の可能性について吟味する必要がある。

(2) 新規事業の進捗状況と成否の確認

予実差異（予算と実績の差異）の月次推移表を作成する。

	項目	4月	5月	6月	7月	8月	9月	4-9月
実績	売上高	450	400	450	500	500	550	2,850
	売上原価	360	320	360	400	400	440	2,280
	総利益	90	80	90	100	100	110	570
	総利益率	20.0%	20.0%	20.0%	20.0%	20.0%	20.0%	20.0%
予算	売上高	450	450	450	500	500	500	2,850
	売上原価	360	360	360	400	400	400	2,280
	総利益	90	90	90	100	100	100	570
	総利益率	20.0%	20.0%	20.0%	20.0%	20.0%	20.0%	20.0%
差異	売上高	0	−50	0	0	0	50	0
	売上原価	0	−40	0	0	0	40	0
	総利益	0	−10	0	0	0	10	0
	総利益率	0.0%	0.0%	0.0%	0.0%	0.0%	0.0%	0.0%

予算未達ではあるが挽回しつつあるので、3か月後に実績の報告を求める形でフォロー・アップをすればよい。

(3) 売上の水増をした場合の会計数値の異常性の感知

下期の業績について、月次推移表を作成する。

項目	10月	11月	12月	1月	2月	3月
売上高	1,365	1,400	1,350	1,420	1,385	1,680
	1.00	1.03	0.99	1.04	1.01	1.23
売上原価	1,092	1,120	1,080	1,136	1,108	1,344
	1.00	1.03	0.99	1.04	1.01	1.23
総利益	273	280	270	284	277	336
	1.00	1.03	0.99	1.04	1.01	1.23
総利益率	20.00%	20.00%	20.00%	20.00%	20.00%	20.00%

3月の業績の急伸に着目して、売上の実在性（架空計上）を疑う。
この現象だけでは架空計上（押込販売を含む）と断定できないので、納品書と受領書の突合及び売掛金勘定の残高確認が必要である。

(4) 利益率を操作した場合の会計数値の異常性の感知

下期の業績について、月次推移表を作成する。

項目	10月	11月	12月	1月	2月	3月
売上高	1,365	1,400	1,350	1,420	1,385	1,480
	1.00	1.03	0.99	1.04	1.01	1.08
売上原価	1,092	1,120	1,080	1,136	1,108	1,144
	1.00	1.03	0.99	1.04	1.01	1.05
総利益	273	280	270	284	277	336
	1.00	1.03	0.99	1.04	1.01	1.23
総利益率	20.00%	20.00%	20.00%	20.00%	20.00%	22.70%

3月の総利益及び総利益率の急伸に着目して、売上原価の網羅性＝除外を疑う。売上原価率が急減した理由を究明する。

【補足説明】

分析的手続と混同されがちな用語として次のものがあるが、これらは監査技術ではない。

1 **財務諸表分析**又は**財務分析**（financial statement analysis又はfinancial analysis）

　財務諸表分析とは、企業の収益性並びに財務の流動性及び安全性を測定、分析、評価する手法であり、銀行が貸出先の短期支払能力等を判断する信用分析として米国で生成し、その後分析対象が徐々に拡大されて発展してきたものである。

2 **経営分析**（business analysis）

　経営分析とは、経営の実態を具体的に把握するために、各種の経営情報及び会計情報の定量的データ及び定性的データを、組み替えたり加工したりして、測定、分析、評価する手法である。

第2節 内部監査の基本的手続

Ⅰ 内部監査の３つの段階

内部監査の基本的手続は、以下の３つの業務の段階に大別される。

1 予備調査の業務

予備調査の業務は、実地監査の効果的かつ効率的実施のために行なう実地監査の事前準備としての書面調査又は机上調査であり、関連書類の閲覧に始まり、監査予備調書の完成をもって終了する。

予備調査は、指摘及び提言する異常な事態の発見に繋がる監査対象の絞込、監査目標、監査要点、監査項目等の設定、実地監査の効果的かつ効率的実施のための監査予備調書及び監査実施手順書を作成するために実施するものであり、予備調査段階における異常性の感知が当該監査の成否を左右する。

2 本格監査の業務

本格監査の業務は、実地監査に始まり、監査調書の完成をもって終了する。

実地監査は、予備調査で設定した監査要点及び監査項目の検証並びに異常な事態の存在を立証する監査証拠を確保するために実施する。

実地監査終了後の本格監査の業務は、反面調査による証拠固め、監査証拠の有効性の吟味、暫定的監査意見の形成、監査調書の作成のために実施するものであり、異常な事態の検出、証拠資料の入手、合理的監査意見の形成が監査リスク抑制及び当該監査の実効の確保を左右する。

3 意見表明の業務

意見表明の業務は、監査先責任者に送付する監査結果通知書の作成に始まり、最高経営執行者への監査報告書の提出をもって終了する。

内部監査の業務は、監査先が監査意見を実現したことを確認するまで完結しないので、本書の解説においては監査先からの回答書の受領及び回答書に記載された対応措置の実施状況を確認するフォロー・アップを付随的業務として意見表明の段階に付け加える。

意見の表明に際しては、内部監査人は、暫定的監査意見と証拠資料の照合によって、事実誤認の有無及び証拠力を検討し、監査リスクを低い水準に抑えなければならない。

　監査部長及び上位者等は、監査人が形成した暫定的監査意見及び証拠資料の点検並びに監査意見の添削によって、監査リスクを合理的に低い水準に抑えなければならない。

Ⅱ　内部監査の３つの段階の要点

　内部監査業務の３つの段階は、刑事の業務と対比するとわかりやすい。

1　予備調査の業務が捜査に相当する

　刑事は、地道な捜査を積み重ね、犯人の潜伏場所を突き止めてから、その逮捕に赴く。不十分な捜査及び短絡的思込は、犯人の取逃及び誤認逮捕のリスクを高める。

　内部監査人は、予備調査を網羅的かつ遺漏なく実施して、有益な監査意見の基礎となる異常な事態の検証及び確認を効果的かつ効率的に実施するために、適切な監査要点及び監査範囲を設定して置かなければならない。これが、犯人（指摘及び提言事項）及びその潜伏場所（監査対象領域）の特定に相当する。

2　本格監査の業務が犯人の逮捕及び証拠の確保に相当する

　刑事は、被疑者を逮捕するとともに、犯罪を立証するのに十分な物的証拠を確保する。

　内部監査人も、実地において指摘及び提言すべき異常な事態の存在を確認するとともに指摘及び提言（監査意見）の合理性及び客観性を立証するのに十分な裏付資料（監査証拠）を確保して置かなければならない。

3　意見表明の業務が証拠固めによる送検に相当する

　刑事は、犯人を逮捕しても十分な証拠を確保していなければ立件できないので、送検の前に、証拠固めと証拠力の検討を遺漏なく行なう。

　内部監査人も、意見表明の前に、監査意見を監査証拠と照合し、監査意見の合理性及び客観性を立証する監査証拠の証拠力の十分性を慎重に検討しなければならない。

Ⅲ　予備調査の目的とその重要性

　予備調査は、監査先がいつ何の目的で設立され、何を主要業務とし、実績を上げているか、業務に付随する重大なリスクは何か、そのコントロールは有効か等を検討し、異常な事態をもたらす重大な統制リスクを識別し、適切な監査目標及び監査要点を設定するために実施する、実地監査の効果的かつ効率的実施のための事前準備である。

　合理的に確立された外部監査の手法は内部監査においても有用であるから、内部監査人はこれを習得して活用するのが適当であるが、監査の進め方は、次の通り、全く異なることに留意する必要がある。

　外部監査の場合は、その目的が投資者の保護にあり、その目標が財務諸表の適正性についての意見表明にあるので（内部統制報告書の監査については省略）、その監査手続が体系的に組み立てられている。

　内部監査の場合は、その目的については経営目標の達成の支援による経営に対する貢献にある点で明確であるが、その目標については、監査目的を実現するための意見表明という抽象的なものであり、予備調査によって設定するものであるから、個別監査毎に異なるものとなる。

　外部監査の場合は、監査目標を効果的かつ効率的に達成するために、監査要点（実在性、網羅性、権利及び義務の帰属、評価の妥当性、期間配分の適切性、表示の妥当性）が確立されている。

　内部監査の監査目標は、基本的に、経営目標の達成を阻害する要因である金銭的及び名声的打撃をもたらす異常な事態の抜本的解消に有効な意見の提供である。

　異常な事態の実情及び原因は監査先毎に異なるものであるから、内部監査の監査要点も個別監査毎に異なる。因って、網羅的かつ十分な予備調査の実施によって異常な事態を的確かつ効率的に発見するのに有効な監査要点を設定することが肝要である。

　「内部監査は、準備に8割、実施に2割」と言われるほどに内部監査の実施においては予備調査が重要であり、予備調査段階における異常性の感知が当該監査の成否を左右する。

予備調査において心掛けるべきは、第4章第1節Ⅰで既述した通り、俯瞰して、つまり、蟻の目線ではなく、鳥の目線で、全体をよく捉えることである。

　鳥の目線と言っても、飛び立って直ぐに小枝に止まってしまっては、鳥瞰にならない。先ず山を見る、次に森を観る、そして木を視るという手順で監査対象を絞り込み、実地監査で重点的に調べる重要なリスクを識別することである。

Ⅳ　内部監査の基本的手続の概要

　事前的予備調査の実施からフォロー・アップに至る一連の内部監査の基本手続は、以下の手順で実施する。

1　予備調査の業務

(1)　事前的予備調査の実施
(1-1)　手持資料の閲覧による監査先の概要把握
(1-2)　監査業務計画書の作成
(1-3)　監査実施通知書兼資料送付依頼書の作成及び送付
(1-4)　監査先及び関係部署等からの資料及び情報の入手
(2)　本格的予備調査の実施
(2-1)　入手した記録及び関連書類の閲覧並びに会計数値の点検、加工、分析、突合、比較、評価、確認等によって、組織、業務、全般的内部統制の現状に対する疑問及び懸念を感知する。
(2-2)　固有リスクの特定及び全般的内部統制の暫定評価による重要な統制リスクの把握、発見リスクの水準の評価
(3)　監査目標の設定
(4)　監査要点の設定
(5)　監査範囲及び／又は監査項目の設定
(6)　監査技術及び手続の選択、その適用範囲及び時期の決定
(7)　往査場所及び日程の決定、往査日程通知書の作成及び送付
(8)　監査実施手順書の作成
(9)　監査予備調書の作成及び提出

(10) 往査事前説明会の開催
(10-1) 予備調査の概要、監査要点の設定経緯、検証方法等の説明
(10-2) 監査要点に関する質疑応答、監査要点の加減の決定
(10-3) 監査部長の承認の取得＝予備調査の終了⇒実地監査の実施

2　本格監査の業務

(1) 監査先主管者との往査事前面談の実施
(2) 実地監査の実施
(2-1) 監査先責任者との面談による実地監査の開始
(2-2) 各組織の責任者及び担当者との個別面談による、疑問及び懸念事項等の聴取及び裏付資料の入手
(2-3) 監査技術及び手続の適用による監査要点、監査項目等の検証、事実の確認及び裏付資料の入手
　① 監査要点並びに監査範囲及び／又は監査項目の重点的検証
　② 異常な事態の存在を確認した場合はその原因の究明
　③ 監査意見を立証する監査証拠の入手
(3) 暫定的監査意見の形成及び吟味
(3-1) 異常な事態の抜本的解消策の案出
(3-2) 入手した監査証拠の証拠力の吟味
(3-3) 暫定的監査意見の合理性及び監査証拠との整合性の吟味
(4) 監査先責任者との面談による、暫定的監査意見の開示及び確認＝実地監査の終了
(5) 反面調査による証拠固め及び暫定的監査意見の吟味
(6) 監査概要報告書の作成及び提出
(7) 監査概要報告会の開催
(7-1) 実地監査の概要、監査要点及び監査項目の検証結果、入手した監査証拠、形成した暫定的監査意見等の説明
(7-2) 暫定的監査意見の合理性及び監査証拠の有効性の評価による、監査部としての監査意見の確定
(7-3) 監査部長の承認の取得＝調査の終了⇒監査調書の作成開始
(8) 監査先主管者への監査結果概要の説明

(9) 監査調書の作成、上位者による点検及び添削、部長承認の取得
(9-1) 監査調書を作成、監査部上位者の点検及び添削を受けて完成、監査部長に提出
(9-2) 監査部長の承認の取得＝本格監査の終了

3　意見表明の業務
(1) 監査結果通知書の作成、上位者による点検及び添削、監査先責任者による事実誤認の有無の確認、完成、送付
(1-1) 監査結果通知書を作成、監査部上位者による点検及び添削
(1-2) 監査先責任者による事実誤認の記載の有無の確認を得て完成
(1-3) 監査部長の捺印を得て監査先責任者に送付
(2) 監査報告書の作成、点検、完成、提出
(2-1) 監査報告書を作成、監査部上位者の点検及び添削を受けて完成、監査部長に提出
(2-2) 監査部長の捺印を得て最高経営執行者等に提出＝意見表明の終了
(3) 回答書の入手及び検討
(3-1) 回答書を受領、記載内容（対応措置の時間軸及び具体性）等の検討
(3-2) フォロー・アップ実施時期の見積
(4) フォロー・アップの実施
(4-1) 裏付資料の入手又は実地検証の実施
(4-2) 回答書記載内容の履行の確認＝個別監査の完結

V　個別内部監査の実施日数

　内部監査を実施するからには実効を上げる必要があり、実効を上げるためには十分な日数が必要である。このために、1回の個別監査にどれだけの日数を割り当てるのか、同一の監査先に対する個別監査を何年に1度のサイクルで実施するかが重要な検討事項となる。
　結論は個別監査の基本手続とそれに要する日数から導き出されるが、先ず、次頁の3種類の日程表を視て戴きたい。

図表:個別内部監査の日程表

① 3か月かけて実施する場合

項　目	2月	3月	4月	5月	6月
事前的予備調査の実施	----	----			
監査業務計画書の作成	----	----			
監査実施通知書の発送	＊				
本格的予備調査の実施			────	──	
往査実施通知書の発送			＊		
監査実施手順書の作成			────		
監査予備調書の作成			────		
往査事前説明会の開催				＊	
監査先主管者との面談				＊	
実地監査の実施				──	
監査概要報告書の作成				─	
監査概要報告会の開催				＊	
監査先主管者との面談					＊
監査調書の作成				────	
監査結果通知書の作成					──
監査報告書の作成					─

② 2か月かけて実施する場合

項　目	2月	3月	4月	5月	6月
事前的予備調査の実施	----	----			
監査業務計画書の作成	----	----			
監査実施通知書の発送	＊				
本格的予備調査の実施			────		
往査実施通知書の発送			＊		
監査実施手順書の作成			────		
監査予備調書の作成				──	
往査事前説明会の開催			＊		
~~監査先主管者との面談~~					
実地監査の実施				──	
監査概要報告書の作成				─	
監査概要報告会の開催				＊	
~~監査先主管者との面談~~					
監査調書の作成				────	
監査結果通知書の作成				──	
監査報告書の作成				─	

③ 1か月かけて実施する場合

項　目	2月	3月	4月	5月	6月
事前的予備調査の実施	―・―・―				
監査業務計画書の作成	―・―・―				
監査実施通知書の発送	＊				
本格的予備調査の実施			―――		
往査実施通知書の発送		＊			
監査実施手順書の作成			――		
監査予備調書の作成			――		
~~往査事前説明会の開催~~					
~~監査先主管者との面談~~					
実 地 監 査 の 実 施			――		
~~監査概要報告書の作成~~					
~~監査概要報告会の開催~~					
~~監査先主管者との面談~~					
監 査 調 書 の 作 成			――		
監査結果通知書の作成				―	
監 査 報 告 書 の 作 成				-	

　適切かつ十分な予備調査を実施しなければ、実効を上げる実地監査を実施できない。監査日数の約半分は予備調査に振り当てられる。監査であるからには、監査予備調書と監査調書を作成しなければならない。

　実効を上げる監査を実施するには、監査先の業容にもよるが、通常は2か月以上が必要である。検査だけであれば、数日で済む場合もある。

　筆者は2010年から日本内部監査協会の内部監査士認定講習会で監査の実施期間を受講者から聴取しており、回答は次の通り変化してきた。

　2015年まで：3か月：25％、2か月：25％、1か月：50％
　2016年　　：3か月：50％、2か月：25％、1か月：25％
　2018年　　：3か月：70％、2か月：20％、1か月：10％

　因みに、2018年から4か月かける会社が5％ほど出てきている。

　同一の監査先に1か月で1件の監査を毎年実施するよりも3年に1度又は2年に1度実施する方が遥かに有効なものとなる。チリやホコリを払う掃除よりも大掃除をする方が重要であることを理解して実効のある監査を実施しないと、表層的点検と形式的報告に終わる。

第3節 監査部長等の業務

Ⅰ 監査部の主要業務

　内部監査組織の主要業務を、3月決算の会社かつ2か月の監査期間の場合を想定して、フロー図で表すと、以下の通りである。

　　◎：監査部長等の業務
　　○：監査人の業務
　　●：両者の業務

1月中	◎年度監査基本方針の策定及び取締役会への付議

↓

1月中	◎個別監査の公表（＝監査先毎の担当監査人の任命）

↓

2月中	○事前的予備調査の実施、○監査業務計画書の作成 ○監査実施通知書の送付

↓

3月中	○必要資料及び情報の入手

↓

4月上旬～中旬	○本格的予備調査の実施、○往査実施通知書の送付

↓

4月中旬	○監査実施手順書の作成、監査予備調書の作成・提出

↓

4月中旬	●往査事前説明会の開催（●監査先主管者との面談）

↓

4月下旬	○実地監査の実施

↓

| 5月上旬 | ●監査概要報告会の開催、(○監査先主管者への説明) |

↓

| 5月中旬 | ○監査調書の作成・提出、◎同書の添削 |

↓

| 5月下旬 | ○監査結果通知書の作成、◎同書の添削、○同書の送付 |

↓

| 5月下旬 | ○監査報告書の作成、◎同書の添削、○同書の提出 |

↓

| 6月中旬 | ○回答書の入手及び記載内容の検討、○フォロー・アップ実施時期の設定 |

↓

| 7月〜12月 | ○フォロー・アップの実施 |

↓

| 7月中(上半期分) | ◎取締役会への監査結果の報告 |

↓
↓

| 1月中(下半期分) | ◎取締役会への監査結果の報告 |

この間に、以下の通り、第2回から第6回の個別監査も実施される。

| 3月中 | ◎第2回　個別監査の公表(＝監査先毎の担当監査人の任命) |

↓

| 4月中 | ○第2回　事前的予備調査の実施、○監査実施通知書の送付 |

↓
↓

| 11月中 | ◎第6回　個別監査の公表(＝監査先毎の担当監査人の任命) |

↓

| 12月中 | ○第6回　事前的予備調査の実施、○監査実施通知書の送付 |

第6章　現代の実践的内部監査の手続

Ⅱ　監査担当者と監査部長等の主要業務の一覧

　個別監査の実施責任者、担当者、補助者（監査担当者と略す）と監査部長及び上位者（監査部長等と略す）の主要業務を一覧表で表示すると以下の通りである。

監査担当者の主要業務	監査部長等の主要業務
	1．監査基本方針の策定 2．監査基本計画の作成 3．監査方針の取締役会宛付議（1年毎） 4．監査実施計画の作成・公表
1．予備調査の業務 ① 事前的予備調査の実施 ② 本格的予備調査の実施 ③ 監査目標の設定 ④ 監査要点の設定 ⑤ 監査範囲／監査項目の設定 ⑥ 監査技術／手続の選択等 ⑦ 往査場所／日程の決定等 ⑧ 監査実施手順書の作成 ⑨ 監査予備調書の作成・提出 ⑩ 往査事前説明会の開催・説明 ⑪ 監査先主管者との面談	5．予備調査の業務の点検 ① 往査事前説明会における点検、評価 ② 監査先主管者との面談
2．本格監査の業務 ① 監査先責任者との面談 ② 実地監査の実施 ③ 暫定的監査意見の形成 ④ 監査先責任者等との面談 ⑤ 反面調査 ⑥ 監査概要報告書の作成・提出 ⑦ 監査概要報告会の開催・説明 ⑧ 監査先主管者への説明 ⑨ 監査調書の作成・提出	6．本格監査の業務の点検 ① 監査先責任者との面談 ② 監査概要報告会における点検、評価 ③ 監査調書の点検、添削、評価

3．意見表明の業務 (1)　監査結果通知書の作成・提出 (2)　監査報告書の作成・提出 (3)　回答書の入手・検討 (4)　フォロー・アップの実施	7．意見表明の業務の点検 (1)　監査結果通知書の点検、添削、送付 (2)　監査報告書の点検、添削、提出 (3)　アンケート回答の入手 (4)　内部評価の実施（個別監査毎）
	8．監査結果の取締役会宛報告（半期毎）
	9．内部評価の実施（1年毎）
	10．外部評価の実施（5年毎）
	11．重要人物との面談

Ⅲ　監査部長等の主要業務

　監査部としての組織の目的は、自社及び子会社等の経営目標の達成を支援することにより、健全かつ継続的発展という事業目的の実現を支援することにある。監査人の監査目標は、個別監査において監査部の組織目的を実現すること（経営目標の達成を阻害する異常な事態を漏らさず発見し、その抜本的解消に有効な施策を提言して、その実現に監査先を誘導すること）である。

　監査部長及び上位者の主要業務は、監査部の監査目的及び個別監査の監査目標の達成を確実にするために行なう、以下のものである。

(1) **内部監査の独立性及び客観性の確保**
(2) **内部監査品質の確保**
　① 監査のQCD（高品質、低費用、期限遵守）の達成
　② 監査リスクの抑制
(3) **内部監査の実効性の確保**
　① 効果的・経済的・効率的監査の実施
　② 有益な監査意見の提供
(4) **目標と実績の格差の解消**
　① 内部監査品質の向上
　② 監査人の育成
　③ 研修機会の提供

(5) 監査部員の意欲の喚起

① 環境の維持及び改善
② 公正不偏の業績評価
③ 予算の確保及び有効配分

上述の(1)、(4)、(5)は監査基盤整備の業務であり、(2)と(3)は監査基本計画及び監査実施計画の作成並びに監査人の個別監査業務の管理、監督、指導、支援の業務である。

Ⅳ 監査部長等の具体的業務

内部監査人の独立性の確保、内部評価、外部評価については、第7章第1節Ⅱ及びⅦで解説する。

1 監査基盤の整備

監査部長等（監査部長及び上位者）は、実効的内部監査を適切にかつ効率的に実施するために、以下の事項に取り組む。

(1) 監査部員の義務の周知

① 義務感、責任感、正義感、平衡感を保持し、達成感及び満足感を得る監査を実施する。
② 専門職としての懐疑心を保持し、正当な注意を払い、公正不偏の態度で（客観性を持って）監査を実施する。
③ 実効を上げる監査を最小の費用で期限内に完了するため、監査を適切（効果的・経済的・効率的）に実施する。
④ 監査リスクを低い水準に抑え、監査意見の適正を確保するため、監査証拠を入手し、監査意見と監査証拠を突き合わせ、監査意見の合理性及び監査証拠の証拠力を吟味する。
⑤ 監査目的に適合する監査を実施して、監査先の経営に役立つ監査意見を提供し、かつその実現に導く。
⑥ 最高経営執行者の懸念事項及び関心事についての検証結果並びに経営判断に役立つ有用情報等を適時かつ的確に提供する。
⑦ 裁判における証言等の正当な理由がなく業務上で知り得た秘密を漏洩及び盗用してはならない。

(2) 監査手続書等の作成
① 監査部長等は、有効かつ高品質の監査の実施に必要な監査手続書（監査部員が遵守して実施すべき実務指針及び実施要領の手引書）、監査手順の理解及び異常な事態の感知に役立つ監査参考事例集等を作成する。
② 高品質の監査意見の形成に役立つ監査予備調書、監査調書、監査結果通知書、監査報告書、回答書等の様式、記載項目、記載要領の解説書等を作成する。
2 実効性確保のための要人との打合せ
　監査部長の重要な職務は、実効をもたらす監査の効率的実施に必要な高度の情報の収集及び監査意見の実現に必要な支援の獲得であるから、最高経営執行者、業務担当役員、監査役、外部監査人と定期又は随時に打ち合わせる機会を持つことが肝要である。
　面談相手と打合せ事項等は、以下の通りである。
(1) 最高経営執行者との打合せ（毎月1回1時間）
① 個別監査の監査意見で重要な事項についての説明
② 監査意見の実現に必要な支援がある場合その要請
③ 次回以降の監査に有用な重要情報の聴取
④ 次回以降の監査に対する要望事項の聴取
(2) 業務担当役員との打合せ（3か月に1回1時間）
　最高経営執行者との定期的打合せの内容に同じ
(3) 監査役との打合せ（毎月1回2時間）
　第4章第8節Ⅱを参照されたい。
(4) 外部監査人との打合せ（3か月に1回1乃至2時間）
　第4章第8節Ⅲを参照されたい。
3 実効性確保のための監査先関係者との面談
　個別内部監査を円滑に実施しかつ監査の実効を上げるために、以下の面談を実施する。
(1) 監査先主管者との往査事前面談
① 監査の目的、日程、手続、事後に交信する文書等の説明

② 監査先の組織、業務、内部統制に関する懸念事項等の聴取
　③ 個別内部監査に対する要望の聴取
　④ （質問による）管理・監督義務を遂行しているかどうかの点検
　⑤ 監査先責任者の監査意見への適切対応のための監督の依頼
　　監査先主管者とは、以下の者を意味する。
　① 監査先が社内組織の場合：当該部門の経営を統括する本部長等
　② 監査先が支社（又は支店等）の場合：支社長（又は支店長等）
　③ 監査先が子会社等の場合：当該会社の管理を統括する主管部長
　　この面談には個別監査の実施者（実施責任者、担当者、補助者）を同席させる。

(2) 監査先責任者との往査時面談
　① 監査の目的、日程、手続、事後に交信する文書等の説明
　② 組織運営上の懸念事項の聴取
　③ 個別内部監査に対する要望の聴取
　④ 監査意見への対応の実施時期及び具体策を記載した回答書発行の依頼
　⑤ 回答書への記載事項の実行（対応策の実現）の依頼
　⑥ （質問による）管理・監督義務を遂行しているかどうかの点検
　⑦ 監査人では訊き難い重要な事項及び微妙な事項等の聴取
　　この面談には個別監査の実施者（実施責任者、担当者、補助者）を同席させる。

4　監査基本方針の策定と監査基本計画の作成
　監査計画の作成及び個別内部監査の実施要領等について、3月決算の会社を想定して解説すると、以下の通りである。

[1] 監査計画作成のために整備して置くべき事項
(1) 監査先一覧表の作成
　　総ての監査候補先について次の情報を収集し、監査先一覧表を作成する。
　① 監査候補先の数
　② 監査候補先の重要度、組織規模、主要業務の概要、固有リスク

③　監査実施上の優先度、難易度、リスク度（監査リスクの程度）

　重要度は、総資産額、経常損益額、累積損益額、社内情報等で把握する。収益の源泉或いは存続能力への影響量と置き換えてもよい。

　組織規模は、従業員数、売上高、経常利益額、投資付加価値額等で把握する。優先度は、損失及び不祥事が発生する懸念、経営者からの要望を勘案して決める。

　監査の難易度は、見越極度額、在庫金額、事業投資先の数等で把握する。専門性の高い業務、複雑な業務と置き換えてもよい。

　リスク度は、与信額、投資額、融資額、保証額、事業の概要で把握する。新規商品、新規事業、大型投資、環境変化としてもよい。

(2) **監査人一覧表の作成**

　監査人について次の情報を収集し、監査人一覧表を作成する。
① 　監査人毎の社内履歴（出身部門への監査を回避するため）
② 　監査人毎の熟練度
③ 　監査人毎の特技及び資格等

(3) **監査記録の作成**

　経営者等からの照会に迅速に対応できるよう、監査を実施の都度、監査先毎に、診療録（カルテ）に相当する監査記録を作成する。

　これは、監査結果通知書の要約版であり、記載事項は次の通り。
① 　監査先の名称、住所、設立年月日
② 　監査実施年月日（自至）
③ 　指摘事項
④ 　提言事項

[2] **監査基本方針の策定と監査基本計画の作成**

　監査部長等は、翌年度に実施する内部監査の監査目標と監査基本計画から成る基本方針を策定し、1月末までに取締役会の承認を取得する。

(1) **監査目標の設定**

　個別監査で把握した異常な事態並びに同業他社で発覚した損失及び不祥事等を勘案して、翌年度以降実施する個別監査で重点的に検証、発見、解消すべき主要な監査目標を設定する。

重点的に検証する事項として、例えば、以下の体制及び態勢の不備並びに違反の有無がある。
① 労務管理
- 法定労働時間を超える残業
- サービス残業処理

② 情報管理
- システム・セキュリティ
- 情報の持出
- 情報の漏洩

③ ラベル表示
- 原産地の偽装
- 成分の偽装
- 製造年月日の偽装

④ 毒劇物の管理
- 混入
- 漏出
- 持出

⑤ 安全保障貿易管理
- 提出漏れ
- 記載漏れ

⑥ 産業廃棄物処理
- 違法投棄
- 無許可の業者への委託

⑦ 内部統制評価
- 表層的評価
- 形式的評価
- 主観的評価（非客観的評価）

(2) 監査基本計画

翌年度に実施する個別監査の基本計画を作成する。
① 個別監査の実施件数の決定

② 監査先の決定
(3) **監査基本方針**
　　上述の(1)及び(2)に基づき、翌年度の監査基本方針を策定する。
　　監査基本方針には、監査先及び実施時期の変更による取締役会への再付議を避けるため、○○部××件、○○会社××件と記載する。
　　実効を上げて経営に貢献する内部監査は、以下に述べる事由から、3年毎に1回の頻度で、2か月をかけて実施するのが適当である。
- 監査リスク・ベースの監査では、頻度よりも濃度が重要である。
    - 点だけを追う検査は1か月間に何件も実施可能であるが、実効を上げる多面的・複合的監査を実施するためには2か月を要する。
    - 継続企業としての存続を危うくする重大な事業リスクは、検査を実施しても容易に発見できるものではない。
    - 多額の損失及び不祥事等をもたらす要因をはらんで潜在している事業リスクは、現代の実践的内部監査を適切かつ有効に実施しなければ、容易に発見できるものではない。
- 内部監査を毎年実施しても、期待した効果が上がらないどころか、以下のような、逆効果をもたらすリスクが高くなる。
    - 監査頻度を高めると（＝監査周期を短縮すると）、十分な検証ができなくなり、監査リスクを高める。
    - 監査人が、昨年の監査で或いは熟練の監査人が監査を実施しても何も出てこなかったのだから監査先に異常な事態がない等と決め付け、異常な事態が潜んでいても発見できない。
    - 監査先が、毎年監査漬で業務に支障が出るとの不満を持つ。

5　**監査基本方針の取締役会付議及び承認の取得**
　1月中に翌年度の監査基本方針を付議し、承認を取得する。取締役会への再付議を避けるため、監査基本計画書は添付しない。

6　**監査部予算の作成**
　監査部長等は、監査基本計画の作成と並行して以下を基に、翌年度の監査部予算を作成する。
(1) **監査要員計画**

向こう３年間の監査計画及び監査人の異動、退職等を勘案して、監査要員の確保のための計画を作成する。

(2) 監査要員育成計画

向こう３年間の監査人の異動、退職等を勘案して、監査要員の育成のための計画を作成する。

(3) 監査費用計画

向こう３年間の、監査要員数、給与、賞与、監査要員育成費用、個別監査実施費用（監査実施件数、監査先所在地、出張費等）を勘案して、監査費用計画を作成する。

7　監査実施計画の作成

監査部長等は、個別監査の実施のため、実施の２か月前迄に、次回に実施する個別監査の実施計画を作成する。

(1) 監査実施計画の構成要素

監査実施計画は、個別監査の実施のために監査基本計画を具体化したものであり、実施の２か月前迄に、実施先の名称、実施先毎の実施者の氏名、実施上の留意事項等を記載して作成する。

(2) 監査実施計画の作成要領

監査実施計画は、以下を総合的に勘案し、かつ監査リスク・ベースの手法で作成する。

① 監査実施先の選定

監査実施先は、以下を勘案して選定する。
- 監査候補先の重要度、組織規模、主要業務の概要、固有リスク
- 監査実施上の優先度、難易度、リスク度（監査リスクの程度）
- 最高経営執行者及び監査役等の要望、懸念事項、関心事
- 社内組織毎の子会社等の数、当該監査の難易度及びリスク度

自社内の組織とその監督下にあり連結損益で関係している子会社を同一年度中に連続して統合的監査を実施することによって、親子間の損益及び資産等の貸借を看過する監査リスクを低く抑える。

② 監査実施者の選定

監査実施先毎の監査実施者は、以下を勘案して選定する。

- 監査候補先の重要度
- 監査実施上の優先度、難易度、リスク度
- 監査人の数、監査人毎の熟練度、特技、資格等

熟練の監査人に監査難易度及びリスク度の高い監査先を担当させることによって、監査リスクを低く抑える。

③ 監査の実施先、実施者、実施件数の決定

上述の[1]及び[2]に基づき、翌年度の監査実施先、実施者(責任者、担当者、補助者)、実施件数を決定する。

8 監査実施計画の開示

監査部長等は、監査部員に対して、個別監査開始月の2か月前に当該監査の実施計画を開示する。

監査の実施計画を個別監査開始月の2か月前に部内開示する理由は、次の通りである。

- 開始月の1か月前に監査実施通知書を監査先に送付させるため。
- 同通知書に記載する資料を開始月以前に送付して貰うため。

本格的予備調査は、監査先から資料を入手することによって開始が可能となる。

- これらのための事前的予備調査を実施させるため。

上記の事項を図で示すと、以下の通りである。

項　目	2月	3月	4月	5月	6月
事前的予備調査の実施	-----	-----			
監査業務計画書の作成	-----	-----			
監査実施通知書の発送		＊			
本格的予備調査の実施			-----	-----	-----

9 監査実務における管理業務

監査部長等は、監査のQCDを達成するため、監査リスクを抑えるため、監査の実効性を確保するため、予備調査の段階から個別監査業務の進捗状況を随時に及び定時に、以下の管理、監督、指導に取り組み、適宜に必要な処置(コントロール)を施す。

(1) **往査事前説明会における点検、評価、指導**

監査予備調書及び監査実施手順書に基づき、監査要点の適切性、監査要点の検証手続、往査日程の妥当性を点検及び評価して、必要な助言、指導、指示を与える。予備調査が不十分と判断すればその続行（往査の延期）を命じる。

(2) **監査概要報告会における点検、評価、指導**

監査要点検証の適切性、監査証拠の有無及び証拠力の十分性、暫定的監査意見の適切性を点検及び評価して、必要な指示及び指導を与える。監査手続が不十分と判断すれば監査の続行を命じる。十分と判断すれば監査調書の作成を命じる。

(3) **監査調書の点検、添削、評価、指導**

記載内容の適切性、暫定的監査意見の合理性、文章表現の適切性等を点検、評価、添削する。

(4) **監査結果通知書の点検、添削、送付**

誤字の有無及び記載内容の適切性を点検し、文章を添削する。添削が一段落ついた段階で事実誤認の記載の有無の確認を監査先責任者に依頼するよう命じる。

完成すれば、監査先の責任者に送付し、その写を監査先組織の主管者（業務担当役員、本部長、部長）、管理部署等の関係先責任者に送付する。

(5) **監査報告書の点検、添削、提出**

誤字の有無及び記載内容の適切性を点検し、文章を添削する。

完成すれば、最高経営執行者に提出し、その写を監査先組織の主管者（業務担当役員、本部長）、監査役に送付する。

10　監査結果の取締役会宛報告

監査部長は、半年に1回の頻度で、監査先毎の指摘及び提言の概要、共通して見られた顕著な傾向、懸念事項及び留意事項等の監査結果を、取締役会に定期報告する。

第4節 内部監査の具体的手続

1　予備調査の業務

　予備調査は、実地監査の効果的・効率的実施のための準備として実施する書面調査であり、机上調査とも言う。

　予備調査は、事前的予備調査と本格的予備調査の2段階に区分される。

1-1　事前的予備調査の業務

　事前的予備調査は、監査実施通知書及び同通知書に添付する資料送付依頼書の作成並びに監査先への送付のために実施するものである。

　事前的予備調査は、監査先から請求資料を受領した段階で本格的予備調査に移行する。

① 監査部長から個別監査の指示を受け次第遅滞なく電話又はメールで監査先責任者と連絡を取り、受入窓口担当者を指名して貰う。
② 前回の監査調書及び直近の自己点検結果等の手持資料を基に事前的予備調査を行なう。
③ 事前的予備調査においては、監査先の概要（名称、所在地、責任者、設立目的、業種、業態、業容、業績、内在する固有リスクの種類及び規模、内部統制の有効性等）を暫定的に把握する。
④ この結果を基に、監査先の概要、本格的予備調査、本格監査、意見表明の実施時期、留意事項等を記載した監査業務計画書を作成する。
⑤ 併せて、担当監査人、監査範囲、監査実施時期、往査時期、資料の送付依頼時期等を記載した監査実施通知書を作成する。
⑥ 本格的予備調査に必要な資料を選出し、それらを列挙した資料送付依頼書を作成する。
⑦ 監査実施通知書に資料送付依頼書を添付し、監査部長の捺印を得て、監査先責任者に送付する。

1-2　本格的予備調査の業務

　監査先から入手した資料の閲覧、数値の分析・突合・比較等により、財務データ及び非財務データを把握する本格的予備調査を実施する。

本格的予備調査は実地監査を効果的かつ効率的に実施するための事前準備であり、監査先の直近の組織及び業務の把握、重大な固有リスクの識別、内部統制の有効性の暫定的評価、重点的監査範囲及び監査対象の絞込、監査目標、監査要点、監査項目の設定、往査の場所、日程、面談相手の決定、質問事項、入手すべき証拠資料、面談実施上の留意事項の一覧表への取纏め、監査実施手順書及び監査予備調書の作成、往査日程通知書の監査先への発送等を行なう。

　本格的予備調査は、以下の要領で実施する。

(1) **資料及び情報の調査による疑問及び懸念の感知**

　　監査先及び関係部署から入手した任務、権限、計画、予算、実績、契約、受渡、決済、限度、極度、申立、報告、会計帳簿、関連書類の閲覧、数値の点検、加工、分析、突合、比較、評価、確認等により、組織、業務、内部統制の現状に対する疑問及び懸念を感知する。

(2) **リスク及び内部統制の暫定評価**

　　組織、業務、内部統制の現状に対する疑問及び懸念を感知した監査対象を更に掘り下げて調査し、監査先の事業計画の達成、事業の継続、組織の存続等を阻害する（金銭的打撃、名声的打撃をもたらす）固有リスク（潜在リスク）を特定する。

　　業務上のムリ、ムラ、ムダ、不備、問題、誤謬、怠慢、違反、不正、未対処の重大なリスク、内部統制の不備等の異常な事態を想定して、全般的内部統制の体制及び態勢を暫定評価する。

　　内部統制の有効性の評価は、内部統制が有効でないために発生し潜在している異常な事態の兆候の有無及びその影響度の確認によって可能となる。

　　異常な事態の発生を予防、発見、是正できない統制リスク（統制が有効でないため濾過されずに残っている固有リスクであるから、残存リスクとも言う）の程度を検討して、暫定評価する。

　　内部統制の不備によって固有リスクが現実化する可能性及び現実化した場合の損失の度合並びに内部統制の有効性を勘案し、通常の監査手続では看過する懸念のある発見リスクの水準を暫定把握する。

(3) 監査目標の設定

　固有リスクと統制リスクを勘案して、監査意見として指摘及び提言すべき事項の心象を形成し、マネジメントの不備等の指摘及び提言のイメージを具体的監査目標として設定する。

　資料の閲覧、数値の分析、突合、比較等を行なうと、異常な事態が発生しているのではないか、未対処の重大なリスクが存在しているのではないかとの疑問及び懸念が浮かんでくる。

　監査目標は、斯かる疑問及び懸念を検証し、事実であればそれらの異常な事態の抜本的解消に有効な施策を提言して実現させようとするものであり、監査先毎に異なる。

(4) 監査要点の設定

　発見リスクの水準が高いと判断した監査対象（対象物及び事象）を実地監査で重点的に検証する監査要点として設定する。

　監査要点は、監査目標とした疑問及び懸念事項を実地監査における重点的検証事項として設定するものであり、監査先毎に異なる。

　監査要点については、監査人の間に認識の相違があってはならないので、○○の○○性と表示した監査項目を羅列するのでなく、文章で具体的に纏める。

　監査要点は、疑問及び懸念を具体的仮説として纏めることによって異常な事態の概要、そのまま放置すると発生するであろう損失、その規模等が明確になり、その当否の検証も容易となる。

[監査要点の設定要領]

　監査要点は、以下の要領で設定する。

① 　組織及び業務の把握過程で、収集資料（計画、契約、限度、極度、記録等）の閲覧により、多額の損失及び不祥事をもたらす業務上の重大なビジネス・リスクを特定する。

② 　収集資料（任務、権限、計画、予算、実績、契約、受渡、決済、限度、極度、申立、報告、会計帳簿等の記録及び関連書類）の閲覧及び数値の点検、加工、分析、突合、比較、評価、確認等により、全般的内部統制の有効性を暫定的に評価する。

③　監査目標を達成するため監査先の何についてどのように検証するのかを認識し、疑問及び懸念した事項等（監査先の業務に潜在している可能性が高いと推定したムリ、ムラ、ムダ、不備、問題、誤謬、怠慢、違反、不正、未対処の重大なリスク、内部統制態勢の不備等異常な事態）を本格監査で重点的に検証すべき監査対象（事象）として絞り込む。

④　この監査対象について、それらがどのような状態にあるか、それらをそのままに放置するとどのようになるか等を想像して幾つかの具体的仮説を立て、これらの仮説の当否を実地監査で重点的に検証する監査要点として設定する。

［主要業務毎の監査要点設定上の観点］

主要業務毎の監査要点は、以下の観点で設定する。部署が異なっても同様のリスクが存在するので、工夫を加えて活用して戴きたい。

① 研究開発部署
- 研究開発テーマが経営戦略又は経営方針と合致していたか
- 年度計画及び個別テーマ実行計画の進捗（達成度）はどの程度か
- 成果の費用対効果が個別テーマ実行計画通りの結果を出していたか
- 特許の取得が計画通りに為されていたか
- 知的財産を適切に管理していたか
- 劇毒物の管理及び産廃物の処理が適切に為されていたか
- 労働災害が起きていないか

② 購買部署
- 同質で等価の原材料、部材、部品、構成部品、製品の購買先を複数確保していたか
- 良質で安価な原材料、部材、部品、構成部品、製品を安定的に調達していたか
- 複数社に見積依頼をしていたか、見積書を入手していたか
- 購買決定理由は価格か、品質か、納期か
- 輪番決定（談合、癒着）の疑いはないか
- 品質・納期上の問題はなかったか

③ 生産部署
- QCD（高品質、低費用、納期遵守）を達成していたか
- 生産計画は販売計画／生産要求と整合していたか
- 計画通りの期間に計画通りの数量を生産していたか
- 不良品の発生率は許容範囲に納まっていたか
- 実際原価が予定原価を大きく超過していなかったか
- 納期遅延が起きていなかったか
- 事故が起きていなかったか
- 労働災害が起きていなかったか
- 環境に悪影響を及ぼす行為はなかったか
- 知的財産を適切に管理していたか
- 劇毒物の管理及び産廃物の処理が適切に為されていたか
- 労働力、原材料、部材、部品、構成部品、製品の調達、製品競争力、採算上の懸念はないか

④ 販売部署
- 計画通りの実績を上げていたか
- 販売及び利益を安定的に拡大していたか
- 主要利益の源泉を長期的に確保していたか
- 販促活動（交際費、販売奨励金）は適切であったか
- 在庫管理を適切に実施していたか（滞留在庫が起きていないか）
- 信用管理を適切に実施していたか（回収遅延が起きていないか）

⑤ 物流部署
- 物流計画は購買／製造／販売部門の計画と整合していたか
- 運送作業を適切に実施していたか（誤配送・遅配・品質劣化・破損・紛失・事故が起きていなかったか）
- 庫内作業を適切に実施していたか（誤入荷・品質劣化・破損・出荷遅延・誤出荷・紛失・事故が起きていなかったか）

⑥ 管理部署
- 牽制、発見、指摘等の業務を適切に遂行していたか
- 助言、指導、支援等の業務を適時かつ適切に遂行していたか

⑦　社内サービスの提供部署・・・総務、人事、業務、法務、審査、主計、経理、財務、情報システム、環境保全、保安等
- 遂行中の業務が当該部署の業務目的に適合しているか
- サービス、牽制、助言、指導、支援等の業務を適時かつ適切に遂行しているか
- 当該部署の業務がサービスを受ける部署の満足を得ているか

［監査要点の検証要領］

　監査要点は、自治監査において、以下の要領で検証する。

　面談（質問＋回答＋裏付書類による事実確認）、実査（＝実物検査）、入手資料の閲覧、関連資料との突合（照合）及び比較、年齢調べ等の監査技術及び監査手続の適用により仮説の当否を確認し、それを立証する監査証拠を入手する。

(5) 監査範囲及び／又は監査項目の設定

　監査要点として設定する必要はないが、本格的予備調査で把握した監査先の業務の現状から判断して、実地監査で当然に検証すべき監査範囲（監査の対象範囲）及び／又は監査項目を設定する。

(6) 監査技術及び手続の選択並びにその適用範囲及び時期の決定

　実地監査における監査要点の当否の検証、監査範囲及び監査項目の点検、監査証拠の入手のために適用すべき監査技術及び手続について目的適合性に照らして選択し、適用範囲及び適用時期を決定する。

(7) 往査日程通知書の作成及び送付

　検証すべき監査要点並びに点検すべき監査範囲及び監査項目を勘案して、往査（実地監査）の場所及び日程を選定する。

　監査受入責任者と打ち合わせて往査の場所及び日程、面談時間等を決定し、往査日程通知書に取り纏めて、監査先責任者に通知する。

(8) 監査実施手順書の作成

　以上の本格的予備調査を基に、監査実施手順書を作成する。

　監査実施手順書は、実地監査で実施する検証業務並びに監査手続の日程及び時間割等を詳細に記載した監査手続の詳細計画書であるが、監査手続の進捗状況の確認にも使用する。

事前的予備調査で大まかな業務手順及び日程の記載から作成を開始した監査業務計画書に、本格的予備調査を実施して把握及び計画した事項を記載して徐々に詳細に亙る時間割にまで仕上げていく。

(9) 監査予備調書の作成及び提出

監査先の組織及び業務等の概要、設定した監査目標及び監査要点、設定した理由、監査範囲及び／又は監査項目、往査の場所及び日程、監査費用の概算、監査実施計画等の本格的予備調査の結果を記載した監査予備調書を作成し、監査部長の承認を得る。

重点的検証のために設定した監査要点については、何を根拠にどのような事態を懸念し、どのような監査技術を適用して検証するのか、どのような監査証拠の入手によって、どのような監査意見（指摘及び提言）を形成しようと考えているのかを詳細に記載する。

監査要点として具体的な仮説に纏めるほど重要ではないと判断した点検事項は、監査範囲及び／又は監査項目として設定する。

監査予備調書は、監査リスクを低い水準に抑制する目的で監査部長等が点検するために必要かつ監査人が正当な注意を払って予備調査を適切に実施したことを証明する重要な文書である。

往査事前説明会に備えて、所定の日限までに、監査予備調書（監査実施手順書を含む）監査部長等に提出する。

(10) 往査事前説明会の開催＝予備調査の終了

往査事前説明会は、監査人が、予備調査の顛末及び実地監査の実施手続について説明し、監査予備調書等の記載内容及び実地監査の実施手続の適切性について監査部長等の点検及び助言を受けるため並びに実地監査の実施について監査部長の承認を得るために開催する。

監査人が、予備調査の顛末、何に疑問及び懸念を抱き、どのような監査要点を設定し、どのように検証しようとしているかを説明する。

監査部長は、監査要点、検証手続、往査日程等の妥当性及び費用対効果等を点検及び評価して、必要な助言、指導、指示を与える。予備調査が不十分と判断すれば、予備調査の続行（往査の延期）を命じる。

部長承認の取得によって予備調査を終了し、実地監査に移る。

3　本格監査の業務

本格監査の業務は、実地監査（往査）に始まり、監査調書の完成をもって終了する。

(1)　監査先主管者との往査事前面談の実施

監査を円滑に実施して実効を上げるために、実地監査の開始直前に監査部長が担当監査人とともに監査先主管者と面談する。この際に、傘下の部場所（本社の各部、支社の各部、各支店等）並びに国内及び外国の子会社、合弁会社等に対するガバナンスについて聴取する。

(2)　実地監査の実施

実地監査は予備調査で設定した監査要点の当否の確認、予備調査で感知した疑念及び懸念の解明を目的に実施するものであり、監査先の組織及び業務の法規及び社規等への適合性、有効性、妥当性、十分性、効率性、内部統制の体制及び態勢の有効性の検討並びに異常な事態の有無の検証を重点的に行なう。

(2-1)　監査先責任者との面談による実地監査の開始

実地監査を円滑に実施するために、監査部長と担当監査人が監査先責任者等と面談して、監査の目的、日程、手続等の説明、監査の円滑実施への協力及び監査意見に対する措置等を記載した回答書の提出の要請、重要事項についての聴取等を行なう。

(2-2)　各組織の責任者及び担当者との個別面談による、疑問及び懸念事項等の聴取及び裏付資料の入手

監査人が、各組織の責任者及び担当者と個別に面談して監査要点、疑問、懸念事項等について質問し、面談相手から回答を貰い、回答の裏付資料を入手し、回答内容が事実かどうかを確認する。

(2-3)　監査技術及び手続の適用による事実の確認及び監査証拠の入手

重要な資産勘定の実査、現場の視察、帳簿、記録、文書等の検証によって、予備調査で設定した監査要点の当否の確認並びに予備調査で感知した疑念及び懸念の解明を行ない、異常な事態の存在を確認したときは、監査意見の合理性を立証する監査証拠を入手し、その原因を究明する。監査要点の当否は、監査証拠の入手によって確認する。

(3) 暫定的監査意見の形成及び吟味

　先ず、実地監査で実在を確認した異常な事態の原因及び実情の指摘並びに斯かる事態の抜本的解消に有効な施策の提言という形で、監査意見を形成する。次に、監査証拠の証拠力を吟味し、最後に、暫定的監査意見の合理性及び監査証拠との整合性を吟味する。

(4) 監査先責任者との面談による、暫定的監査意見の開示及び確認＝実地監査の終了

　監査人が、往査の終了直前に、監査先の責任者等と面談して、監査結果の概要及び暫定的監査意見を開示し、質疑応答を行ない、納得を得た場合は、監査意見への対応策を記載した回答書の発行とその実行（対応策の実現）を再度依頼して、実地監査を終了する。

　彼我の見解が大きく異なり、納得が得られない場合及び事実誤認の懸念がある場合は、証拠資料の入手によって解明するまで実地監査を続行する。

(5) 反面調査及び監査証拠の入手による事実の確認

　実地監査で確認できなかった監査証拠を反面調査によって入手し、暫定的監査意見を吟味する。

(6) 監査概要報告書の作成及び提出

　実地監査の結果を記載した監査概要報告書を作成し、往査面談録を添付して、監査部長等に提出する。

(7) 監査概要報告会の開催

　監査概要報告会は、監査人が、実地監査の顛末、暫定的監査意見、監査証拠について説明し、それらの点検及び助言を受けるため並びに監査調書の作成について監査部長の承認を得る目的で開催する。

　監査部長等は、監査要点等の検証手続、監査証拠の証拠力、暫定的監査意見の妥当性等を点検し、必要な助言、指導、指示を与える。

　監査部長は、監査の方法及び結果が十分と判断すれば、暫定的監査意見の全体最適性を検討して監査部としての監査意見を確定し、監査調書の作成を許可する。不十分と判断すれば監査の続行を命じる。

　部長承認の取得によって調査を終了し、監査調書の作成に移る。

(8) 監査先主管者への監査結果概要の説明

　担当監査人が監査先主管者と再度面談して、監査先への往査結果の概要及び暫定的監査意見を説明し、監査先責任者の監査意見への適切対応のための監督を再度依頼する。

(9) 監査調書の作成、点検、完成＝本格監査の終了

　監査人が、予備調査及び本格監査の顛末並びに監査意見を監査調書として取り纏めて、監査部長等に提出する。監査調書への記載項目については<u>第5章第4節Ⅵ</u>を参照されたい。

　監査の顛末については、予備調査で何を懸念し、どのように検証し、どのように判断し、どのような指摘及び提言をするのかを詳細に記載する。指摘及び提言しない事項についても、何を懸念し、どのように検証し、どのように判断して、指摘及び提言をしないと決めたのかを詳細に記載する。この記載を怠ると、実際に検証した事項であっても、検証していないと看做されてしまう。

　監査人は、上位者の点検及び添削を受け、監査部長の承認を得て、監査調書を完成する。

3　意見表明の業務

　監査結果通知書及び監査報告書は、監査部長名で監査先責任者及び最高経営執行者等に送付する重要な文書（公式の書簡、公簡）であるから、監査部長等が、文書の体裁、表現、論理構成、用語、用字等が適切であるかどうかを入念に点検しなければならない。

(1) **監査結果通知書の作成、点検、完成、送付**

　監査人が、当該監査の結果、監査意見、回答書の送付依頼等を監査結果通知書として取り纏め、上位者の点検及び添削を受けて完成させ監査部長の捺印を得て、監査先責任者に送付する。

　指摘及び提言については、項目別に対処の重要性及び緊急度を勘案して、然るべき順番で記載する。

　監査結果通知書の表書で、監査意見への対処の方法及び時期を明記した回答書の提出を要請する。

　監査結果通知書に記載する主な項目は、以下の通りである。

郵便はがき

料金受取人払郵便

神田局承認

2741

差出有効期間
2026年2月28日まで

１０１-８７９６

５１１

（受取人）

東京都千代田区
神田神保町１－４１

同文舘出版株式会社
愛読者係行

|||||||||||||||||||||||||||||||

毎度ご愛読をいただき厚く御礼申し上げます。お客様より収集させていただいた個人情報は、出版企画の参考にさせていただきます。厳重に管理し、お客様の承諾を得た範囲を超えて使用いたしません。メールにて新刊案内ご希望の方は、Eメールをご記入のうえ、「メール配信希望」の「有」に○印を付けて下さい。

図書目録希望	有	無	メール配信希望	有	無

フリガナ		性別	年齢
お名前		男・女	才

ご住所	〒
	TEL　　（　　　）　　　　　Eメール

ご職業	1.会社員　2.団体職員　3.公務員　4.自営　5.自由業　6.教師　7.学生 8.主婦　9.その他（　　　　　　　　　　　）
勤務先 分　類	1.建設　2.製造　3.小売　4.銀行・各種金融　5.証券　6.保険　7.不動産　8.運輸・倉庫 9.情報・通信　10.サービス　11.官公庁　12.農林水産　13.その他（　　　　　　　）
職　種	1.労務　2.人事　3.庶務　4.秘書　5.経理　6.調査　7.企画　8.技術 9.生産管理　10.製造　11.宣伝　12.営業販売　13.その他（　　　　　　　）

愛読者カード

書名

◆ お買上げいただいた日　　　　年　　　月　　　日頃
◆ お買上げいただいた書店名　（　　　　　　　　　　　　　）
◆ よく読まれる新聞・雑誌　　（　　　　　　　　　　　　　）
◆ 本書をなにでお知りになりましたか。
1. 新聞・雑誌の広告・書評で　（紙・誌名　　　　　　　　　）
2. 書店で見て　3. 会社・学校のテキスト　4. 人のすすめで
5. 図書目録を見て　6. その他（　　　　　　　　　　　　　）

◆ 本書に対するご意見

◆ ご感想
- 内容　　　　良い　　普通　　不満　　その他（　　　　　）
- 価格　　　　安い　　普通　　高い　　その他（　　　　　）
- 装丁　　　　良い　　普通　　悪い　　その他（　　　　　）

◆ どんなテーマの出版をご希望ですか

<書籍のご注文について>
直接小社にご注文の方はお電話にてお申し込みください。宅急便の代金着払いにて発送いたします。1回のお買い上げ金額が税込2,500円未満の場合は送料は税込500円、税込2,500円以上の場合は送料無料。送料のほかに1回のご注文につき300円の代引手数料がかかります。商品到着時に宅配業者へお支払いください。
同文舘出版　営業部　TEL：03-3294-1801

① 監査先の名称及び責任者の氏名
② 監査実施責任者及び担当者の氏名
③ 監査期間（×年×月〜×年×月）
④ 往査場所、往査日程、面談者（詳細を別紙として添付）
⑤ 監査結果の概要
⑥ 監査結果の詳細
⑦ 指摘及び提言

　監査結果通知書については、原稿の段階で監査先責任者に開示し、記載事項に事実誤認がないかどうかの確認をとるのがよい。

　同様に、回答書についても、記載事項の具体性及び時間軸の記載の有無を確認するために、原稿の段階で開示して貰うのがよい。

　監査結果通知書において「指摘事項の外に特筆すべき異常な事態は発見されなかった」と明記しなくても「指摘事項の外に重大な誤謬、不備、問題等は発見されなかった」という合理的保証を与えることになるので、実地監査において、金銭的及び名声的打撃をもたらしかねないリスクの見落しをしないよう、細心の注意を要する。

　当該業務担当役員、本部長、関係部署責任者、監査役等に監査結果通知書の写を送付する。

(2)　監査報告書の作成、点検、完成、送付

　監査人が、監査の結果及び監査意見を監査報告書として取り纏め、上位者の点検及び添削を受けて完成させ監査部長の捺印を得て、最高経営執行者に提出する。

　監査報告書に記載する主な項目は、以下の通りである。
① 監査先の名称及び責任者の氏名
② 監査実施責任者及び担当者の氏名
③ 監査期間（×年×月〜×年×月）
④ 往査場所及び日程（×年×月×日〜×年×月×日）
⑤ 監査結果の概要
⑥ 指摘及び提言の概要

　当該業務担当役員及び監査役等に監査報告書の写を送付する。

(3) 回答書の入手及び検討

　所定の期限（例えば、監査結果通知書の発出日から起算して2週間以内に）監査先責任者から監査意見への具体的対応策及び期限を明記した回答書を入手して記載内容の妥当性及び実現の可能性を検討し、フォロー・アップの実施時期を設定する。

(4) フォロー・アップの実施

　回答書に記載された具体策が監査先によって実行され、実現したかどうかを確認するために、回答書に記載された時期にそのフォロー・アップ（回答事項の履行状況の点検及び確認）を実施する。

　検証結果については、フォロー・アップ報告書に記載して監査部長等に提出する。内部監査は、フォロー・アップによる、監査の実効の確認をもって完結する。

　フォロー・アップは、対応策を監査先が実現したことを一定時点で確認する業務であり、監査先に回答事項を履行させるために実施する「フォロー・アップ監査」なるものは存在しないので、誤解のないよう注意を要する。

　フォロー・アップ監査は監査資源の浪費であり、それよりも、回答事項を履行させる仕組を構築することが肝要である。

［用語解説］

　何かを聞かれて即答できず「確認します」と言う場面をよく見るし、TVのニュースでも「事故の原因を確認中」や「被害の状況を確認中」をよく耳にするが、正しい表現は「調べます」と「調査中」である。

　確認とは、確かに認めること、はっきりと確かめることを言う。

　確かめるとは、曖昧な物事をはっきりさせることである。

　つまり、物事の認識や理解を曖昧な状態にして置かずに、はっきりとさせることである。確かめるためには、まずその物事について、調べなければならない。

　調査とは、物事の実態や動向を明確にするために調べることを言う。

　調べるとは、物事の実態、異常の有無、可否、適不適、効果、効能、その他について、知識を集めて考察することである。

第7章
内部監査の適正と実効の確保

　第5章と第6章において、現代の実践的内部監査の概観とその効果的かつ効率的実施に必要な基本知識、基本的手続及び具体的実施要領について解説したが、内部監査はIPPF等の示す実務指針に準拠して実施しなければならないが、監査の実効を上げなければ経費の無駄遣いとなる。
　監査人は、監査証拠の入手によって事実を確認しかつ形成した監査意見を監査先に正確に伝え、損失要因を孕んでいる異常な事態を監査先が抜本的に解消することによって、実効を上げることができる。
　因って、第7章においては、内部監査の適正な実施と実効の確保のための手続と留意事項について平易かつ詳細に解説する。
　第1節で、内部監査の適正確保のための手続について解説する。
　第2節で、内部監査の実効確保のための手続について解説する。
　第3節で、内部監査の実効確保のための留意事項について解説する。
　第4節で、類似、誤字、誤用、誤読、重言等、用語について解説する。

第1節 内部監査の適正確保のための手続

I　円滑実施のための環境の整備

　内部監査の目的は、事業体の有効なリスク・マネジメント及びコンプライアンス体制の確立、経営目標の達成、健全かつ継続的発展の実現の支援にあるが、監査組織の自助努力だけで実現するのは困難である。

　内部監査の実効は監査先に提供した異常な事態の抜本的解消に有効な施策の助言が監査先によって実行に移されかつ実現することである。

　内部監査は不正の摘発を目的に行なうものではないが、内部監査人は逮捕権、拘留権、押収権を付与されていないため、監査先の理解と協力なくして実効を上げることができない。そこで、先ず社内及び企業集団内で内部監査を受け入れかつ協力する気風を醸成する必要がある。

1　社内規程の整備及び周知

　総ての役職員が職務の遂行に当たって遵守すべき作為義務及び不作為義務を取り纏めた社内規程を整備しかつ社内で周知を図る必要がある。社内規程の整備は総務部・人事部・法務部等が担当し、内部監査組織はその際の助言及び制定又は改定後の社内説明を担当するのがよい。

　特に明確にしておくべき重要事項は次の諸点であり、子会社及び合弁会社等においても同様に実施する必要がある。

　　① 部下は必要な上司の承認を事前に取得する義務、業務を遂行する義務、上司に結果を報告する義務を負うこと。
　　② 上司は部下を管理監督する義務を負っていること、自身の上司に対して上記①の義務を負っていること。
　　③ 総ての役職員が、各種の監査を受け入れ、監査に協力し、自身の業務を適時適切に遂行したことを証明する義務を負っていること。

2　内部監査の監査目的の明確化

　内部監査とは、従業員が引き受けた任務を適切に遂行したことを証明する業務であること、不正の摘発を主目的とするものではないことを、企業集団内において、前面に打ち出すことが肝要である。

そのためには、先ず、親会社及び子会社等の最高経営執行者が社内の役職員に向けて、内部監査の有用性及びその体制整備の重要性を説明し、協力を要請する。

次に、内部監査組織が総ての役職員を対象に、オリエンテーションを行ない、社内規程の重要な部分、内部監査の目的、手続、監査先の義務等について周知を図る。

3　子会社等の定款への明記

子会社等（合弁会社も含む）を有している場合は、当該会社の定款に親会社の内部監査の受入及び協力の義務を明記する。

親会社の内部監査規程で子会社の監査受入義務を規定している会社もあるが、子会社には法人格があるため、法律上無効であるだけでなく、子会社を自社の事業所と同様に扱うと子会社等の法人格の否認となり、利害関係者との訴訟リスクを抱えることになる。

子会社等の定款に明記して置くことにより、斯かる訴訟リスクを回避できるだけでなく、子会社等が合弁会社であっても、内部監査を実施の都度合弁相手の了解を取り付ける手間を省くことができる。

この他に、親会社と子会社等の間で同様の趣旨を記載した、業務委託契約書を取り交わす方法もある。

更に、子会社の最高経営執行者及び親会社の内部監査組織責任者が、協同して、子会社の役職員に対する内部監査の有用性についての周知を図る。

II　適正実施のための基本事項の明確化

内部監査人は、監査業務を効果的かつ効率的に実施して、その実効を上げなければならない。これを言い換えると、最少の費用負担で最大の効果を上げなければならないということである。

そのためには、内部監査人が監査業務を円滑にかつ有効に実施できるようにする、内部監査実施上の基本事項の明確化が不可欠であるから、例えば以下のような内部監査の実施に関する基本事項について、親会社及び子会社等の取締役会で決議する。

1 内部監査の目的

内部監査は、経営方針が社内の末端まで徹底されているか、各部署が計画、予算、目標通り業績を上げているか、内部統制が有効に機能しているかどうか等を確かめるために、取締役会及び最高経営執行者等が、内部監査人（監査部長を含む、更に監査担当役員を置く場合は、同人も含む）に委託して行なわせる代理業務である。

2 内部監査人の独立性の確保

内部監査組織を取締役会の直属とすることにより、外観的にも実質的にも所属員の人事の独立を確保し、業務に専心できる環境を整備する。

但し、日常業務においては、最高経営執行者の指揮・監督を受ける。

監査組織に社内出向中の者か転籍した者かを問わず、かつて所属していた部門及び利害関係を有する部門に対する監査の実施は、警察官及び裁判官等と同様に、回避する（監査計画の作成において留意する）。

3 社内の受委託関係

部下と上司は受委託関係にあり、部下は上司に対して受託業務を遂行する義務及び適切に遂行したことを報告する説明義務を負っている。

4 内部監査の業務

内部監査は、受託者が付与された業務を適切に遂行しかつその結果についての報告義務を適切に遂行したことを証明する業務である。

5 被監査部署の義務

監査を受ける組織及びその所属員は、自らの受託業務及び説明義務を適切に遂行したことを証明する義務（挙証義務）を負っておりかつ監査業務が円滑に進むよう協力する義務を負っている。

注意：以下においては、文章を簡潔にするため、頻出する５つの用語を略称するが、文意を正確に伝えるための一部例外もある。

- 内部監査 → 監査
- 内部監査室を含む内部監査組織 → 監査部
- 内部監査室長を含む内部監査組織の責任者 → 監査部長
- 内部監査組織の責任者及び次席等の上位者 → 監査部長等
- 内部監査人 → 監査人

Ⅲ 適正実施のための監査規程の制定

監査の適正実施に必要な以下を骨子とする監査規程を制定する。

① 制定の趣旨
② 内部監査の目的 … 1 （この数字は前頁の項目の数字を表わす）
③ 監査部の位置付 … 2、3 （同上）
④ 監査の種類、範囲
⑤ 監査の計画、手続、報告
⑥ 監査人の権限
- 監査権、往査権
- 監査に必要な文書、帳簿、証憑等の閲覧権、コピー収集権
- 関係者への質問権、事情聴取権
- 関係会議での傍聴権等

⑦ 監査人の義務
- 受託業務、報告義務 … 4 （同上）
- 意見表明義務
- 専門職としての注意義務、守秘義務
- 独立性、中立性、公正性、客観性の保持義務 … 2 （同上）

⑧ 監査人の責任
- 任務懈怠、規程違反に対する罰則

⑨ 被監査人の権限
- 正当な理由がある場合の拒否権

⑩ 被監査人の義務
- 受託業務、報告義務 … 4、5 （同上）
- 監査への協力義務及び挙証義務 … 5 （同上）

⑪ 被監査人の責任
- 監査忌避、監査妨害に対する罰則（人事規程等で規定）

Ⅳ 監査要員の確保

社内外の役職員の中から監査部長、監査人、その他職員を選任する。

1 監査部長

　指導力、正義感、平衡感、論理的思考及び文章表現の能力を有しかつ監査の独立性及び客観性を保持できる者。

　監査部長が監査業務を実施する場合は、上記に加えて監査の技能及び経験を有しかつ監査要員を指導及び育成できる者。

2 監査人

　正義感、注意力、平衡感、一般常識、論理的思考及び文章表現の能力、勤労意欲を有する者。

　社内の業務を理解していなければ監査業務を実施できないので、5年乃至10年以上の社内業務の経験を有する者を現業部門及び管理部門から選抜するのがよい。

　一定数を監査部プロパーとして転籍させ、更に他の一定数を2年乃至3年のローテーションで社内出向させる形を採れば、必要な人数を確保できる上、原籍復帰後の担当業務への付加価値に役立つ種々の知識及び実践の機会を社内出向者に提供することができる。

3 その他の職員

　正義感、勤労意欲、監査人を支援する技能を有する者。

Ⅴ　予算の確保

　監査業務の遂行及び監査要員の育成等に十分な予算を確保する。

　金額は、内部監査組織の規模、往査の件数及び費用、監査要員の育成費用等を考慮して算出する。

　高品質の監査を実施して顕著な実効を上げた監査人に成績加算金又は割増賞与を供与する等で、業務取組意欲を喚起するのがよい。

Ⅵ　内部監査の品質管理

　有効な内部監査の実施のためには、監査品質の管理が不可欠である。

　監査部長等は、前述の内部監査の管理業務においては、以下の事項について点検、評価、添削、指導を実施する。

① 監査業務への取組姿勢

② 個別監査の進捗度
③ 監査技能の習得及び活用
④ 予備調査の業務
- 監査業務計画書の作成
    - 計画内容（監査の進め方等の計画）の合理性、効率性
- 監査実施通知書の作成
    - 書式（記載項目等）の適切性
    - 計画内容（監査の日程、請求資料）の適切性、十分性
- 重大な固有リスク及びその内部統制の点検及び識別
    - 点検及び識別業務の有効性、効率性
- 重大な固有リスク、内部統制、統制リスクの評価
    - 評価業務の有効性、効率性
- 監査目標及び監査要点の設定
    - 設定内容の有効性、十分性
- 監査範囲及び／又は監査項目の設定
    - 設定範囲・項目の妥当性、十分性
- 往査日程通知書の作成
    - 書式（記載項目等）の適切性
    - 記載内容（往査の場所・日程・時間割等）の適切性
- 監査実施手順書の作成
    - 書式（記載項目等）の適切性
    - 記載内容（監査の進め方等の計画）の適切性、合理性
- 監査予備調書の作成
    - 書式（記載項目等）の適切性
    - 記載内容（予備調査の実施手順及び内容、監査要点等の設定及び検証方法）の適切性、合理性
⑤ 本格監査の業務
- 監査要点の検証
    - 適用した監査技術及び手続の適切性、合理性
    - 実施した監査要点（の当否）の確認の有効性

○入手した監査証拠（及びその証拠力）の十分性
⑥　監査意見の形成
  ● 監査意見の検討
    ○監査証拠との突合による監査意見の吟味の有効性、十分性
  ● 監査調書の作成
    ○書式（記載項目等）の適切性
    ○記載内容（本格監査の実施手順及び内容、監査要点等の検証方法、監査意見）の適切性、合理性
  ● 監査結果通知書の作成
    ○書式（記載項目等）の適切性
    ○記載内容（監査結果の概要及び詳細、監査意見等）の適切性
  ● 監査報告書の作成
    ○書式（記載項目等）の適切性
    ○記載内容（監査結果の概要、監査意見等）の適切性
  ● 回答書の入手及び検討
    ○入手時期の適時性
    ○内容検討の適切性
  ● フォロー・アップの実施
    ○実施時期の適時性
    ○検証方法の適切性

Ⅶ　品質のアシュアランスと改善のプログラム

　公正かつ適切な人事評価のためには、監査品質の評価が不可欠である。
　IPPFの人的基準は、内部監査部門長に対し、1300で品質のアシュアランスと改善のプログラムを作成して維持することを求め、1310で内部評価と外部評価の両方の実施を求めている。

1　内部監査の品質

　監査意見が関係者に信頼され、監査先に受け入れられ、監査の実効を上げるためには、内部監査が適切な基準に準拠し、一定の水準以上で、実施されなければならない。

この観点で実施する内部監査の有効性の評価を内部監査の品質評価と言い、IPPFは、その目的として以下の３つを掲げている。
① 　内部監査活動の有効性の評価
② 　IIA基準の遵守状況の評価
③ 　内部監査機能の向上のための勧告及び助言の提供
　IIA基準は内部監査部門長にその品質保証を求めており、上掲の「内部監査活動の有効性の評価」はその目的に合致するものである。
　内部監査の品質評価については、IIA編「品質評価マニュアル」及び日本内部監査協会編「内部監査品質評価ガイド」が公表されている。

2　品質評価の種類

　内部監査品質評価ガイドは、３種類の品質評価を規定している。

(1) 内部評価・継続的モニタリング

　内部監査部門の管理業務にモニタリング機能を体系的に組み込み日々の継続的品質の評価及び改善を行なう。

(2) 内部評価・定期的レビュー（１年に１度）

　組織体内の評価者が定期的に品質評価を行なう。

(3) 外部評価（１年乃至５年に１度）

① 　フル外部評価
- 組織体外の評価者が定期的に品質評価を行なう。

② 　自己評価と独立した検証
- 内部監査部門が自己評価を行ない、次に組織体外の検証者が検証を行なう。

　これら３種の品質評価の概要は、以下の通りである。

(1) 内部評価・継続的モニタリング

① 　評価者
- 内部監査部門の管理者

② 　評価方法
- 各組織体が定め、その管理業務に組み込んだ手順に基づく

③ 　実施タイミング
- 日常の管理業務の中で継続的に実施

④ 評価要素
- 内部監査部門の基準への適合性・有効性・効率性の評価

⑤ 評価結果の報告
- 1年に1度、最高経営執行者、取締役会、監査役（会）に報告

⑥ フォロー・アップ
- 課題に対する改善状況をフォロー・アップ

(2) 内部評価・定期的レビュー

① 評価者
- 内部監査部門長が任命

② 評価方法
- 品質評価マニュアル、同等なガイダンス及びツール、内部監査品質評価ガイドを併用して評価

③ 実施タイミング
- 定期的、1年に1度の実施を推奨

④ 評価要素
- 基準、倫理綱要、内部監査の定義への内部監査部門の適合性の評価

⑤ 評価結果の報告
- 速やかに最高経営執行者、取締役会、監査役（会）に報告

⑥ フォロー・アップ
- 課題に対する改善状況をフォロー・アップ
- 外部評価のフォロー・アップの責任者は内部監査部門長

(3-1) 外部評価－フル外部評価

① 評価者
- 組織体外の適格でかつ独立のレビュー実施者（内部監査の専門職としての実務及びプロセスに関する有能な個人）

② 評価方法
- 品質評価マニュアル、同等なガイダンス及びツール、内部監査品質評価ガイドを併用して評価

③ 実施タイミング
- 定期的、1年乃至5年に1度

④ 評価要素
- 基準、倫理綱要、内部監査の定義への適合性の評価
- 内部監査部門の有効性と効率性の評価
- 改善機会の明確化

⑤ 評価結果の報告
- 速やかに最高経営執行者、取締役会、監査役（会）に報告

⑥ フォロー・アップ
- 課題に対する改善状況をフォロー・アップ

(3-2) 外部評価 −自己評価と独立した検証

① 評価者、検証者
- 評価者：内部評価・定期的レビューの評価者
- 検証者：組織体外の適格かつ独立のレビュー実施者

② 評価方法、検証方法
- 評価者：品質評価マニュアル、同等なガイダンス及びツール、内部監査品質評価ガイドを併用して評価
- 検証者：自己評価報告書を受領し、内部監査部門を訪問して、自己評価の証跡等の検討により、自己評価の妥当性、総合意見への合意の可否を検証

③ 実施タイミング
- 定期的、1年乃至5年に1度

④ 評価要素
- 基準、倫理綱要、内部監査の定義への適合性の評価

⑤ 自己評価結果
- 自己評価報告書を外部検証者に送付

⑥ 外部検証結果
- 自己評価報告書に記載された発見事項、結論、改善提言についての同意又は不同意（異議）を表明

⑦ 自己評価・外部検証結果の報告
- 自己評価者と外部検証者が署名した報告書を内部監査部門長が最高経営執行者と取締役会に提出

⑧ フォロー・アップ
- 内部監査部門又は外部検証者が課題に対する改善状況をフォロー・アップ

3　品質評価上の留意事項

IIA及びIIA-Jが規定した内部監査品質評価の種類及び概要は上述の通りであるが、その実施に際しては、以下に留意する必要がある。

- IIAの内部監査の専門的実施の国際基準、IIA-Jの内部監査基準、自社の内部監査規程への適合性の評価とは実施手続及び内容の評価であると誤解しがちであるが、最も重要な評価項目は潜在している異常な事態を看過する監査リスクの有無である。
- 監査人が十分な知識を持っているかどうかの形式的な質問をしても意味がない。確かめるべきことは、資格、知識、技能を内部監査の実務で活用及び発揮しているかどうかである。
- 有資格者による外部評価であるから有効であるという保証はない。重要な監査リスクを検出できる評価でなければならない。

4　内部評価・継続的モニタリングの手法

監査部長等の義務は内部監査品質の確保及び向上並びに自己評価及び外部評価の有効性の確保であるから、筆者は、在職中に、以下の手法を考案して採用した。

監査部長等は、個別監査を実施の都度、以下の3つの客観的、多面的内部評価を実施する。

(1) 監査手続の評価

監査部長等が、個別監査を実施の都度、監査人毎に、その進捗状況並びに適切性及び効率性を点検、評価、指導するとともに、5種類の文書（監査予備調書、監査概要報告書、監査調書、監査結果通知書、監査報告書）、往査事前説明会及び監査概要報告会における監査人の説明及び質問に対する回答の適切性、十分性等について評価する。

(2) 相互評価

担当した監査人同士が、相手方の監査に対する取組姿勢及び貢献度等を相互に評価して、その結果を監査部長に提出する。

(3) 総合評価

　　監査部長等が、個別監査毎に、業務への取組姿勢、監査範囲、監査手続、監査意見等の適切性、個別監査への貢献度、監査人の監査能力（知識及び経験の水準）、文書作成能力等を総合的に評価する。

　　以上の3種類の内部監査品質評価の結果は、監査人の業績及び人事評価（賞与、給与、昇格等）の基礎資料となる。

5　内部評価・定期的レビューの手法

　監査部長等が、6か月毎に、それまでに実施した個別監査について、監査の実効性（重要な監査意見の提供及びその実現への誘導）の程度、監査リスク（異常な事態の看過及び事実の誤認）の有無及び程度、個別監査の進捗度及び費用対効果等を総合的に評価する。

6　代替外部評価の手法

　個別監査毎に、以下の客観的かつ多面的代替外部評価を実施する。

(1) 監査先による評価

　　個別監査を実施の都度、監査先の責任者に対するアンケート調査を行ない、内部監査に対する満足又は不満足の度合、監査人の業務水準、態度、監査実施上の不都合等に関する意見を記載して貰う。

　　この評価には、①監査人が高品質の監査を心掛ける利点と、②監査人がマイナスの評価を気にして監査先に手心を加えがちになる弱点があること、に留意する必要がある。

　　酷評されたときは、監査部長等が監査先責任者との面談及び監査人との面談により、原因と実態を究明する。

(2) 監査役及び監査役スタッフによる監査

　　1乃至5年に1回の頻度で、監査役及び同スタッフ等による、個別監査の適切性及び有効性についての監査を受ける。

　　監査対象は、個別監査毎の、監査予備調書、往査事前説明会議事録、監査概要報告書、監査概要報告会議事録、監査調書、監査結果通知書、監査報告書、フォロー・アップ報告書の9種類である。

　　監査役及び同スタッフによる代替的な外部評価は、本節Ⅵで掲載した事項について検討して評価するものである。

実効のある外部評価の実施は容易ではない。自社の重要なビジネス・リスクとそれをもたらす異常な事態を看過する監査リスクを発見できる有効なフル外部評価を実施できるのは、自社の内部監査を熟知している有資格者である。

上述した代替外部評価も監査役及び同スタッフが適格者でなければ、形式的評価に終わり、評価自体の有効性を確保できない弱点がある。

有効な外部評価を実施できる熟練で適格なOBがいる場合は、自社の業務及び固有のビジネス・リスクを熟知しているので、同人に依頼するのが良策である。

Ⅷ 内部監査の業績評価

内部監査の業績評価には、監査部長等による監査人の業績評価、監査部長による上位者の業績評価、最高経営執行者又は監査担当役員による監査部長の業績評価の3種類がある。

これら3種類の業績評価は、人事評価（賞与、給与、昇格等）の基礎資料となる。

1 監査人の業績評価

監査部長等は、個別の監査を実施の都度及び年度末に、その適切性、実効性、貢献度を勘案して、監査人の業績を評価する。この評価においては、<u>本節Ⅵ</u>で掲載した事項に次の事項を加えて検討する。

① 検証するために必要な能力
- 異常な事態の発見に必要な注意力、感性、懐疑心
- 適切な判断に必要な知恵、平衡感、一般常識
- 監査リスクの抑制に必要な実証的監査能力
- 監査意見の形成に必要な論理的思考能力

② 監査先を納得させるために必要な能力
- 会話及び文章の表現力（論理性、説得力）

③ 指導に対する応答の程度

④ 同じ失敗を繰り返さない学習効果の程度

⑤ 監査リスクの程度

- 事実誤認の有無
- 手抜、怠慢、不注意の有無
⑥ 知識、経験、特技の活用の程度
⑦ 担当した個別監査の難易度、貢献度
⑧ 監査品質の程度

2 監査部上位者の業績評価

監査部長は、個別の監査を実施の都度及び年度末に、監査人に対する管理、監督、指導業務の適切性、実効性、貢献度を勘案して、上位者の業績を評価する。この評価においては、本節Ⅵで掲げた内部監査品質の管理業務について、次の観点で検討する。

① 個別監査の進捗状況の管理及び指導の適切性、有効性、適時性
② 往査事前説明会及び監査概要報告会等における質問、助言、指導の適切性、十分性
③ 主要文書の点検及び添削の適切性、十分性

3 監査部長の業績評価

最高経営執行者又は監査担当役員は、年度末に、当該年度に実施した内部監査業務の十分性、実効性、貢献度を勘案して、監査部長の業績を評価する。この評価においては、以下の事項について検討する。

① 年度監査方針の適時性、適切性
- 重要な事項及び緊急を要する事項の捕捉の適時的確性
- 委託者(取締役会、最高経営執行者等)の要求への適合性及び適時的確性
② 取締役会における説明、回答、報告の適切性、十分性
- 付議事項の説明、質問に対する回答、監査結果及び意見の報告等の簡潔明瞭性、合理性、十分性
③ 実施した監査対象(事項)の網羅性、十分性
④ 実施した監査結果の実効性、貢献度
⑤ 期待ギャップの程度
- 委託者及び被監査部署の期待との乖離の程度

第2節 内部監査の実効確保のための手続

Ⅰ 実効確保のための姿勢

1 内部監査の業務は不正の摘発ではない

　実効を上げる監査の円滑実施のために大事なことは、内部監査とは、従業員が任務を適時適切に遂行したことを証明する業務であり、不正の摘発を目的とするものではないことを前面に打ち出すことである。

　不正については、再発防止に有効な施策及び発生時の即時早期発見に有効な施策の検討が重要であるから、監査部はその顛末及び原因究明と再発防止策及び再発時の早期発見方法等の検討に関わる必要はあるが、その処罰に関与してはならない。

2 内部監査の目標は異常な事態の捕捉である

　内部監査人が有益な施策を提供しても監査先が実行に移さなければ、内部監査の実効を上げることができない。監査先の協力が得られても、内部監査人が有益な施策を提供できなければ、内部監査の実効を上げることができない。この何れの場合も、監査資源の浪費となりうる。

　内部監査において重要なことは、異常性の感知である。異常性を感知して重点的に調査することによって実在する異常な事態の捕捉が可能となる。その原因を解明することによって、不注意及び怠慢による誤謬か意図的違反及び不正かが判明する。

　不正を摘発しようとしても、内部監査の基本を習得しないことには、容易にできるものではないし、誤認逮捕の監査リスクを抱える。

Ⅱ 実効確保のための要点と要領

　内部監査の実効は、監査先が看過している経営目標達成の阻害要因である異常な事態を漏らさず発見し、その抜本的解消に有効な監査意見を提供して、監査先に実現させることである。

　監査人は、これを監査目標として具体的に設定し、個別監査を効果的かつ効率的に実施する。

内部監査の実効を確保するための要件及び要領は、次の通りである。

1　内部監査の監査目的の明確化

内部監査の監査目的（組織目的）を明確に認識する。

経営に貢献する内部監査とは、経営者の代理人である内部監査人が、経営者の3つの懸念事項及び関心事（経営目標達成の可能性、リスク・マネジメントの有効性、コンプライアンスの有効性）について、①その実態を的確に検証及び報告して経営判断に貢献するとともに、②異常な事態を発見してその抜本的解消に有効な施策を監査先責任者に提供し、その実現に導いて、自社及び子会社等の企業集団各社の健全かつ継続的発展に貢献するものであり、以下を念頭に置いて行なう。

　業務運営管理者等への指摘・提言による支援→最高経営執行者等への報告・提言による貢献→異常な事態の抜本的解消の支援による会社への貢献

　参考：会社への貢献は、株主その他利害関係者への貢献でもある。

2　内部監査の基本知識の習得

内部監査は、ある事象について調査し、その異常性又は正常性を証明する証拠の入手によって事実又は実態の確認をし、その適否を評価し、それらを基に形成した監査意見を監査先責任者及び最高経営執行者等に正確に伝達するために、自分の頭を使い、思考を凝らしながら実施する検証業務である。

① 社内規程及び基準等の整備状況だけでなく、その内容の網羅性、適正性、有効性等も点検する。
② 社内規程に準拠しているか否かだけでなく、準拠していない理由及びできない原因を究明する。
③ 契約⇒受渡⇒決済と連続する一連の業務の有効性及び上司による当該業務における日常的モニタリングの有効性を点検する。
④ 業績の分析及び比較によって業績の成長性、事業収益の十分性、継続企業又は社内組織としての存続能力の十分性を検証する。
⑤ 潜在している異常な事態を遺漏なく発見し、その発生原因を究明して、その抜本的解消に有効な施策を提言する。

3　基本知識の実践のための監査技術の習得

異常性の感知、業務処理の適否又は良否及び継続性の確認並びに監査証拠の入手手段としての監査技術及び監査手続を習得する。

監査技術及び手続は多種多様かつ得手不得手があるので、漫然と適用していては、監査証拠を効果的かつ効率的に入手することができない。

要証命題に対する監査証拠の合理的入手のために監査技術及び手続の適用方法、時期、範囲を考慮して、最適のものを選択することを「**監査手続の選択**」と言う。選択した監査技術についてその実施時期、範囲、方法を勘案して用実施することを「**監査手続の適用**」と言う。

4　監査実施手順書の作成

実地監査を効率的かつ効果的に実施するため、検証事項を明確にし、検証の方法及び手順を組み立て、それを実行するための監査実施手順書（監査プログラム、時間軸を入れた段取表）を作成する。

5　実地監査の実施要領

監査実施手順書の記載事項を実践して実地監査を効果的かつ効率的に実施する。専門職としての懐疑心を持ち正当な注意を払って、監査要点（予備調査で立てた仮説）の当否の確認に努める。

検証手続の進行状況及びその有効性等を監査実施手順書と照らし合わせて随時に確かめ工夫及び改善を加えながら、監査目標の達成を図る。

監査マニュアルに頼らず合理性（理に適っているかどうか）の観点で思考を凝らしながら、監査要点の当否を多面的に検証し、異常な事態を発見し、その原因を究明し、十分な監査証拠を入手する。従因に惑わされることなく、主因を特定するよう努める。

① 実態の把握及び事実の確認
- 物事を、思考を凝らしながら、広く、深く視る。
- 物事を、一面ではなく、多面的に視る。
- 物事の外見ではなく、実質を見抜き、実体及び実態を見極める。
- 監査証拠の入手により、実態の把握及び事実の確認をする。

② 業務の適否及び良否の評価
- 規準と業務実態の突合により、業務の適否及び良否を視る。

③　業務の有効性の評価
- 所期の目標を達成しているかどうかを視る。
- 所期の成果を上げているかどうかを視る。
- 所期の効力を発揮しているかどうかを視る。

④　業績の趨勢の評価
- 物事を動的に視て、趨勢、傾向を把握する。

⑤　異常な事態の有無の確認
- 監査証拠の入手による。

⑥　異常な事態の原因の究明
- 監査証拠の入手による。

6　監査意見の形成

①　全体最適の暫定的監査意見の形成
- 全体最適の観点で、合理的かつ客観的監査意見の形成に心掛ける。
- 指摘及び提言の記載に当たっては、確認した事実と形成した意見を混同しないよう留意する。

②　合理性・客観性・全体最適性の吟味による監査意見の確定
- 個別監査の実施者だけでなく内部監査組織の責任者及び上位者も、暫定的監査意見の合理性及び客観性を吟味して、監査リスクを低い水準に抑えるように努める。

7　失敗と反省が成功の基

「失敗は成功の基」と言われるが、失敗を重ねるだけでは成功に繋がらない。成功事例を聞いても、同じようにはできず、上達に繋がらない。

「失敗は成功の基」は「Failure teaches success」の和訳と言われているが、失敗をしてその原因を反省し、それを繰り返さない努力をすることが成功へと繋がるという意味である。

(1) 勝に不思議の勝あり、負に不思議の負なし

この格言は、プロ野球の野村克也監督の名言として知られているが、元は1775年から1806年まで肥前国平戸藩第9代藩主を務めた剣術の達人松浦清（号は静山、心形刀流甲州派第6代常静子）が『剣談』で述べた言葉であり、現代語訳は次の通りとなろう。

剣の理法に従い技術を守って戦えば、気力が充実していなくとも勝ち得る。このときの自分の心を顧みれば、不思議と思わずにはいられない。剣の理法に背き、技術を誤れば、負けることに疑いはいない。

野村監督は、この格言を次のように述べて、戦力の強化を図った。

　勝には「不思議な勝」があるが、負には「不思議な負」はない。必ず負けた理由がある。紛れで勝つことはあるが、負には必ず原因がある。敗因を厳しく自己分析することが次の勝利を導く。

反省とは、自分の思考や行動を省みて、その可否、巧拙、善悪などを改めて考えることである。

(2) 監査の失敗事例、その原因、改善策

筆者が監督及び助言で関与した社内外の組織による800件以上の内部監査の失敗事例、その原因、改善策を列挙すると、次の通りである。

① 重要なリスクの存在を見落した ← 蟻の目線で枝葉末節の調査に終始したため → 全体を俯瞰してから徐々に監査対象を絞り込む

② 時間切れで尻切れトンボに終わった ← 監査実施手順書を作っていないため → 合理的な段取を組み日々の時間管理を励行する

③ うまく言い逃れられた ← 論点を摩り替えられたため → 会話が噛み合っているか、話題を変えようとしていないかに注意する

④ 指摘及び提言する異常な事態を発見できなかった ← チェック・リストに頼る検査手法のため → 十分な予備調査の実施による監査目標を設定する

⑤ 監査先が回答書への記載事項を実行しなかった → 監査に不満や遺恨があるから、監査を軽視しているから → 監査先の上部組織と協議する

(3) 反省は失敗事例だけでなく成功事例にも

反省は、一般に、失敗原因を究明し、同じ失敗を繰り返さないために行なうが、成功事例についてもその原因を究明し、同じ成功を繰り返すことができるよう、努力することが肝要である。

第3節 内部監査の実効確保のための留意事項

Ⅰ 監査全般における留意事項

　監査部は独立していなければならず、監査人は監査の実施に当たって客観的（公正不偏）でなければならない。

　監査人は、スタッフとして監査意見（アドバイス）を提供するだけであり、ライン組織への指示、ライン組織の業務の代理業務、非監査業務（コンサルティング等）をしてはならない。

　監査人は、独立性及び客観性を保持するために、監査先と利害関係を有するときは、当該監査を回避しなければならない。

　監査人は、専門職としての高い志を持ち、正当な注意（due care）を払い、監査対象の事象を懐疑的（skeptical）に又は批判的（critical）に観察、検討、評価、確認する。

　これは、先入観を排除し、なぜなのか、本当にこれでよいのか、何かおかしいのではないか等の疑問を持って、事実の確認に当たらなければならないという意味である。

　監査の基本は、裏付資料等の証拠の入手による、事実の確認にある。監査先組織の責任者及び上位者の説明を鵜呑にせず、説明とその部下の行動が一致しているかどうか（齟齬がないかどうか）を確かめることが肝要である。

　内部監査人の職務とは、立派な監査報告書を提出することではなく、経営目標の達成、事業の継続、事業体の存続を危うくする異常な事態の抜本的排除に有効な助言を提供し、その実行に導き、実現させることによって、事業体の健全かつ継続的発展に貢献することである。

　実効を上げる内部監査を実施するためには、監査手続の実施要領及び個別の監査技術等を習得する前に、肝心の内部監査の基本をしっかりと身に付けることが肝要である。

　監査人は、個別監査を効果的・経済的・効率的に実施するため、<u>費用対効果</u>の高い適切な監査実施手順書の作成とその実行に心掛ける。

監査の効果的・経済的・効率的実施は、監査リスク・ベースの手法による監査計画の作成、適切な監査要点の設定にかかっている。

　業務担当部署の個別業務だけを監査するのでなく、部署間の連携及び会社全体のシステム等にムリ、ムラ、ムダ等の合成の誤謬（ある部署の効率化によって生じる他部署の非効率化という矛盾）がないかを、全体最適の観点（＝経営者の観点）で検証する。

　監査部長等は、費用対効果の高い監査リスク・ベースの監査の実施と全体最適の観点での意見形成の実現に必要な点検・指導を行なう。

　内部監査人は、思込及び勘違いによる監査リスクを排除するために、予見及び予断を持って監査を実施しないよう注意を払う。

　事業体の健康診断を行なう内部監査においては、常に、我見ではなく離見で見る（主観的にではなく客観的に見る）よう心掛け、病巣の看過及び誤診等の過ちをしないよう注意を払う。

　病原のある箇所、病気に罹りそうな箇所、怪我をしそうな箇所を看過することのないよう注意を払い、正常な箇所を病巣と誤診しないよう、確信を持てるまで、検診の範囲及び種類を拡大する。

　症状が他の患者と似ていても病気の種類及び原因が異なる場合もあるので、十分な検診を行ない、当該患者に適合する助言を提供する。

　監査人は、専門知識及び情報の収集、監査技術及び監査手続の習得、文章力及び表現力の修練に努め、監査意見と監査証拠の照合による事実確認及び簡潔明瞭な意見表明の両方をしっかりと行なう。

　事実の検証に不備があると、高品質の成果物を提供できない。事実の検証を十分に行なっても、成果物の出来が悪ければ、評価されない。

　監査を料理に譬えると、調理（監査実務）と盛付（成果物）の両方をしっかりと行なわなければならない。

　調理を疎かにすると不味い料理となり、これを盛付でごまかすことはできない。しっかりと調理した美味しい料理であっても、盛付が下手であれば、食欲を減退させる。

　監査部長等は、個別監査の手続及び監査人の暫定的監査意見の適否を入念に点検して、監査リスクの低減と実効性の確保に努める。

(1) 予備調査の業務

監査人は、予備調査を網羅的に行ない、監査リスク・ベースの監査手法で、適切な監査目標及び監査要点を設定する。

監査部長等は、予備調査及び監査要点の妥当性を点検・指導する。

(2) 本格監査の業務

監査人は、監査証拠の入手により監査要点（否定的仮説）の当否を検証するとともに、監査手続の漏れ・追加すべき事項の有無、監査の進捗状況等を適宜に検討して、暫定的監査意見を形成する。

監査部長等は、本格監査の進捗状況を随時に点検・指導する。

(3) 意見表明の業務

監査人は、暫定的監査意見を監査証拠との突合で合理性・客観性を検討して、監査リスクの低減に努めるとともに、高品質かつ高品格のものとするよう吟味する。

監査部長等は、指摘及び提言が適切かつ論旨明快であるかの観点で暫定的監査意見及び監査証拠を点検するとともに、監査意見の実現に監査先を導く高品質かつ高品格の文書とするよう、点検・添削する。

Ⅱ 監査実施計画の作成における留意事項

監査部長等は、監査実施計画の作成において、個別監査の難易度及び監査リスク度並びに監査人の熟練度及び業務経験を勘案して相応の監査業務を割り当てることにより、監査リスクを低く抑える。

海外子会社等に対する監査実施計画の策定に当たっては、実地（海外子会社の所在地）の治安状況、気候、当該会社の事情等を考慮する。

- 猛暑、厳寒、台風、ハリケーン、豪雨、豪雪の時期を避ける。
- 当該会社の繁忙期及び主要な役職員の休暇取得時期を避ける。
- 現地での安全確保のための情報を、余裕をもって入手する。
- 治安上の不安がある場合は実施時期を先に延ばす。

親会社主管部とその監督下にある子会社の監査を同一年度に（統合的内部監査を）実施して、監査実施時期のずれによって両者間の資産及び損益の融通等の不正を発見し損ねるリスクを排除する。

国によって宗教上の安息日が異なるので、事前に把握して個別監査の実施に支障のない監査計画及び監査実施計画を策定する。

　当該国特有の祝祭日、宗教的行事、習慣があるので、これらを事前に把握して個別監査の実施に支障のない監査実施計画を策定する。
- イースター、クリスマス、バカンス、ラマダーン、旧正月（春節）

Ⅲ　監査技術の適用における留意事項

　監査証拠の合理的入手に最適と考える監査技術及び／又は監査手続を選択し、その実施時期、範囲、方法を勘案して適用する。

　監査人は、以下の点に留意して、監査技術及び手続を適用する。

① 換金性の高い資産（現金、預金、受取手形、有価証券）については、実査を同時に実施する必要がある。
② 立会は、棚卸対象資産の一部に対する試験的実査により、補完する必要がある。
③ 重要な勘定（現預金、売掛金、棚卸資産、未収入金、前渡金、固定資産、支払手形、買掛金、未払金、引当金、剰余金、売上高、仕入高、売上原価等）については、勘定分析を実施する必要がある。
④ 勘定分析を実施して重要又は異常と感じた場合は、証憑突合、実査、確認等の、他の監査技術を付加して、当該記入内容の正否又は適否を確かめる必要がある。
⑤ 売掛金及び棚卸資産については、確認を行なう必要がある。
⑥ 確認については、別の監査技術を適用して証拠を入手し、確認事項の真偽及び信頼性を確かめる必要がある。
⑦ 閲覧又は通査の実施によって感知した重要な問題及び疑問等については、他の監査技術を適用して、それを立証する監査証拠を入手する必要がある。
⑧ 複数の数値間に差異がある場合は、差異調整を実施して、それらの計算的正確性を追求する必要がある。
⑨ その調整が不可能な場合は、他の監査技術を付加して、補強証拠を収集する必要がある。

⑩ 実地棚卸とは棚卸資産の記録と現物の照合であるが、監査人自らが実施するのではない。監査人は、監査先が実施する実地棚卸について立会を実施し、棚卸対象資産の一部に対する試験的実査により、その実在についての心証を得る。

⑪ 固定資産については、棚卸資産ではないから、実地棚卸ではなく、現物確認という。事務機器、什器備品等の移動可能な有形固定資産については、連番の識別票を貼付し、固定資産台帳との照合による現物確認をする必要がある。

Ⅳ 予備調査における留意事項

(1) 基本的留意事項

内部監査の基本は、網羅的予備調査の実施により、統制リスクが高い監査対象を絞り込み、適切な監査要点を設定し、実地監査においてそれらを重点的に監査する<u>監査リスク・ベースの監査</u>である。

予備調査においては、<u>先ず山を見る</u>、<u>次に森を観る</u>、<u>そして木を視る</u>という手順を踏む。

- 最初から小枝に注目すると、枝葉末節の些事に眼を奪われ、肝心の異常な事態（重大な固有リスク）を見落としてしまう。
- 潔癖感から<u>些</u>細なことをほじくったり指摘をしたりすると、重箱の隅を突っつくと疎まれかねない。

監査人は、できるだけ多くの資料を収集し、監査先についての情報を分析し、監査先の組織及びその業務活動を把握し、付随するリスクとそれに対する内部統制の有効性を暫定的に評価する。

その上で、個別監査目標を明確に設定し、本格監査の段階で重点的に検証する監査要点、監査範囲、監査項目を設定し、検証に適用する監査技術及び監査手続、往査場所、往査日程等を詳細に定める。

これらを基に実地監査の実施から監査報告書の提出に至る一連の監査手続を組み立て、監査予備調書及び監査実施手順書に記載する。

監査部長等は、予備調査の進捗状況及び監査調書の記載内容（特に、監査要点）の適切性を点検、評価、指導する。

予備調査では、先ず、監査先の組織及び業務の概要を把握するため、社内組織又は子会社の沿革（設置又は設立の経緯、業務又は事業の目的及び実績の推移等）を調べる。
- 所属員構成：事業の継続に必要な人材の安定確保が保証されるなだらかな年齢構成となっているか否かの調査のため
    - 年齢別男女別人員構成図を作る。
    - 毒物劇物取扱責任者、危険物取扱者、宅地建物取引士、倉庫管理主任者等の有資格者必置の会社であれば、該当資格を加える。
- 組織構成と付与権限：内部統制の有効性の確認のため
- 主要業務：利益の源泉及び重大なリスクの把握のため
- 業績推移：継続企業としての存続能力の十分性の確認のため
- 経営方針：会社経営方針と監査先経営方針の整合性の確認のため
- 中期経営計画：経営方針との整合性の確認のため
- 重点施策：中期経営計画との整合性の確認のため
- 稟議・付議案件：中期経営計画との整合性の確認のため
- 重要契約：中期経営計画との整合性の確認のため
- 訴訟事案：原因の把握及び再発防止策の有効性の検討のため
- 不祥事案：原因の把握及び再発防止策の有効性の検討のため

　次に、主要業務に付随するリスク（経営目標の達成を阻害するリスク、金銭的打撃を与えるリスク、名声的打撃を与えるリスク、これらを固有リスクと言う）を把握する。

　更に、これら固有リスクをコントロールする内部統制の手法及びその有効性を暫定的に評価することによって、重大な統制リスク（リスク・コントロールが効かないために残る固有リスク）を特定する。これらを実地監査で重点的に検証し、指摘及び提言の是非を検討する。

　海外の子会社等を監査する場合には、その経営に影響する要素を把握するため、その所在国についての情報を収集する。
- 国家の概要
    - 面積（日本との比較のため）、気候、歴史、民族の構成、宗教、言語、歴史、祭日・宗教行事、主要産業、政治情勢、経済情勢

- 国民性
  - 気質、離職率、民族対立及び紛争の有無、隣国等との紛争の有無、日本語での意思疎通の程度、英語での意思疎通の程度
- 子会社等に関係する法律及び規則
  - 環境保全関連、税務関連、雇用関連、外資制限、業務制限等

主管部及び関係部等と面談し、関連情報、懸念事項、要望事項を聴取する。

監査先及び関係部署に対するアンケート調査により、監査先の業務の概要及び当該業務に対する関係部署の評価を把握しようとする場合は、実地監査の実施前に回答を回収及び分析して適切な監査要点を設定するのに十分な時間を確保する。

持込及び持出の制限又は禁止の物品の有無を調べて、入出国時のトラブルを防止する。

余裕をもって監査実施通知書を送付し、子会社等の監査受入責任者と打ち合わせ、実地監査の場所及び日程並びに面談の場所、相手、時間割等を決定する。

(2) 監査実施手順書の作成における留意事項

実地監査における検証業務の内容、検証のために適用する監査技術、監査手続の日程及び時間割等を詳細に記載する。

公認会計士、顧問弁護士等との面談は、余裕をもって予約する。

海外子会社等に対する監査の場合は、予期せぬ事態の発生による実地監査の遅延に備えて、数日の予備日を設ける。

V 本格監査における留意事項

1 基本的留意事項

監査人は、監査予備調書及び監査実施手順書に記載した監査要点及び監査項目の検証並びに監査証拠の入手という一連の監査手続を遺漏なくかつ一貫性をもって、効果的・経済的・効率的に実施する。

実地監査においては、<u>木を視る</u>、特定した異常な事態については<u>枝を診る</u>。

監査人は、実地監査において、監査要点に適合する監査技術及び監査手続を選択及び適用し、その当否を確かめる。
　監査人は、監査意見を形成する合理的基礎を得るため適切かつ有効な監査証拠を入手しなければならない。そのためには、監査技術及び監査手続の習得及び研鑽に努め、かつ実践しなければならない。
　監査実施手順書を活用し、点検の漏れ、監査手続の遅延、時間切れによる実地監査の中途での打切りを防止する。
　面談で聴取した事項、その事実確認、新たに発見した事項について、当日中に全員で検討し、ワーク・シート又はチェック・シート等に細大漏らさず記録する。

2　面談における留意事項

　できるだけ多くの責任者及び担当者（社内の部署の場合）又は役職員（子会社の場合）と、個別に、真摯な態度で、面談を実施する。
　面談を効率的に実施して聴取事項を遺漏なく記録するためには、予め監査人の間で業務担当者（質問及び入手資料の点検担当者と聴取事項の記録担当者）を明確にして置く必要がある。

(1)　質問及び資料の点検担当者

　監査実施手順書を活用して面談の進捗状況を点検し、遺漏、遅延、時間切れを防止する。
　追及をかわすために使われ「ご飯論法」と揶揄される「論点のすり替え」及び「別の論点への誘導」に惑わされないよう注意を払う。
　質問を手短に行ない、聞き上手に徹し、相手の説明の腰を折らず、理解を示しながら、かつ記録担当者が正確に記録できるように配慮をしつつ面談を進め、重要な事項については掘り下げて質問をする。
　相手の目を見つめながら面談を進め、真摯に答えているかどうかと挙動の変化に注意を払う。
　相手の汗のかき具合及び指の震え具合を感知するよう注意を払い、核心に迫る質問をしたときの相手の態度の変化に注目する。
　質問と関係のない事項を説明して時間の浪費を狙っているときは、要領よく中断して、次の質問に移る。

正直に答えていないと感じたときは、次の質問に移り、暫く時間をおき、同一の質問と悟られないよう角度を変えて、再度質問をする。
　上司と部下及び部下同士の説明が異なるときは、質問内容を変えて何れの説明が正しいかを確認する。
説明内容が曖昧なときは、自分で言い直して確かめるが、誘導尋問と非難されかねない「○○ですね」という言い方をしてはならない。
興味本位で監査業務と関係のない事項の質問をしてはならない。
高圧的な態度及び非難、指示又は命令、セクシャル・ハラスメントと受け取られかねない言動をしてはならない。
　提供された資料が相手の説明内容を裏付けるものか、監査人が要求した通りのものか等を点検し、何の検証のためにいつ誰から入手したものかを記入して、保管する。

(2) 記録担当者

　相手の応答内容、点検事項、発見事項を漏らさず記録する。
　速記が不得意な者に記録を担当させてはならない。
　録音の同意を求めたり、録音していることが察知されたりすると、正直な回答を得られなくなる。

3　検証における留意事項

　監査人は、設定した監査要点及び監査項目の検証に適合する監査技術及び監査手続を選択及び適用して効率的に検証する。
　異常な事態を発見したときは、その存在を立証する証拠資料(コピー及び写真等)を入手し、斯かる事態をもたらした原因を究明する。
　原因を特定したときも、それを立証する証拠資料を入手する。
　入手した証拠資料については、発見した異常な事態の存在を立証するのに十分な証拠力を有しているかどうかを慎重に吟味する。

4　意見形成における留意事項

　異常な事態をもたらした原因及び斯かる事態の実情を勘案して、その抜本的解消に有効かつ実行可能な施策を案出する。
　特定した異常な事態とそのままに放置した場合の影響(因果関係)を明確にして、その抜本的解消に有効な監査意見を形成する。

意見形成に当たっては、相手が誰であろうとも、監査人としてのインテグリティと信念を持って、指摘及び提言する。インテグリティについては第1章第5節Ⅰを参照されたい。

　些事に惑わされて、肝心の幹ではなく枝葉を重視する本末転倒の監査意見を形成しないよう留意する。

　形成した監査意見を証拠資料と突き合わせて、その合理性及び客観性並びに監査リスクの程度を吟味する。

　事実誤認及び不的確な表現による監査意見の訂正及び撤回は、監査人として最も恥じるべき行為であるから、暫定的監査意見に誤りがないかどうかを入念に検討する。

　更に、個別最適ではなく、全体最適の監査意見となっているかという観点で、入念に検討する。

5　意見確定における留意事項

　監査人は、暫定的監査意見を形成し、監査証拠を添えて監査部長等に提出し、点検及び添削を受ける。

　監査部長等は、証拠力の十分性、監査リスクの程度、意見の合理性、客観性、全体最適性を入念に検討して、監査意見を確定する。

　その上で、個別監査の顛末及び監査意見を監査調書に取り纏め、監査部長等の点検及び添削を受けて、完成する。

　監査業務は、洋服の縫製に譬えると、顧客の体型及び用途に適合した注文服（tailor-made、custom-made、haute couture）の仕立であり、既製品（ready-made、prêt-à-porter）の量産ではない。

　前回又は他の監査人の指摘及び提言を真似て書くものではない。

　監査先の実情に基づく自らの監査意見（指摘及び提言）を書く。

　監査意見の表明は、事実かどうかを検証した結果の伝達であり、聴取した事項の伝達ではない。

Ⅵ　意見表明における留意事項

　監査人は、遅滞なく、監査先責任者に送付する監査結果通知書と最高経営執行者に提出する監査報告書を作成する。

1 監査結果通知書の記載における留意事項

　監査先責任者及びその主管者の納得及び同意を得るため、読みやすくわかりやすい文章で、監査結果通知書を作成する。

　異常な事態の原因及び実情並びにその抜本的解消に役立つ監査意見を重要性及び／又は緊急性の順に、簡潔明瞭に記載する。

　監査部長等は、文章表現の簡潔明瞭性及び品格並びに指摘及び提言の訴求力（アピール度）について点検、添削、指導を行なう。

2 監査報告書の記載における留意事項

　多忙な最高経営執行者及び業務担当役員等が監査結果及び監査意見の重要性を把握できるよう、簡潔明瞭な短文で、高品格の、監査報告書を作成する。

　監査部長等は、文書の体裁、表現、論理構成、用語、用字等が適切であるか、総ての監査報告書の用語、用字、記載の順番、番号の表記等が監査部として統一されているかについて点検、添削、指導を行なう。

第4節 用語その他について

Ⅰ 監査に関係する類似用語

法令／法規

法令とは、国会の制定する法律、政権による命令（内閣による政令、内閣総理大臣による内閣府令、各省の大臣による省令、各外局の長及び委員会による規則等）、その他行政機関の命令を言い、条例を含む。

法律の施行規則は、内閣府令、法務省令等のように所管官庁の命令によって発出される（例えば、会社法施行規則は法務省令で発出される）。英語ではlaws and ordinancesと言う。

法規とは、本来的意味において、権利を制限し又は義務を課す内容の法規範を言うが、一般的に、法律と規則を合わせて呼ぶときに使われる用語である。英語ではlaws and regulationsと言う。

規則／規程／規定

規則とは、行為をする際に従うべき準則（準拠すべき法則）の定めを言い、通常、内閣府令又は省令で発出される。会社においては役職員が遵守すべき決め事を言う。英語では、前者をregulationと言い、後者をruleと言う。

規程とは、法令用語としては、一定の目的のために定められた条項の総体の題名に使われる用語であり、規定と紛らわしいので、規則と言い換えて用いる。会社においては、従業員が遵守すべき決め事の総体及びその題名を言う。

規定とは、法令における個々の条項の定めを言う。会社においては、規程及び基準等の個々の条項の定めを言う。

規準／基準

規準とは、則るべき規範となる標準（＝合致しているかどうかを確かめるための標準）を言う。英語ではcriterion / criteriaと言う。

基準とは、①ある事柄を判断するための尺度となる標準及び②最低限満足していなければならない条件を言う。英語ではstandardと言う。

監査基準書／監査手続書

1950年7月14日に中間報告として公表された日本初の『監査基準』が範としたAIAの『監査基準書』は、次のように区分している。

監査基準書（Statement on Auditing Standards）とは監査業務の遂行に関する質の尺度を定めたものであり、監査手続書（Statement on Auditing Procedure）とは監査で実施すべき行為の手続に関係する手続を定めたものである。

第5章第5節Ⅵで、「Engagement Work Program」について筆者が監査手続書でなく監査実施手順書と和訳している理由は、上掲の区分にある。因みに、IIAのIPPFに記載されているengagement及びclient等の用語から、outsourcingを引き受けた会社外部のconsultantsによる監査業務を念頭に規定したものであることがわかるであろう。

財務諸表等規則上の親会社／子会社／関連会社／関係会社

第8条第3項

親会社とは、他の会社等の財務及び営業又は事業の方針を決定する機関を支配している会社をいい、子会社とは、当該他の会社をいう。親会社及び子会社又は子会社が他の会社等の意思決定機関を支配している場合における当該他の会社等もその親会社の子会社とみなす。

つまり、株式の所有によって他の会社等の財務及び営業又は事業の方針を決定する機関を支配している会社を親会社と言い、支配されている会社を子会社と言う。

第8条第5項

関連会社とは、会社及び当該会社の子会社が、出資、人事、資金、技術、取引等の関係を通じて子会社以外の他の会社等の財務及び営業又は事業の方針の決定に対して重要な影響を与えることができる場合における当該子会社以外の他の会社等をいう。

つまり、株式の所有によらず、出資、人事、資金、技術、取引等の関係を通じて、他の会社等の財務及び営業又は事業の方針を決定する機関を支配している会社を親会社と言い、支配されている会社を関連会社と言う。

第8条第8項

　関係会社とは、財務諸表提出会社の、親会社、子会社及び関連会社並びに財務諸表提出会社が他の会社等の関連会社である場合における当該他の会社等をいう。

　つまり、親会社、子会社、関連会社等から見て当該関係にある他の会社を関係会社と呼ぶ。

　次に掲げる会社計算規則の定義も、財務諸表等規則と同様である。

第2条第3項第23号

　関係会社とは、当該株式会社の親会社、子会社及び関連会社並びに当該株式会社が他の会社等の関連会社である場合における当該他の会社等をいう。

印章／印影／印鑑

　印章：いわゆる「はんこ」
　印影：はんこを紙に押したときに残る朱肉の跡
　印鑑：実印及び銀行印等の登録した印影

認印／実印

　認印：印鑑登録をしていない印鑑
　実印：印鑑登録をした印鑑

会社印／代表社印／銀行印

　会社印：社名だけが刻印されている四角い印鑑
　代表者印：印鑑登録をしたいわゆる会社の実印
　銀行印：銀行に届出をした印鑑

署名／記名

　署名：自分で氏名を記すこと
　記名：自分の氏名のゴム印を押す又は印字すること
　補足：署名に加えて印章を押す場合に**署名捺印**と言い、記名に加えて印章を押す場合に**記名押印**と言う。法的な証拠力の強さは署名捺印、署名のみ、記名押印、記名のみの順である。

応対／対応

　応対：ある人の相手になって受け答えをすること（相手に対する行動）

対応：相手及び状況に応じて物事を処理すること（物事に対する行動）
　　　補足：**対応策**と言うが、**応対策**とは言わない。
課題／問題
　　課題：自ら課した又は他人から課された解決すべき事柄又は問題
　　問題：解消が必要な事柄、あるべき姿（状態）と実際の姿の間の差異
　　補足：**課題**とは、**問題**に包含される概念である。**課題**は解決しなければ
　　　　　ならない事項であり、**問題**は解決するのが望ましいが解決を義務
　　　　　付けられていない事項である、という点で異なる。
基礎／基本
　　基礎＝foundation、basis：学習、修得、鍛練、強化等の土台
　　基本＝fundamental principle：物事の根本原理の認識、思考、判断の
　　　　　拠り所
業種／業態
　　業種＝kind of business：取扱商品及び営業品目等による分類
　　業態＝type of business：販売形態及び営業形態等による分類
実情／実状
　　実情＝the actual conditions：実際の情況（情況＝内面的様子）
　　実状＝the actual circumstances：実際の状況（状況＝外見的様子）
実体／実態
　　実体＝substance、essence、an entity：事物の本質、本体
　　実態＝the realities、the actual situation：事物の情勢、状況
事物／物事
　　事物：有形的な事柄（「物」に重点を置く）
　　物事：一切の（有形及び無形の）事柄（「事」に重点を置く）
　　補足：法的には、事件及びその目的物を「事物」と言う。
習得／修得
　　習得＝learning：経験して習い覚えること（受動的）
　　修得＝mastery：学習して身に付けること（能動的）
物理的／心理的／論理的／合理的／理性的
　　物理的＝physical：物量及び物体として認識できるさま

心理的＝psychological：心理に影響を与えるさま
　　論理的＝logical：事物の法則に適っているさま
　　合理的＝reasonable：道理及び理屈に適っているさま
　　理性的＝rational：道理及び理性を弁えているさま
目的／目標
　　目的＝end、goal：実現しようとして目指す事柄（究極にあるもの）
　　目標＝objective：あることを実現するために設けた目印（当面にあるもの）であるが、目的を実現するための手段でもある。
　　補足：事業目的（究極の目的）の実現は、経営目標（当面の目標）の達成の積重ねによって可能となる。

理論／論理
　　理論＝theory：ある物事についての、原理及び法則に基づく、筋道の通った演繹的、普遍的、体系的な知識
　　論理＝logic：議論、思考、推理等を展開するときの筋道、ある物事について存在する原則的、法則的な筋道
　　補足：理論は論理の展開によって形成されるが、実証又は認知された理論を基に若しくは引用及び応用して新たな論理が展開される場合もある。

倫理／道徳
　　倫理：ethic（s）の訳語で、社会集団での行動の規範
　　道徳：moralの訳語で、人間の行動の普遍的な規範

連係／連携
　　連係：相互に繋がりや関わりを持つこと
　　連携：相互に連絡を取り手を携えて（＝共同して）物事を行なうこと
　　連繋：相互に繋がりや関わりを持つこと
　　補足：「連繋」は、戦前に「聯繫」と書いたもので、戦後になり難読ということで、「連繋」に書き換えられ、更に「連係」書き換えられたものであるから、発音も意味も「連係」と同一である。
　　　　　三様監査は職務が異なるので、三者の共同作業はありえない。因って、そのれんけいには「連係」を使用するのが適当である。

Ⅱ その他の類似用語

以下においては、誤用のものに×を付す。

改定（かいてい）
　　従来の決め事の内容を新しくすること：定価の改定、利率の改定
改訂（かいてい）
　　書物や文章の誤りや内容を正しく改め不足を補うこと：書籍の改訂
改正（かいせい）
　　法律、規則、規約等の不備を適正なものに直すこと：法律の改正
超える（こえる）
　　決められた分量、程度、限界を過ぎて先に行くこと：限度を超える
越える（こえる）
　　ある場所、地点、物等の上を通り過ぎて行くこと：国境を越える
準拠（じゅんきょ）
　　拠り所としてそれに従うこと：法規に準拠する
遵守（じゅんしゅ）
　　法律、規則、規約、道徳、道理に従い、守ること：法規を遵守する
　　「順守」は新聞及び放送用語であり、「遵守」が正しい。
従う（したがう）
　　逆らわないこと：法律に従う、規則に従う
沿う（そう）
　　拠り所から離れないこと：方針に沿う、ガイドラインに沿う
則る（のっとる）
　　基準として従うこと。模範、手本として従うこと：法律に則る
的確（てきかく）
　　的を外れないで確かなこと：的確な把握、的確な判断、的確な答え
適確（てきかく）
　　法律の文章でよく当てはまって確かなこと：適確な措置
適格（てきかく）
　　必要な資格があること：彼は監査人として適格である

適正（てきせい）
　適切で正しいこと：適正価格、適正表示、適正性
適性（てきせい）
　ある事柄によくあった性質、素質、性格：適性検査
適切（てきせつ）
　丁度よく当てはまるさま、その場に相応しいさま。
適当（てきとう）
　ある状態、性質、要求等にほどよく当てはまるさま：適当な大きさ
適度（てきど）
　適当な程度、ほどよいさま：適度の運動
亘る（めぐる）
×**亘る**（わたる）
　「亘る」は、「亙る」と似ているために「わたる」と誤って読まれたが、意味は「ぐるぐる廻る」であるから、「わたる」の意味で用いるのは誤用である。
亙る（わたる）
　ある範囲に及ぶこと、広がること：長期間に亙る
渡る（わたる）
　向こう側へ行くこと：海峡を渡る
　「渡る」は、物理的に何かを越えて別の場所に移る際に用いる。
　空間の場合は広範囲に亙ると書き、時間の場合は、長期に亙ると書く。
意思（いし）
　考え、思い、気持、意見：経営上の意思決定
意志（いし）
　物事を成し遂げようとする積極的な志、意欲：固い意志
伺う（うかがう）
　目上の人に指図を求めること：伺いを立てる
窺う（うかがう）
　そっと様子を見ること：顔色を窺う
おざなり（お座なり）
　当座を繕うこと、その場逃れの物事をするさま：お座なりの対応

なおざり（等閑）
　注意を払わずに放置するさま、疎かにするさま：管理を等閑にする
決裁（けっさい）
　責任者が部下の稟議の認否を決めること：上司の決裁を仰ぐ
決済（けっさい）
　金銭、証券、商品、役務等の引渡で取引を終了すること：代金決済
訊ねる（たずねる）
　問い質すこと：証人に訊ねる
尋ねる（たずねる）
　捜し求めること。問うこと：道を尋ねる
訪ねる（たずねる）
　訪問すること：友人を訪ねる
効く（きく）
　効能があること：薬が効く
利く（きく）
　有効に働くこと：無理が利く、顔が利く
以降（いこう）
　今後のある時点から未来の時制に用いる：今後ある時点からずっと
以後（いご）
　現在から未来の時制に用いる：これからずっと
以来（いらい）
　過去のある時点から現在までの時制に用いる：過去からずっと
事後（じご）
　物事の終わった後、物事が済んだ後
爾後（じご）
　ある事があってから後、その後

Ⅲ　誤字、誤用、誤読の例示

かって　→　かつて
　過去のある時期を表わす「かつて」の「つ」は、小文字でなく、大文字で書く。

にて → で
　　にては、時間、場所、手段、理由、原因等を表わす文語体である。
コミニケーション 又は コミニュケーション → コミュニケーション
コミニティ → コミュニティ
シミレーション 又は シュミレーション → シミュレーション
被監査対象部署 → 被監査部署 又は 監査対象部署
契約書を締結する → 契約を締結する 又は 契約書を取り交わす
　　「契約書」は、法律的効果を発揮させる当事者間の合意事項を文書にしたもの。
〜であるにも関わらず（係わらず） → 〜であるにも拘わらず
金額の多寡に拘わらず → 金額の多寡に関わらず（係わらず）
商品の在庫状況を実査した → 商品の在庫状況を視察（観察）した
商品勘定を精査した → 商品勘定を詳細に点検（調査）した
音頭を取らさせていただく → 音頭を取らせていただく
使わさせていただく → 使わせていただく
やらさせていただく → やらせていただく
支払わさせられて → 支払わされて
言えども → 雖も 又は いえども
以外なことに → 意外なことに
今だに来ない → 未だに来ない
ＡとＢの関係性 → ＡとＢの関係（性は余分）
新薬の実効性 → 新薬の実効（性は余分）
通り一辺 → 通り一遍
懈怠　×かいたい → ○けたい
完遂　×かんつい → ○かんすい
脆弱　×きじゃく → ○ぜいじゃく
授業　×じぎょう → ○じゅぎょう
手術　×しじつ、しじゅつ → ○しゅじゅつ
尚早　×そうしょう → ○しょうそう
通り　×とうり → ○とおり
目途　×めど → ○もくと（めどと読むのは、目処）

Ⅳ 重言の例示

あらかじめ予定する → 予定する
あとで後悔する → 後で悔やむ 又は 後悔する（のどちらか１つ）
新たに創設する → 新たに設置する 又は 創設する（のどちらか１つ）
遺産を残す → 財産を遺す
一番ベスト → 最善、ベスト
一番ベター → 次善、ベター
一番最近 → 最近
一番最初に → 最初に
一番最後に → 最後に
第一番目に → 第一に 又は 一番目に
先ず最初に → 先ず 又は 最初に（のどちらか１つ）
先ず第一に → 先ず 又は 第一に（のどちらか１つ）
いにしえの昔 → いにしえ（古）又は 昔（のどちらか１つ）
違和感を感じる → 違和感を覚える、違和感を抱く、違和感を持つ
およそ３年ほど → およそ３年 又は ３年ほど（のどちらか１つ）
約３年くらい → 約３年 又は ３年くらい（のどちらか１つ）
各部門毎に → 各部門で 又は 部門毎に（のどちらか１つ）
事前予約 → 予約（事後の予約はない）
製造メーカー → 製造業者 又は メーカー（のどちらか１つ）
加工を加える → 加工する
過半数を超える → 半数を超える
行動を行なう → 行動する
古来より → 古来 又は 昔から（のどちらか１つ）
従来より → 従来 又は 前から（のどちらか１つ）
得点を奪う → 得点する 又は 点を奪う（のどちらか１つ）
犯罪を犯す → 罪を犯す
付加価値を加える → 価値を付加する
布陣を敷く → 布陣する 又は 陣を敷く（のどちらか１つ）

負担を担う　→　負担する
まだ未完成　→　未完成
もしも仮に　→　もしも　又は　仮に（のどちらか1つ）
楽観視する　→　楽観する（観と視の重言）
留守を守る　→　留守居をする　又は　留守番をする（のどちらか1つ）

Ⅴ　監査部の内規

　個別監査を実施の都度提出する監査報告書の類には、作成者の意図がその読み手に的確に伝わるように記載しなければならない。

　監査報告書の正を受け取る最高経営執行者、同写を受け取る業務担当役員、監査役等は、様式、項目、記載順序、用語、用字、数字の単位が監査報告書毎に異なると、読み辛くなり、真意が伝わらなくなる。

　従って、三菱商事㈱監査部は、監査業務及び文書の同一性を維持するための、以下の約束事を定めている。

- 三菱商事㈱を表現する場合は「わが社」と記載する。
  我が社、我社、吾が社、吾社、当社、MCではない。
- 監査先の責任者に宛てた書面（監査結果通知書）上で監査先を表現する場合は「貴BU」、「貴部」、「貴社」と記載する。
- 第三者に宛てた書面（社長宛の監査報告書）上で監査先を表現する場合は「当BU」、「当部」、「当社」と記載する。
- 第三者の名称を複数回繰り返して記載する場合は「同BU」、「同部」、「同社」と記載する。
- 文章を口語体で書く。
- 難解な表現及び辞書を引かなければ理解できないような難字を使用してはならない。
- 動詞には送り仮名を付けるが、慣用名詞には送り仮名をつけない。
  ［名詞］：　組立　　　繰延　　　差入　　　取扱　　　取付　　　取組
  ［動詞］：　組み立てる、繰り延べる、差し入れる、取り扱う、取り付ける、取り組む
- 原則的に日本語で書き、固有名詞以外の外国語の表現は使用しない。
- 外国語の場合は、英字でも片仮名でもよいが、一方に統一する。

- アルファベット表示の名称及びアラビア数字については、全角では読み難いので、半角で記載する。片仮名は全角で記載する。
- 社名を略称表記する場合は、先ず㈱を社名の前又は後に付した正式名称を記載し、それに続けて（以下、×××社と略称）と記載する。
- 外国語の社名を略称する場合は、略称の後に「社」を付す。

  アルファベットで略称を記載すると、その略称が社名なのか社名以外の組織、機構、条約、法規、規則等、別の概念なのかが判然とせず、読み手の誤解及び混乱を惹起する。
- 日本語の社名を略称する場合は、略称の後に「社」を付さない。
- 金額の単位は、千円、百万円、億円で記載する。
- 数量、重量、体積は、千、百万、億で記載する。
- 見出し記号は、基本的に、次の順序で使用する。

  1．2．3．4．5．
  　(1)　(2)　(3)　(4)　(5)
  　　　a．b．c．d．e．
  　　　　(a)　(b)　(c)　(d)　(e)
  　　　　　　ア．イ．ウ．エ．オ．
  　　　　　　　(ア)　(イ)　(ウ)　(エ)　(オ)
- 上記の6種で不足する場合は、Ⅰ、Ⅱ、Ⅲ及びA、B、Cを加えて、次の順序で使用する。

  Ⅰ．Ⅱ．Ⅲ．Ⅳ．Ⅴ．
  　A．B．C．D．E．
  　　　1．2．3．4．5．
  　　　　(1)　(2)　(3)　(4)　(5)
  　　　　　　a．b．c．d．e．
  　　　　　　　(a)　(b)　(c)　(d)　(e)
  　　　　　　　　　ア．イ．ウ．エ．オ．
  　　　　　　　　　　(ア)　(イ)　(ウ)　(エ)　(オ)
- ①、②、③、④、⑤は、基本的に、文中で使用するが、例外的に、順番を示す見出語として使用してもよい。

Ⅵ　法令用語の約束事

　我々は日常の会話で「と」、「や」、「又」、「そして」、「それから」等の括りを気にせずに接続詞を使い、文書においては上記に加えて「及び」、「並びに」等の接続詞を加えて使っているが、これらの接続詞が一定の約束に基づかずに濫用されていると、文書を読んだときに「節がどこで括られているのか」、「どの節がどの節に接続しているのか」等が判然としないので、文意を正確に読み取ることが難しくなる。

　法令においては、条文が紛らわしい文章で書かれ複数の解釈の余地があってはならないため厳密な区別が必要であるから、法令用語が一定の約束の下に極めて厳格に用いられている。

　監査人は、法令用語と同程度に厳格な使い方を定める必要はないが、監査先に対して意見表明を行なうのであるから、言葉の選択及び用法については細心の注意を払うべきであり、法律上の慣用的な語法を参考に言葉の用法に一定の約束を定め、これに従う必要がある。

　最低でも「及び」、「並びに」、「かつ」、「又は」、「若しくは」の用法を理解して正しく使用しないと、監査意見を理解して貰えず、内部監査の実効を上げることができなくなる事態も生じかねない。

　因って、内閣法制局長官を務められた林修三氏（故人）の著書『法令用語の常識』を参考に、類似している法令用語の意味の違いとそれらの用法を、以下において紹介する。

(1)「及び」、「並びに」、「かつ」の用法

　「**及び**」は並列的な連結が1段階の場合に用いる。

　　子会社及び連結子会社から成る企業集団の財産及び損益の状況

　「**並びに**」は並列する語句に異なる段階や結付の強弱がある場合に、大きな連結を行なうところで用いる。小さな連結を行なうところでは「**及び**」を用いる。

　　国及び他の地方公共団体の職員並びに民間事業の従事者

　3段階以上の連結がある場合は、最小の連結に「**及び**」を用い、次の連結とその上の大きい連結には何れも「**並びに**」を用いる。

これを「**大並び**」、「**小並び**」と呼んで区別する。

　生計費**並びに**国**及び**他の地方公共団体の職員**並びに**民間事業の従事者の給与

上の例では、先ず「生計費と給与」が大きく連結され、次に「職員と従事者」が結び付けられ、最後に「国と地方の公共団体」とで、最小の結付が行なわれている。

　大：生計費**並びに**給与
　中：地方公共団体の職員**並びに**民間事業の従事者
　小：国**及び**他の地方公共団体

「**かつ**」は「**及び**」と「**並びに**」よりも大きい連結、例えば①動詞と動詞を結び付ける場合、②複数の形容詞句を結び付けて、一体の意味を持たせる場合、③複数の語や文章を同時にという意味を持たせて、強く結び付け、何れも同等の重要性があることを示す場合に用いる。但し、「**及び**」や「**並びに**」と特に異なった用い方をするわけでもない。

　公判廷は、裁判官**及び**裁判所書記が列席し、**かつ**検察官が出席して

(2) 「又は」、「若しくは」の用法

「**又は**」は選択的な連結が1段階の場合に用いる。

　株式会社の取締役、執行役、監査役**又は**使用人

この「**又は**」は何れも同等の段階における選択である。

「**若しくは**」は選択する語句に異なる段階がある場合に小さな選択を行なうところで用い、大きな選択を行なうところで「**又は**」を用いる。

　会計参与は、公認会計士**若しくは**監査法人**又は**税理士**若しくは**税理士法人でなければならない。

この2つの「**若しくは**」は何れも同等の段階における選択である。

3段階以上の選択のある場合は、最大の選択に「**又は**」を用い、次の選択とその下の小さい選択には何れも「**若しくは**」を用いる。

これを「**大若し**」、「**小若し**」と呼んで区別する。

これらの用い方は「**及び**」「**並びに**」の場合と逆になっている。

　この法律**若しくは**この法律に基づく命令**若しくは**これらに基づく処分**又は**免許、許可**若しくは**認可に付した条件に違反したとき

上の3つの「若しくは」の中の前の2つが、2つの段階の選択である。最初の「処分と条件」が大きな選択であり、次の「命令と処分、免許と許可と認可」が二次的選択であり、最後の「法律と命令」とで、最小の結付が行なわれている。

　大：処分**又**は条件
　中：命令**若しくは**処分　免許、許可**若しくは**認可
　小：法律**若しくは**命令

(3)「直ちに」、「速やかに」、「遅滞なく」の用法

　これらは、時間的即時性を表わす言葉であり、時間的即時性の強さの順序と罰則の有無は、以下の通りである。これは、1962年12月10日の銃刀法違反に対する大阪高裁判決文で明示されたものである。

　「直ちに」は、即座にという意味で、一切の遅延が許されない場合に用いられ、罰則が付く。

　「速やかに」は、訓示的に用いられ、罰則が付かないとされていたが、上述の大阪高裁判決で否定され、罰則が付いた。尚、1965年7月15日の改正で「速やかに」から「20日以内に」へと変更された。

　「遅滞なく」は、正当又は合理的な理由による遅延が許される場合に用いられ、正当又は合理的な理由がない場合は罰則が付く。

(4)「以上」、「以下」、「超える」、「未満」の用法

　これらは、一定の数量を基準に、それよりも多いか少ないかを表わす言葉であり、意味の違いは、以下の通りである。

　「以上」は、その基準を含み、それよりも多い場合に用いられる。

　「以下」は、その基準を含み、それよりも少ない場合に用いられる。

　「超える」又は「超過」は、その基準を含まず、それより多い場合に用いられる。

　「未満」又は「満たない」は、その基準を含まず、それよりも少ない場合に用いられる。

(5)「以前」と「前」、「以後」と「後」、「より」と「から」の用法

　これらは、一定の基準点に対する時間的な前後を表わす言葉であり、意味の違いは、以下の通りである。

「以前」は、その基準時点を含み、それよりも前への時間的広がりを表わす。

　「以後」は、その基準時点を含み、それよりも後への時間的広がりを表わす。

　「以降」も、その基準時点を含み、それよりも後への時間的広がりを表わす。

　「前」は、その基準時点を含まず、それよりも前への時間的広がりを表わす。

　「後」は、その基準時点を含まず、それよりも後への時間的広がりを表わす。

　「より」及び「から」は、民法第140条の初日不算入の規を除いて、その基準時点を含み、それよりも前又は後への時間的広がりを表わす。

(6)　「以内」、「内」の用法

　これらは、一定の基準点に対する期間や空間的広がりを表わす言葉であり、意味の違いは、以下の通りである。

　「以内」は、期間及び空間的な広がりの終点を含む。

　「内」は、期間及び空間的な広がりの終点を含まないので、「未満」を使用する方が多い。

(7)　「乃至」の用法

　「乃至」は、一般には「又は」の意味で使用されているが、法律上は、3つ以上の連続した事項を引用する際に、最初と最後だけを記載して、「○○から□□まで」という意味で用いる。

　第10条乃至第13条の規定は、第10条から第13条までの規定（第10条、第11条、第12条、第13条の規定）を意味する。

(8)　「自至」の用法

　法令用語ではないが「乃至」に類似した用語に「自至」があり、有価証券報告書等の会計期間の表示に使用されている。

　例えば、自2020年4月1日　至2021年3月31日とは、2020年4月1日より（から）2021年3月31日にいたる（まで）を意味する。

Ⅶ　会社に纏わる用語の逸話

　筆者は、坂本龍馬に憧れ、世界に雄飛したいと考え、三菱商事㈱への入社を志望したが、「君は尊敬する人物は坂本龍馬と書いているが、岩崎彌太郎ではないのかね」と面接で訊かれて、返答に窮した。筆者は岩崎彌太郎が創始者であることを知らずに面接に臨んだ次第で、後に調べて龍馬の海援隊の事業を彌太郎が継承していたことを知った。

　坂本藤良慶應義塾大学教授が『坂本竜馬と海援隊　日本を変えた男のビジネス魂』（講談社）に「亀山社中が日本初の株式会社に近いもの」と書いたため、NHKが『龍馬伝』を放映すると、これがブログで日本中に拡散した。坂本教授が後に『小栗上野介の生涯「兵庫商社」を創った最後の幕臣』（講談社）で「兵庫商社が日本初の株式会社」と訂正していたにも拘わらずである。

　龍馬は「company」から「亀山社中」と命名したと思うが、これは、ラテン語の「cum（ともに）」と「pānis（パンを食べる）」の合成語に端を発するもので、日本語の「同じ釜の飯を食う仲間」と同義であり、組合、商店、会社等の企業及び陸上自衛隊の中隊等の「一緒に行動する仲間」を表わす。

　会社は定款、機関を備え、株式を発行していなければならないので、この要件を備えた日本初の株式会社は、亀山社中ではなく、小栗忠順が慶應３年（1867年）に造らせた、資本金百満両の兵庫商社であった。

　小栗忠順は、日米修好通商条約批准に立会のため米艦ポウハタン号で渡米し、パナマから鉄道で大西洋側に向かうときに、鉄道事業の資金を「company」の設立による株式の発行で獲得したことを知り、帰国後に大阪商人たちに呼びかけて兵庫商社を設立させているので、小栗忠順が「company」を「商社」と和訳したようである。

　小栗上野介忠順とその事績（兵庫商社の設立、横須賀製鉄所の建設、洋式軍隊の整備、洋式ホテルの建設等々）については、東善寺（群馬県高崎市倉渕町権田169）の村上泰賢方丈がお詳しい。

参照・参考文献

内部監査関連の文献
青木茂男『現代の内部監査』中央経済社、1970年［新版1976年、全訂版1981年］。
青木茂男『近代内部監査』中央経済社、1959年。
青木茂男『内部監査論』中央経済社、1956年。
青木茂男『内部監査の理論と実際』中央経済社、1953年。
青木茂男『アメリカに於ける内部監査制度』同文館、1948年。
久保田音二郎『現代内部監査』千倉書房、1974年。
久保田音二郎『内部監査制度』千倉書房、1960年。
久保田音二郎『内部監査』ダイヤモンド社、1957年。
神馬新七郎『経営組織の能率化と内部監査制度』山海堂、1944年。
近澤弘治『外部監査と内部監査』税務経理研究会、1956年。
津田秀雄『日本内部監査制度の史的展開』森山書店、2012年。
津田秀雄『改訂 ドイツ内部監査論』千倉書房、2002年。
友杉芳正『内部監査の論理』中央経済社、1992年。
檜田信男『監査要論』白桃書房、1966年。
古川榮一、久保田音二郎、青木茂男、佐藤孝一、神馬新七郎『現代内部監査』春秋社、1954年。
松井隆幸『内部監査』（五訂版）、同文舘出版、2011年。
陸軍省経理局監査課『工場内部監査制度ノ参考』、1942年。
W. Ballmann『Leitfaden der Internen Revision』herausgegeben vom Institut für Interne Revision Verlag Moderne Industrie, 1967.（久保田音二郎監修、津田秀雄訳『内部監査―西独における理論と実際』中央経済社、1972年。）
Lawrence B. Sawyer, Mortimer A. Dittenhofer, James H. Scheiner, SAWYER'S INTERNAL AUDITING, 5th ed., IIA 2003.（（社）日本内部監査協会訳『ソイヤーの内部監査』。）
The Institute of Internal Auditors (IIA), The Role of Internal Auditing in Enterprise-wide Risk Management, 2004.（川村眞一訳「全社的リスク管理における内部監査の役割」『月刊監査研究』2005年7月号。）

経営監査関連の文献
可児島俊雄、友杉芳正、津田秀雄『経営業務監査』同文舘出版、1988年。
可児島俊雄『現代企業の監査』中央経済社、1990年。
可児島俊雄『経営監査論』同文舘出版、1970年。
西野嘉一郎『経営監査』ダイヤモンド社、1948年。
西野嘉一郎『能率監査の理論と実際』山海堂、1944年。
古川榮一、可児島俊雄『経営監査論』丸善、1974年。

会計監査関連の文献
石原俊彦『リスク・アプローチ監査論』中央経済社、1998年。
伊豫田隆俊・松本祥尚・林隆敏「ベーシック監査論」（八訂版）、同文舘出版、2019年。
岩田巌『会計原則と監査基準』中央経済社、1955年。
加藤恭彦、友杉芳正、津田秀雄『監査論講義』（第3版）中央経済社、2000年。
可児島俊雄『現代監査制度論』同文舘、1976年。
千代田邦夫『現代会計監査論』（全面改訂版）税務経理協会、2009年。

千代田邦夫『監査論の基礎』税務経理協会、1998年。
千代田邦夫『アメリカ監査論』（第2版）中央経済社、1998年。
千代田邦夫・盛田良久・百合野正博・朴大栄・伊豫田隆俊訳『ウォーレスの監査論』同文舘出版、1991年。
千代田邦夫『アメリカ監査制度発達史』中央経済社、1984年。
友杉芳正『新版 スタンダード監査論』（第3版）中央経済社、2009年。
野本悌之助『監査通論』中央経済社、1952年。
森實『現代監査論』白桃書房、1989年。
山浦久司『会計監査論』（第5版）中央経済社、2008年。
山桝忠恕『近代監査論』千倉書房、1971年。

監査役監査関連の文献
浦野雄幸『株式会社監査制度論』商事法務研究会、1970年。
久保田音二郎『監査役監査制度』税務経理協会、1974年。
山浦久司『英国株式会社会計制度論』（第5版）白桃書房、1993年。
山桝忠恕『監査制度の展開』有斐閣、1961年。
山村忠平『監査制度の生成と発展』国際書院、1997年。

内部統制関連の文献
池田唯一編『内部統制報告制度』税務研究会、2007年。
柿﨑環『内部統制の法的研究』日本評論社、2005年。
小西一正『内部統制の理論』中央経済社、1996年。
通商産業省企業局『内部統制の実施に関する手続要領』1953年。
トレッドウェイ委員会支援組織委員会編（日本内部監査協会・八田進二訳）『簡易版COSO内部統制ガイダンス』同文舘出版、2007年。
トレッドウェイ委員会支援組織委員会編（八田進二・箱田順哉監訳、日本内部統制研究学会新COSO研究会訳）『内部統制の統合的フレームワーク』（理論編）、（ツール編）、（外部財務報告編）、日本公認会計士協会出版局、2014年。
古川榮一『経営管理概論』同文舘出版、1954年。
古川榮一『内部統制組織』森山書店、1951年。
町田祥弘『内部統制の知識』（第3版）日本経済新聞出版、2015年。
町田祥弘『会計プロフェッションと内部統制』税務経理研究会、2004年。
PricewaterhouseCoopers LLP, Enterprise Risk Management —Integrated Framework, COSO, 2004.
Coopers & Lybrand, Internal Control — Integrated Framework, COSO, 1994.

証券取引法関連の文献
黒沼悦郎『アメリカ証券取引法』（第2版）弘文堂、2004年。
河本一郎・大武泰南『証券取引法読本』（第7版）有斐閣、2005年。

その他の文献
神戸大学研究室編『会計学辞典』（第6版）同文舘出版、2007年。
林修三『法令用語の常識』『法令解釈の常識』『法令作成の常識』日本評論社、1975年。
林大・山田卓生編『法律類語難語辞典』（新版）有斐閣、1998年。
Baughman, James P. The History of American Management, Prentice Hall, Inc, Englewood Cliffs, New Jersey, 1969.
Chandler, Alfred D. Jr. The Visible Hand: The Managerial Revolution in American Business, Belknap Press, Cambridge, Mass, 1977.

索　引

A～Z

AAA 226
accountability 147, **183**, 185, 198
accounting audit 172, 209
agency theory 181, **182**
AICPA 64, 81, 119, 123
assertion 77, 187, 226, **278**
assurance 70, 231, 234
audit risk 126, 286, **294**

certification 78, 101, 107
CoCo 35
Combined Code **11**, 36
compliance 50
consulting 231
control risk 288, **293**
corporate governance 4, 14, 30
Corporate Governance Code 12
COSO 32, 66, **70**, 74
crisis management 49
CSA 301

detection risk 288, **294**
disclosure 31, 36, 79, **185**
disclosure control 79

ERM 41, 74
exposure 44
external audit 172, 226, 294

FCPA 65, **75**, 125
FDICIA 65, 74, **76**
fiduciary duty 16, **186**
financial statement audit 121, 294
Fraud Triangle 99
FSMA 107

GAAP 226
GAAS 226
going concern 31, 110, **191**

hazard 40, 44
hazardous 44

IIA 7, 148, 240, 298, 386
inherent risk 148, **231**, 288, **292**
integrity 50, 63, 70
internal auditing 157, 294
internal auditing program 299
internal check system 61
internal control 32, 60, 80, 88, 293
internal control structure 67
internal control system 60, 73, 80, 88
IPPF 152
IR 6

MAS 229, **240**
monitor, monitoring 24, 70, **219**

OECD Principles of Corporate
Governance 14
oversight 4, 181, 213, **219**

peril 44
PPF 152

RCSA 301
residual risk 288, **292**
responsibility 3, 9, **49**
risk 37, **39**
risk control **48**, 292
risk management **39**, 49

SEC 6, 79
Securities Act 121
Securities Exchange Act 122
SOA 7, **77**, 104
stewardship 17, 181, **186**
Stewardship Code 12

Treadway Commission 66
Turnbull Guidance 36

403

ア～オ

アサーション ················· 67, 125, 187, **278**
アシュアランス ············ 151, 231, **234**, 239
アドバイザリー ····················· **234**, 241

インターナル・コントロール ······· 32, 293
インテグリティ ························· 70
インハウス・ガバナンス ············ 31, 256

エージェンシー理論 ············ 181, **182**
エクスポージャー ························ 44
エンタープライズ・リスク・
　マネジメント ······················· **41**, 74

オーバーサイト ····················· 4, 219

カ～コ

ゴーイング・コンサーン＝
　継続企業 ························· 110, **191**
コーポレート・ガバナンス ············ 4, 10
コーポレート・ガバナンス原則 ··7, 14, 17
コーポレート・ガバナンス・
　コード ························· 12, 15, 21
コーポレートガバナンス・
　コード（日本）····························· 20
コンサルティング ·········· 231, **240**, 242
コントロール ············ 31, 148, 165, 231
コンバインド・コード ················· 11, 36
コンプライアンス ················ 50, 67, 96

サ～ソ

サーベインズ・オクスリー法 ········ **77**, 104

スチュワードシップ・コード ········· 12, 17

ソフト・ロー ························· 19, 21

タ～ト

ターンブル・ガイダンス ················· 36

チェック・リスト ···················· 268, 300

トレッドウェイ委員会 ······················ 66

トレッドウェイ委員会
　支援組織委員会 ············· **66**, 70, 126

ハ～ホ

ハード・ロー ························· 19, 21
ハザーダス ··························· 44, 46
ハザード ······························ 44, 48

ビジネス・リスク ··········· 39, **47**, 265, 295

フォロー・アップ ···················· **285**, 352

ペリル ································ 44, 46

マ～モ

モニター／モニタリング ········ 13, 53, **97**
モニタリング・モデル ········ 8, **24**, 209, 218

ラ～ロ

リスク ························· 39, **44**, 46
リスク・アプローチの監査 ········ **286**, 291
リスク管理体制 ················ 61, 80, 86, 93
リスク・コントロール ························ 48
リスク・ベースの監査 ···················· 291
リスク・マネジメント ············ 39, 47, 93

あ～お

委員会設置会社 ···················· 25, 209
委員会等設置会社 ·················· 25, 209
意見表明 ······················ 229, 320, **382**

か～こ

会計監査 ··········· 137, 160, 181, 226, **270**
会計監査人 ············ 137, 201, 238, 244
会計監査人監査 ··························· 233
会計監査人設置会社 ········ 201, 227, 244
会計基準／会計原則 ······· 81, 133, 190, 226
開示統制及び手続 ···················· 79, 107
会社法 ····································· 252
会社法（監査）············ 201, 210, 214, 227
会社法（社外取締役）······················· 19
会社法（内部統制）················· **90**, 93
回答書 ···································· 285
外部監査 ······················ 199, **226**, 243

官公庁等の内部監査……………266, 279
監査………………147, 155, 199, 219, 250
監査委員会……………………5, 89, 209
監査意見（外部監査）……………226, 230
監査意見（内部監査）…234, 262, **280**, 320
監査技術………………208, 221, 262, **306**
　アンケート………………………314
　閲覧………………………………308
　確認………………………………311
　勘定分析…………………………312
　視察………………………………310
　実査………………………………309
　質問………………………………311
　立会………………………………310
　聴取／ヒアリング………………314
　調整………………………………313
　通査／走査………………………309
　突合………………………………306
　年齢調べ…………………………311
　比較………………………………312
　面談／インタビュー……………313
監査基準書……………………81, 124
監査客体……………………219, **271**
監査計画……………………………272
監査結果通知書……………………284
監査項目……………………………279
監査実施手順書…………272, 281, **298**
監査主体……………………243, **271**
監査証拠……………………………280
監査対象……………………271, **274**
監査着眼点…………………………279
監査手続……………………262, **306**
監査手続（趨勢分析）……………316
監査手続（分析的手続）…………315
監査手続書………………82, 124, 299
監査調書……………………263, 283
監査等委員会設置会社……20, 25, 56, 251
監査範囲……………………………274
監査報告書…………………………284
監査マニュアル……………………300
監査目的（監査役監査）…………203
監査目的（外部監査）……………228
監査目的（内部監査）…233, 264, 273
監査目標……………………………273

監査役（会）設置会社………25, 55, 251
監査役監査……………201, 203, 205, 207
監査要点（外部監査）…………69, 277
監査要点（内部監査）…………160, 274
監査予備調書………………………281
監査リスク（外部監査）…………286, 294
監査リスク（内部監査）……292, 294, 298
監査リスク・ベースの監査………126, 266
　　財務諸表監査………………121, 288
　　内部監査……………………………291
監視………………………23, 27, 86, 184, **219**
監視義務………………………………87, 184
監督……………………………23, 200, 219
監督役会（ドイツ）………24, 54, 113, 200

危機管理……………………………………49
期待ギャップ…………………………65, 108
金融商品取引法………………100, 107, 253
金融商品取引法（監査）…………………227
金融商品取引法（内部統制）……101, 227

経営監査……………………………166, 286
経営者確認書………………………………198
経営者の主張………………………187, 226
経営判断の原則……………………………205
継続企業……………………………110, **191**

固有リスク…………………………288, **293**

さ～そ

財務諸表監査……………80, 122, 133, 229
財務報告に係る内部統制…73, **79**, 96, 100
残余リスク…………………………288, 292
三様監査……………………199, 224, 243

自己点検……………………………………303
実地監査……………………222, **283**, 320
指名委員会等設置会社……25, 57, 209, 251
社外監査役……………………20, **140**, 201, 236
社外取締役……………………4, 19, 209, 217
重点監査項目………………………………279
受託職務……………………………181 **183**, 186
受託者の義務………………………………16, 186
証券取引委員会………………6, 75, 122, 132

証券取引法	132, 138, 156, 253
商法	127, 129, 134, 139
商法特例法	89, 137, 139
情報開示	112, 185
真実かつ公正な概観	188
真実かつ正確な概観	112, 120, 188
説明義務	147, 181, 185
善管注意義務	**86**, 183, 245
潜在リスク	288, 292
全社的リスク・マネジメント	41
全般的内部統制	60, 73, 94, 257
損失の危険の管理	89, 91, **93**

た〜と

大会社	90, 93, 137, 141
代表者確認書	100, 198
忠実義務	86, 183
摘発リスク	288, 294
統合規範	11
統制自己評価	301
統制リスク	67, 89, 288, 292
独立取締役	5, 8, 24, 28 125

な〜の

内部監査	147, 155, 224, 260
内部監査人協会	7, 66, **148**
内部監査の業績評価	366
内部監査の品質管理	358
内部監査の品質評価	361
内部管理	32, 60, **80**, 87
内部牽制	61, 81, 156, 165
内部統制	33, 60, 67, **80**, 94, 256
ストラクチャー（構造）	62, 66, 76
システム（体制）	32, 61, **72**, 93
プロセス（態勢）	32, **71**, 80, 93
内部統制基準	100, 108, 245
内部統制実施基準	100, 103

内部統制報告書	77, 101, 227, 243
内部統制報告制度（米国）	65, 75, **100**
内部統制報告制度（日本）	100, 104
二重責任	142, 191, **196**
日本監査役協会	138, 146, 204, 206
日本公認会計士協会	132, 241, 247, 277
日本内部監査協会	153, 177, 241, 361

は〜ほ

発見リスク	288, 294
不正のトライアングル	98
米国会計学会（AAA）	66, 226
米国会計士協会（AIA）	62, 119, 235
米国公認会計士協会（AICPA）	64, 119
法定監査（監査役）	127, 200
法定監査（公認会計士）	132, 227
保証業務	239
本格監査	283, 320, 348, 375

ま〜も

民法	86, 128, 183

や〜よ

予備調査	281, 320, **322**, 341
リスク管理	39, 49, 86, 93, 258

英国及び米国の法律等

1933年証券法（米国）	121
1934年証券取引所法（米国）	75, 121
1977年海外不正行為防止法（FCPA、米国）	65, **75**, 125
1991年連邦預金保険公社改善法（FDICIA、米国）	65, **76**
2000年金融サービス及び市場法（FSMA、英国）	107
2002年サーベインズ・オクスリー法（SOA、米国）	**77**, 101, 104

【編著者紹介】

一般社団法人日本内部監査協会

　内部監査及び関連する諸分野についての理論及び実務の研究並びに内部監査の品質及び内部監査人の専門的能力の向上等を推進するとともに、内部監査に関する知識を広く一般に普及することにより、わが国の産業及び経済の健全な発展に資することを目的に活動。又、国際的な内部監査の専門団体である内部監査人協会（The Institute of Internal Auditors, Inc.：IIA）の日本代表機関として、世界的な交流活動を行うとともに、内部監査人の国際資格である"公認内部監査人（Certified Internal Auditor: CIA）"の認定試験を実施している。昭和32（1957）年創立。企業や団体など加盟数は2020年3月現在9,413。

〒104-0031　東京都中央区京橋3-3-11 VORT京橋
TEL（03）6214-2231　FAX（03）6214-2234　http://www.iiajapan.com/

川村　眞一（かわむら・しんいち）

　1947年盛岡市生まれ。1970年三菱商事入社。1980年7月から2000年3月まで20年の殆どを5ヶ国5社の海外事業投資会社CEO等として勤務。2000年3月末に監査部へ転籍。2001年4月から2007年末退職まで監査部部長。2002年から現在まで(一社)日本内部監査協会等の講習会で講師を務めている。

　著書に『これだけは知っておきたい取締役・監査役・監査部長等にとっての内部監査（改訂版）』『これだけは知っておきたい内部監査の実務（三訂版）』『これだけは知っておきたい内部監査の基本（六訂版）』『これだけは知っておきたい内部監査の手法①〈グループ会社の内部監査〉』『これだけは知っておきたい内部監査の手法②〈不正・異常性発見の内部監査〉』『内部統制と内部監査（増補版）』（何れも同文舘出版）がある。

平成18年6月30日	初版発行	平成27年10月5日	五訂版発行
平成19年9月20日	改訂版発行	平成29年10月10日	五訂4刷発行
平成20年10月20日	改訂2刷発行	平成30年2月15日	六訂版発行
平成21年6月15日	三訂版発行	令和2年7月30日	六訂4刷発行
平成24年6月1日	三訂4刷発行	令和3年3月20日	七訂版発行
平成25年9月30日	四訂版発行	令和5年11月20日	七訂5刷発行
平成27年6月1日	四訂2刷発行		

《検印省略》

略称──川村監査（七）

現代の実践的内部監査（七訂版）

編　者 Ⓒ （一社）日本内部監査協会
著　者 Ⓒ 川　村　眞　一
発行者　　中　島　豊　彦

発行所　同文舘出版株式会社
　　　　東京都千代田区神田神保町1-41　〒101-0051
　　　　営業(03)3294-1801　　編集(03)3294-1803
　　　　振替 00100-8-42935　https://www.dobunkan.co.jp

Printed in Japan 2021

製版　一企画
印刷・製本　萩原印刷

ISBN978-4-495-18827-6

これだけは知っておきたいシリーズ

川村眞一 著

内部監査の基本（六訂版）

A5判・224頁
税込2,200円（本体2,000円）
2016年7月発行

内部監査の実務（三訂版）

A5判・230頁
税込2,420円（本体2,200円）
2016年2月発行

取締役・監査役・監査部長等にとっての内部監査（改訂版）

A5判・234頁
税込2,750円（本体2,500円）
2018年9月発行

内部監査の手法①
―グループ会社の内部監査―

A5判・180頁
税込2,200円（本体2,000円）
2009年9月発行

内部監査の手法②
―不正・異常性発見の内部監査―

A5判・208頁
税込2,200円（本体2,000円）
2009年12月発行

本書とともに

内部監査人のための
IT監査とITガバナンス

一般社団法人日本内部監査協会編
A5判・288頁　税込3,080円（本体2,800円）

簡易版
COSO内部統制ガイダンス

（社）日本内部監査協会・八田進二 監訳
A5判・304頁　税込3,850円（本体3,500円）